Afallon

Afallon

Robat Gruffudd

yLolfa

Dymuna'r cyhoeddwyr gydnabod cymorth ariannol
Cyngor Llyfrau Cymru

Dymuna'r awdur ddiolch i Lenyddiaeth Cymru am ddyfarnu
Ysgoloriaeth i Awduron iddo er mwyn cwblhau'r nofel hon

Clawr: Huw Aaron

Rhif Llyfr Rhyngwladol: 978 1 84771 526 5

FSC

Cyhoeddwyd ac argraffwyd yng Nghymru
ar ran Llys Eisteddfod Genedlaethol Cymru
ar bapur o goedwigoedd cynaladwy
gan Y Lolfa Cyf., Talybont, Ceredigion SY24 5HE
e-bost ylolfa@ylolfa.com
gwefan www.ylolfa.com
ffôn 01970 832 304
ffacs 01970 832 782

Er cof am fy mam,
Kate Bosse-Griffiths,
nofelydd cynta'r teulu
a'n hysbrydoliaeth ni o hyd

1: Bae Langland

"HEY, DIG THAT crazy shirt!"

Troais i edrych ar y ferch fer y tu ôl i fi yn y ciw. Roedd ei llygaid yn aneglur y tu ôl i ffrâm wen ei sbectol haul, a'i gwallt golau yn cyrlio dan ei het wellt. Yna sylweddolais: hi oedd y ferch fu'n gorwedd yn fronnoeth ar y graig trwy'r pnawn, yn darllen llyfr ac yn tylino'i hun.

"Y crys? Ydi, mae'n iawn, ond fawr o *fashion statement*," dywedais wrth edrych tuag at fy nghrys rygbi Cymru.

"But it sure makes a statement," meddai mewn acen Americanaidd, "and that's Wales!"

"Chi'n cefnogi Cymru, felly, yn cefnogi'r tîm?"

"Y ddau, wrth gwrs!"

"A chithe'n Americanes, rwy'n cymryd?"

"Rhywbeth o'i le ar hynny?" meddai, gan edrych arna i'n heriol a thynnu strap ei ffrog lac yn ôl dros ei hysgwydd frown.

"Yma ar wyliau?" gofynnais.

"Na, dwi'n 'studio yn yr *uni* yma yn Abertawe."

"Braf iawn. Myfyriwr aeddfed?"

"Ydi e mor amlwg â hynny?"

Gallai fod yn ddeugain. Crychai corneli ei gwefusau pan fyddai'n gwenu, ond roedd ei chroen yn esmwyth a'i chorff, ro'n i'n amau, wedi elwa o sawl sesiwn mewn *gym* neu bwll nofio. Ro'n i wedi sylwi arni ynghynt yn nofio â *breaststroke* cryf mas i'r môr agored, ymhell o'r traeth a gweiddi'r plant.

"Astudio oeddech chi pnawn 'ma?"

"Ddim yn hollol. Darllen cefndir, falle. A chithe?"

Yn anfodlon braidd, dangosais y llyfr clawr meddal iddi.

Rhaid ei bod hi hefyd, felly, wedi sylwi arna i ar draws y traeth cul.

"*Black Swan*. Teitl od?"

"Llyfr am economeg yw e, yn profi bod be chi'n ddisgwyl byth yn digwydd, a bod pawb wastad yn anghywir."

"Ac mae angen llyfr i brofi hynny?"

"Na, ond chi'n darllen stwff fel'na pan chi mewn busnes."

"Mewn busnes ydych chi, felly?"

"Bues i'n gweithio i gwmni *pharma* am ugain mlynedd, yn Berlin."

"Waw, rhaid bod hynny'n braf."

"Alla i ddim cwyno. Ga i ofyn beth o'ch chi'n ddarllen?"

Gafaelodd yn ei bag cynfas ac o blith y poteli dŵr, y tywelion a'r hufennau haul fe dynnodd mas lyfr treuliedig â chlawr du a gwyn gyda'r teitl *Le Morte d'Arthur*. Doedd e'n golygu dim i fi.

"Ond y Brenin Arthur!" meddai. "Chi'n gwybod amdano fe?"

"Wrth gwrs. Fe enwais i 'nghwch i ar ei ôl e: *Afallon*."

"You're not kidding?"

"Peidiwch meddwl am *yacht* bendigedig yn perthyn i ryw oligarch Rwsiaidd. Dim ond *sport fisher* bach yw e, draw yn y Marina."

"Ond pam 'Afallon'?"

Tra o'n i'n trio meddwl am ateb, herciodd y ciw ymlaen tuag at gownter caffe'r Surfside. Archebais baned o goffi a hithau Cornetto Flake, ond roedd y lle'n llawn a buon ni'n oedi'n lletchwith am ennyd, nes iddi bwyntio at fwrdd gwag tu fas, ar y patio.

Eisteddon ni mas yn yr haul uwchben Bae Langland gyda'r parau a'r teuluoedd oedd yno'n mwynhau'r diwedd pnawn o Fehefin. Roedd y traeth wedi dechrau gwagio, a syrffwyr yn herio'r tonnau islaw i ni, rhai ohonyn nhw'n tynnu ar farcudau lliwgar oedd yn hanner cydio yn y gwynt. Ymhell y tu ôl iddyn nhw, o dan y gorwel, roedd llong degan yn cropian yn araf tuag at Iwerddon.

Arllwysais y siwgr o'r tiwb papur i'r coffi gan ddechrau dygymod â'm sefyllfa annisgwyl o ddymunol. Roedd yr haul yn taro ar lygaid y ferch, a thriais symud yr ymbrelo, ond meddai hi, "Dwi'n *okay*. Dwi'n licio'r haul, dwi wedi bod ynddo fe trwy'r pnawn. A gyda llaw, rwy'n dal i ddisgwyl am ateb i'r cwestiwn."

"Pa gwestiwn?"

"Pam enwi'r cwch yn 'Afallon'."

Tynnais fy Aviators a'u rhoi ar y bwrdd. "Sai'n siŵr fy hunan. Dim ond gair oedd e am y freuddwyd naïf yna o nefoedd ar ôl ymddeol. Chi'n gwbod: 'bach o hwylio, rownd neu ddwy o golff, glasied neu dri o sangria ym machlud haul…"

"Rhywbeth fel hyn, felly?"

"Ie, dyna oedd y freuddwyd."

"So what's the problem?" meddai'r ferch gan edrych arna i dros ei sbectol Marilyn Monroe.

"Wnaeth e ddim gweithio mas, am ryw reswm. Triais i e am flwyddyn ond ro'n i'n *bored*. Ymunais i â chlybiau golff a hwylio ond roedd y rheini'n llawn capteiniaid trist, canol oed mewn *baseball caps* yn trio actio'n ifanc, ac ro'n i'n troi mewn i un ohonyn nhw."

"Felly be wnaethoch chi?"

"Es i mewn i fusnes. Ar ôl treulio fy oes yn gweithio i bobol eraill penderfynais fentro fy hun a phrynu *restaurant* bach yn y Mwmbwls 'ma…"

"Tipyn o fenter. A ffeindioch chi nefoedd wedyn?"

"Naddo," dywedais gan flasu'r coffi. "Rwy newydd gael neges gan un o'r staff: methu dod mewn heno. Mae'n fwy fel uffern weithiau."

"You don't look it."

"Peidiwch cael eich twyllo gan olwg rhywun. Rwy'n gorfod mynd 'nôl i weithio nawr, diolch i'r weinyddes chwit-chwat yna…"

"Druan â chi," meddai'r ferch â ffug dosturi.

Wrth iddi lyfu'r hufen iâ, ei gwefusau meddal yn mwytho'r Flake yn y Cornetto, ro'n i'n pinsio fy hun. Dim ond ychydig yn ôl roedd hon yn ffigwr ffantasi, yn lolian fel rhyw Lorelei ar y graig, ond nawr roedd hi'n real, roedd ganddi enw, Lucy, ac roedd hi'n dod o Vermont, fel y dysgais yn y man.

"Felly beth amdanoch chi?" gofynnais. "Ffeindioch chi eich Afallon chi?"

"Tricky question…"

"Pam, y'ch chi'n dal i chwilio?"

"Ydw, ond ddim yn rhy galed, erbyn hyn."

"Doeth iawn."

Pwysodd yn ôl yn ei chadair ac edrych arna i dros ei sbectol, yna meddai'n araf yn ei hacen drom: "*Ring the bells that still can ring, forget your perfect offering, there is a crack in everything, that's how the light gets in…*"

"Ie, pwy?"

"Leonard Cohen."

"Wrth gwrs… felly gwell anghofio am Afallon?"

"Dyw pethau byth yn digwydd fel chi'n disgwyl, dyna'r broblem… ond dwedwch wrtha i, sut oedd Berlin? Ydi'r ddinas mor gyffrous â maen nhw'n ddweud?"

Cymerais lwnc arall o'r coffi. "Mewn gair, ydi. Mae'n ddinas fywiog, ifanc, drendi – ond chi'n gallu blino ar hynny. Yr ardaloedd sy'n gwneud Berlin yn arbennig. Ro'n i'n byw i'r de o Wilmersdorf mewn hen ardal heb ei bomio, ac roedd bywyd yn ddigon da yno, os chi'n anghofio am ysgariad neu ddau…"

"*Yeah*, dwi'n gwybod… ond pam cefnu ar hynna i gyd?"

Eglurais 'mod i wedi fy magu yng Nghwm Tawe yng nghysgod gwaith nicel y Mond, lle roedd fy nhad yn gweithio, ac i hynny fy arwain at faes cemeg, ond 'mod i nawr wedi dychwelyd i'r ardal fel rhyw fab afradlon, wedi oes o grwydro ac ofera a dwy briodas aflwyddiannus, a bod fy nhad mewn cartre henoed…

"Ydych chi'n difaru gadael?"

"Roedd yn rhaid i fi fynd, ac roedd yn rhaid i fi ddod 'nôl. Wrth gwrs, doedd fy ffrindiau yn Berlin ddim yn deall hynny – nac, rwy'n amau, fy ffrindiau yn Abertawe."

"Roedd yn rhaid i fi ddod i Abertawe hefyd. Ond dim ond ar ôl dod yma y sylweddolais i hynny. Mae'n *weird* – fel petawn i i fod yma."

Wrth inni siarad, crwydrodd fy llygaid at wddw llac ei ffrog a'r tlws bychan a swingiai rhwng ymchwydd ei bronnau ac a fflachiai weithiau yn yr haul: croes Geltaidd fach aur. Teimlais bwl o eiddigedd annelwig, fel 'sen i wedi colli mas ar rywbeth pwysig yn fy mywyd gorbrysur, rhywbeth do'n i ddim hyd yn oed yn gwybod beth oedd e.

Buom yn sgwrsio am dipyn eto ond yna meddai'n sydyn, gan godi ei bag cynfas a'i osod ar ei harffed: "Roedd hwnna'n *real nice*, ond gen i fws i'w ddal."

"Beth, pam bws?"

"Mae'n gadael mewn ugain munud, o Langland Corner, i fyny'r rhiw."

"Oes raid i chi'i ddal e?"

"Gen i docyn *return*."

Dechreuodd clychau ganu yn fy mhen. Do'n i ddim am i'r cyfarfyddiad yma aros yn ddim ond blip anghredadwy yn fy nghof, yn un o'r cyfleoedd yna mae dyn yn difaru am byth am beidio'u cymryd. Dywedais mor gŵl ag y gallwn: "'Da fi gar yn y maes parcio, Audi TT. I ble chi'n mynd, Lucy?"

"I'r dre."

"Ac i ble'n gwmws?"

"I'r Uplands, gen i fflat yno."

"Braf iawn."

"Mae'n *okay*."

Ro'n i'n gwybod am yr ardal fywiog, ryw ddwy filltir o ganol y ddinas, sydd yn boblogaidd gan fyfyrwyr a darlithwyr. Dylwn allu cyrraedd yno ac yn ôl mewn tua hanner awr. Fe fyddwn yn hwyr i'r bwyty ond fyddai dim ots os byddai'r staff yno mewn pryd.

"Mae'r Audi at eich gwasanaeth, Lucy. Fe a' i â chi at y drws mewn fflach."

"Dwi ddim yn amau hynny, ond dwi'n defnyddio bysys o ran egwyddor. Braidd yn wyrddach nag Audi TT."

"Hen groc yw e. Prynes i e flynyddoedd yn ôl yn Berlin. Yn anffodus rwy'n gorfod gweithio heno neu fasen i'n eich gwahodd chi am bryd yn y bwyty. Dyma fe 'ngherdyn i," dywedais gan dynnu cerdyn busnes crimp allan o'r waled yn fy mhoced tin. "Rhys John, Secret Garden."

"Dwi'n licio'r enw a dwi'n dwlu ar fwyd Thai."

"Chi'n rhydd wythnos nesa?"

"Falle, gen i draethawd i'w orffen…"

"Fe ffonia i chi – os ca i'ch rhif chi…"

Edrychodd arna i am eiliad â gwên Fona Lisaidd, fel petai'n mwynhau fy mhoenydio, cyn sgrifennu ar gefn y cerdyn a'i roi'n ôl i fi. Rhoddais gerdyn arall iddi i'w gadw, yna codon ni o'r bwrdd a chydgerdded o dan y teras o gabanau bach pren gwyrdd a gwyn sydd uwchben Bae Langland. Cerddai parau eraill ar yr un llwybr â ni, yn mwynhau'r noson gynnar o haf a'r awel a godai o'r môr. Teimlais yn rhyfedd o benysgafn wrth i Lucy gamu'n hwyliog wrth fy ochr yn ei het wellt a'i ffrog denau, fel petaen ni eisoes yn bâr.

Troesom i fyny tua'r cyrtiau tennis a dechrau dringo'r rhiw. Wrth y troad i'r maes parcio, pwyntiais at y car yn un o'r rhesi pellaf. Ond roedd hi wedi gwneud ei phenderfyniad. Tynnodd ei sbectol haul i ffwrdd a dweud "Diolch yn fawr" yn Gymraeg.

"I chi mae'r diolch am ddechrau'r sgwrs," atebais yn Gymraeg.

"Felly chi'n dysgu'r iaith?"

"Wrth gwrs."

Yna rhoddodd wên sydyn, enigmatig cyn troi ar ei sawdl gyda "See you, Rhys."

Roedd y ffordd roedd hi wedi defnyddio'r enw 'Rhys' wedi fy mwrw am chwech, wrth gwrs. Safais lle ro'n i, yn ei gwylio'n dringo'r rhiw, ei choesau'n sisyrnu o dan ei ffrog dila, ei bag cynfas yn swingio o dan ei braich, ei het wellt yn gam ar ei phen. Yna trodd, codi ei llaw a rhoi un wên olaf, gynnes cyn diflannu rownd y tro.

Cerddais yn araf yn ôl at y car. Pwysais yn erbyn drws yr Audi *soft-top* ac edrych i lawr tua'r Bae, y teras, y coed a'r cysgodion oedd yn dechrau ymestyn dan yr haul isel. Crawciai gwylanod yn yr awyr uwchben. Yna'n sydyn pasiodd dwy ferch dal heibio i fi mewn bicinis meicro gan swingio'u coesau i fiwsig cudd yr iPods oedd yn eu clustiau ac anelu am lanfa'r bad achub wrth y caffe, a'r bechgyn oedd yn syrffio ar y traeth.

Arhosais lle ro'n i, gan ymlacio'n sydyn a llwyr.

Roedd bywyd yn dda eto, ac yn llawn posibiliadau. Do'n i ddim wedi cael y teimlad yna ers amser hir, nid ers imi agor y bwyty. Beth ddaeth drosta i, i fwydro 'mhen â holl drafferthion busnes a staff yn lle jyst mwynhau fy hun – y ddawn yna sy mor syml ond eto mor hawdd ei cholli?

Dyna lwc oedd inni gwrdd yn y caffe yn Langland. Fel arfer bydda i'n mynd i'r un yn Rotherslade, y bae drws nesaf, lle buon ni trwy'r pnawn. Roedd hi'n eithaf *upfront*, rhaid dweud, ond mae hynny'n ddeniadol i ddynion ac yn gallu arbed llawer o siarad wast.

Meddyliais am ein sgwrs, a'r malu awyr am Afallon. A'r llyfr *obscure* yna am Arthur gan ryw Malory. A fu y fath foi erioed? Ac oedd hi'n dysgu Cymraeg? Oedd ganddi fwy na dim ond 'Diolch yn fawr'? Ond pwy o'n i i gwestiynu cyfarfyddiad mor ddymunol.

A finnau yng nghanol fy mhumdegau, roedd digwyddiadau fel hyn yn ddigon prin.

Pwyntiais fy allwedd at yr Audi arian, a fflachiodd i fywyd â rhyw drydan newydd, dieithr.

2: Secret Garden

SYCHAIS FY NHALCEN â'r tywel traeth, a dadglampio'r olwyn lywio. Roedd y car yn grasboeth y tu mewn. Fydda i byth yn gadael y ffenest ar agor yn Abertawe, prifddinas dwyn ceir Prydain Fawr. Fyddai Audi *convertible* wyth mlwydd oed â gyriant ochr chwith ddim yn dod â ffortiwn i neb, ond nid colli'r car oedd y perygl nawr, ond yr olwynion a'r system sain. Dyma hobi ddiweddaraf ieuenctid segur y ddinas.

Llywiais yr Audi mas o'r maes parcio a lan y tro pedol uwchben y Bae a chael fy nal wrth y goleuadau traffig. Ar ben y rhiw sylwais fod yr arhosfan yn wag a'r bws wedi gadael. Digon da hynny, meddyliais yn awr: buasai'n strach i gyrraedd 'nôl i'r bwyty mewn pryd.

Wrth yrru i lawr y rhiw i bentre Ystumllwynarth, cofiais am y profiad ar y traeth. Rhedais ddarnau o'r sgwrs drosodd a throsodd fel tâp yn fy mhen. Roedd y cyfan yn hynod o addawol. Ond yna rhewais: tybed nad cael ond colli cyfle wnes i? Pam na wnes i ei gwahodd hi i'r bwyty? Doedd dim rhaid i ni fwyta gyda'n gilydd fel rhyw Siôn a Siân canol oed. Gallen ni fod wedi parhau'r sgwrs a'r noson yn un o fariau hwyr y Mwmbwls, fel Peppers, er enghraifft...

Dilynais y traffig i lawr Heol Newton gan basio'r siopau *boutique* a'r caffes bach trendi ac yna Peppers ei hun, bar *nouveau riche* y Mwmbwls. Sylwais yn eiddigeddus ar y cyplau oedd yn yfed a mwynhau wrth y byrddau alwminiwm a sgleiniai yn yr haul. Islaw iddyn nhw, fel poster o'r Riviera, ymestynnai cilgant y Bae a'r môr. Gallasen i fod yna, gyda nhw, yn mwynhau'r bywyd ro'n i wedi'i addo i fi fy hun pan ddes i 'nôl i Abertawe ond a lithrodd, rywsut, trwy fy mysedd.

Chwifiai'r Ddraig Goch ar un o dyrau Castell Ystumllwynarth, draw i'r chwith. Yn sydyn roedd hynny'n bwysig. Faint oedd Lucy'n ei wybod am Gymru? Oedd 'na bethau y gallen i eu dangos iddi, a'u hegluro? A beth am y castell ei hun? Gwyddwn fod Owain Glyndŵr wedi'i gipio ddwywaith, ond dyna i gyd. Gallai'r berthynas â Lucy fod yn addysg i ni'n dau.

Troais i'r dde wrth y White Rose am Heol y Mwmbwls. Allan ar y môr roedd sglefrwyr dŵr yn cerfio cylchoedd o ewyn gwyn. Ar y lan roedd teuluoedd yn loetran â'u hufennau iâ a'u teganau traeth. Ro'n i wedi ystyried mynd am fordaith fy hun rownd y Bae heno ond yn lle hynny byddwn yn wynebu pum awr o dawelu cwsmeriaid, clirio llestri, gwagio biniau a chadw'r heddwch rhwng André, fy *chef* Algeraidd, a gweddill fy staff Romanaidd, Coreaidd a Chymreig.

Arafais o flaen clwb hwylio'r Bristol Channel ond roedd twristiaid wedi dwyn y llefydd parcio, felly talais am le wrth Verdi's a chroesi'r heol i'r Secret Garden. Agorais y drws, yn falch o weld bod o leia un o'r staff wedi cyrraedd o 'mlaen i, ond nid André. Ble roedd y diawl?

"Mr Rhys!" meddai Suzy'n hapus. "Chi'n helpu ni mas heno?"

"Ydw, ond nid o ddewis."

Wrth weld y siom ar ei hwyneb, prysurais i ychwanegu: "Nid nad ydw i'n mwynhau'ch cwmni chi, Suzy, ond mae Sheena'n methu dod. Ei mab wedi syrthio oddi ar feic, meddai hi."

"Gobeithio ei fod e'n iawn."

"Gobeithio ei fod e *wedi* syrthio oddi ar feic, ddweda i."

Gan anwybyddu fy sylw, aeth Suzy – hi yw fy rheolwraig – ati i baratoi'r byrddau. Er nad o Wlad Thai, mae hi'n ddwyreiniol ac mae'n ddibynadwy, os nad yn dda am reoli. Ar y llaw arall, mae Sheena'n dda am weini, ond ddim yn ddibynadwy. Yn bishyn tal, cegog â gwallt du, *frizzy* yn saethu o'i phen a tshaeniau yn hongian o'i chlustiau, mae Sheena'n siarp ac yn hwyl ac yn dda am gael cwsmeriaid i gymryd y cyrsiau ychwanegol, proffidiol yna. Mae ganddi acen dew, Abertawaidd sy'n eich synnu pan y'ch chi'n ei chlywed yn llithro dros ei gwefusau siapus.

Tra oedd Suzy'n gosod y byrddau, edrychais o gwmpas y stafell. Allen i ddim gwadu, yn yr hanner tywyllwch, nad oedd 'na rywbeth braidd yn *tacky* am y lle: y llun mawr, twristaidd o fynydd Doi Chiang Dao a'i gopa yn y cymylau, y 'bar' a'r stolion bambŵ a'r Bwda bach boliog yn y gornel yn ei lyn o ddŵr, o dan y goeden blastig. Fe ffeindiais i e yn Berlin, mewn siop bersawrus yn yr hen Ddwyrain, ac rwy'n lico'r hen foi â'i fol mawr a'i wên fodlon a'i wefusau bach coch, bwaog.

Troais y goleuadau ymlaen a thanio'r system sain. Daeth un o draciau *New Age Moods* ymlaen. Ro'n i wedi penderfynu peidio â dychryn bwytawyr rhadlon Abertawe â dim byd rhy ddwyreiniol: dyw Abertawe ddim yn ddinas lle gallwch chi wthio syniadau newydd yn rhy bell, yn rhy fuan. Ro'n i wedi arbrofi â blodau byw a chanhwyllau hefyd. Mae'r polisi blodau yn dal mewn grym – diolch i Suzy – ond sgrapiais y canhwyllau wedi i un o'r byrddau fynd ar dân Nadolig diwethaf.

Safais yn ôl, gan drio fy mherswadio fy hun, eto fyth, fod y *tableau* a greais yn gredadwy. Yna sylwais ar fwndel o bapurau ar sil y ffenest, yn cuddio y tu ôl i slats y *blind*. Y diawled diog, meddyliais, heb gadw'r post ers y bore. Roedd yno rai amlenni brown o Gyngor Abertawe a'r Bwrdd Dŵr, a chopi o'r *Evening Post*. Ro'n i bron â thaflu'r cyfan i'r bin pan sylwais ar bennawd y dudalen flaen: *Marina Heroin Pushers Arrested*. Tybed, meddyliais, oedd gan hynny rywbeth i'w wneud ag achos John Harries?

Ro'n i'n iawn. Dau foi wedi'u dal yn gwerthu heroin ym mar y Quayside, y bar hoyw yr ymwelodd John Harries ag e cyn iddo gael ei daflu i ddyfroedd y Marina 'nôl ym mis Ionawr. Roedd yr heddlu am wneud sioe o'u dalfa, ac wedi trefnu cynhadledd i'r wasg. Ond PR oedd e i gyd, wrth gwrs: mater o godi pais ar ôl piso.

*   *   *

Pam nad o'n i'n cael anghofio am achos John Harries? Pam ei fod e'n bownsio'n ôl o hyd? Roedd 'na gyfnodau hir pan fyddai'n cuddio yn rhywle yn seleri fy meddwl, ond yna, a finnau efallai'n ymlacio mewn tafarn dawel neu'n beicio uwchben y traeth neu'n mwynhau mwgyn ar falconi'r fflat, byddai'r waedd yna'n dod 'nôl i fi, gwaedd olaf John Harries.

Bues i'n gweithio'n hwyr yn y bwyty y noson honno, nos Sadwrn olaf Ionawr. Roedd Sheena, am unwaith, wedi rhoi digon o rybudd i fi ac ro'n i'n hapus i dreulio noson dawel yn y bwyty yn hytrach na chwilio ym mariau canol y ddinas am hwyl nad oedd i'w chael. Ond ces i un ddiod yn Peppers cyn gyrru'n ôl i fy fflat i fwynhau DVD hwyr. Â glasied o Penderyn wrth fy mhenelin, ro'n i dri chwarter ffordd trwy un o hen ffilmiau Fassbinder pan glywais y waedd.

Roedd hi tua dau o'r gloch y bore erbyn hynny. Wrth gwrs, â'r ffilm yn rhedeg, chlywais i mo'r waedd yn glir. Es at y ffenest ac agor y *blinds*. Roedd hi'n noson olau leuad ac fe welais ddau ddyn yn rhedeg gyda glan y cei, cyn diflannu i fwlch rhwng y fflatiau ger maes parcio'r Ganolfan Hamdden. Ffeit, meddyliais, mygio efallai. Caeais y llenni ac aildanio'r ffilm, ond methais ganolbwyntio, a mynd i'r gwely.

Dim ond wedyn, ar y newyddion fore Llun, y clywais i fod dyn o'r enw John Harries wedi boddi. Doedd hynny ddim wedi croesi fy meddwl, ac er iddo syrthio i'r dŵr ar bwys y fflat, digwyddodd hynny mewn man oedd allan o 'ngolwg i. Parhaodd y papurau i gario'r stori ac roedd yn amlwg mai bachan diniwed oedd e – myfyriwr o Gwm Tawe oedd wedi bod yn yfed yn Wind

Street ac wedi crwydro i'r Marina gan ddilyn ysfa gudd, a dod i ddiwedd trychinebus wedi ymosodiad rhywiol ffiaidd gan ddau ddieithryn.

Cynhaliwyd y cwest tua dau fis wedyn a dadlennwyd mwy am erchylltra'r farwolaeth. Fe adroddodd tystion o far y Quayside iddyn nhw weld dau ddyn yn siarad â John Harries ac fe feirniadodd y crwner y diffyg tystiolaeth CCTV gan roi cerydd i'r heddlu. Roedd hynny, wrth gwrs, yn anhygoel. Onid oes 'na gannoedd o'r blydi camerâu yna wedi'u hoelio ar bob wal a phostyn yng nghanol y ddinas? Ond dyfarniad llwfr y crwner wylltiodd fi fwya: dyfarniad 'agored'. Yn ei ddatganiad dywedodd nad oedd modd iddo benderfynu achos y farwolaeth: ai'r clwyfau neu foddi – a allai, meddai fe, fod yn ddamweiniol. Ond nonsens oedd hynny: ro'n i wedi clywed y waedd ac yn gwybod mai cael ei daflu i'r dŵr wnaeth John Harries.

Hynny ydi, fe gafodd ei lofruddio.

*   *   *

A minnau wedi fy aflonyddu braidd gan yr atgof am yr achos, ailblygais y papur a'i daflu i'r bin. Ond daliodd André fi'n gwneud hynny a dywedodd, wrth gau'r drws y tu ôl iddo: "Weloch chi'r adroddiad yna am y *drug pushers*?"

"Do. Tipyn o PR, dyna i gyd."

"Cymroch chi gam gwag, symud i'r Marina. Mae'r lle yn llawn *pushers* a pimps."

"Weles i ddim pimps. Ble mae'r rheini, gwed?"

"Yn y cefndir maen nhw," meddai André'n dywyll, "yn gweithio trwy'r gwestai."

"Pa westai, felly?"

"Mae rhai o westai mwya Abertawe yn y Marina, fel chi'n gwbod."

"Ond wrth gwrs, ti'n byw yn un ohonyn nhw!"

"Nid gwesty yw'r Oyster Beds ond lletty – a dyw e chwaith ddim yn y Marina."

Gwenais. Na, go brin y byddai pimps Abertawe yn gweld maes ir yn yr Oyster Beds. Yn warren o le ar bwys y carchar yn Heol Ystumllwynarth, bues i'n meddwl droeon pa fath o fywyd roedd André'n ei fwynhau yno ar ei ben ei hun. Beth oedd e'n neud tu fas i oriau gwaith? Roedd 'na sawl cwestiwn, wir, ynglŷn â sut y daeth Algeriad oedd yn gogydd Ffrengig yng ngorllewin Llundain i Gymru i weithio mewn bwyty Thai yn Abertawe.

"Ddim mas ar yr *yacht* heno, 'te?" meddai André wrth glymu ei ffedog ddu a gwyn.

"Dim siawns, a Sheena ddim yn dod mewn. Ges i neges destun amser cinio."

"Hy! Jyst fel hi."

"Bydda i'n siarad â hi."

"Neith hynny newid dim. Dwi 'di dweud digon wrthoch chi amdani."

Mae gan André rywbeth yn ei herbyn – sai'n deall beth yn iawn, ond ro'n i wedi dod i dderbyn y peth.

"Chi'n newid mas o'r crys 'na?" meddai André wrth sylwi ar fy nghrys coch Cymru. "Mae'r lle 'ma i fod yn Thai."

"Wel, sai'n mynd i wisgo *kimono*," atebais gan basio trwy'r gegin gyda'm tywel a'm bag molchi. Mae 'da fi drefniant hwylus â thenant y fflat ar y llawr cyntaf, gŵr busnes sy'n gadael i fi ddefnyddio ei gawod yn gyfnewid am ambell bryd o fwyd.

Mae gan André'r syniad y dylai perchennog bwyty edrych fel rhyw James Bond, ond do'n i ddim yn mynd i wisgo siwt i neb. Dyna addewid wnes i pan adewais i Sanotis. Teithiais i'r cyfandir mewn siwtiau pinstreip yn parablu o flaen *whiteboards* wrth swyddogion iechyd a rheolwyr siopau fferyllwyr. Gwyddonydd o'n i cyn troi'n werthwr – dan enw gwell, wrth gwrs – ac yn ennill comisiwn mwy na 'nghyflog, ond ro'n i'n fastard ifanc, uchelgeisiol ar y pryd.

Wedi'r gawod newidiais o'r crys Brains i grys hufen, llac Le Shark, ac o'r hen *jeans* i bâr newydd, tywyll. 'Nôl yn y bwyty, yn lân ac yn persawru o Hugo Boss, galwais Suzy draw at y bar.

"Felly be ni'n neud am yr Happy Hookers? Rwy'n gweld bod 'na wyth o'r diawled."

"Chi'n cofio be ddigwyddodd tro dwetha?"

"Ydw, diflannon nhw heb dalu, rhai ohonyn nhw."

"Fasen i ddim wedi'u cymryd nhw, fy hun."

"Maen nhw'n rhy broffidiol i'w gwrthod, yn anffodus."

"Ond beth os collwch chi gwsmeriaid ffyddlon?"

"Peidiwch â phoeni, Suzy, rwy'n mynd i fod yn llym y tro 'ma. *Zero tolerance.*"

"Does 'run ohonon ni'n dda iawn am hynny," meddai Suzy, â gwên yn llanw'i hwyneb llydan, pert. "A gyda llaw, be nethoch chi â'r amlenni yna?"

"Pa amlenni?"

"Y rhai mawr brown adewais i ar sil y ffenest."

"Rhoies i nhw yn y bin."

"Roedd un o'r rheina o'r Environmental Health."

"A phwy y'n nhw yn hollol?" pryfociais.

"Mr Rhys," meddai Suzy gan siglo'i phen fel 'sen i'n dwpsyn anobeithiol. "Fe ddalan nhw lan â chi ryw ddydd, gewch chi weld."

Ro'n i ar fin achub yr amlenni o'r bin pan ymddangosodd André yn y bwlch i'r gegin. "Mae'r ffan angen ei fficsio a dwi allan o *purée* tomato a phowdwr *chilli*. Neith y rhai Green Label y tro. Cethon ni *run* ar y cyrri Bangkok amser cinio."

"Ond dy job di yw hwnna."

"Na, nid y ffan…"

Edrychais arno gan regi dan fy anadl. "Mae 'na frys," ychwanegodd. "Gen i'r *mise en place* i'w wneud."

"'Set ti wedi dod mewn am chwech, bydde 'da ti ddigon o amser."

"Peidiwch â phoeni, fe wna i'r amser lan."

Doedd dim pwynt dadlau. Do'n i ddim yn mynd i drechu'r diawl. Ond o leia mae e'n delio â'r cyfanwerthwyr a'r siopau bwyd rhew ac yn galw ym marchnad Abertawe i gael pysgod ffres a llysiau, ac yn sbario'r holl waith yna i fi. Ond pam taw fi, nid y lleill, sy'n gwneud y tasgau *shit* i gyd? Roedd Suzy'n brysur ym mlaen y tŷ, a doedd e ddim yn deg i ofyn i Peggy o Dreforys, sy'n gwneud y slog i gyd, doedd e ddim yn job i Anja, sydd yn y gegin, ac mae André, wrth gwrs, yn rhy brysur gyda'i *mise en place* bondigrybwyll…

Allan ar y stryd, gofynnais be ddiawl aeth o'i le. Yn lle hyn, gallen i fod mas gyda Lucy, yn bwrw bar neu ddau cyn profi un o fwytai'r ddinas, gan gymysgu bwyd a sgwrs a gwin a rhamant. Roedd hi ar gael i fi. Doedd dim byd yn gliriach o'n cyfarfod ni pnawn 'ma. Cofiais amdani'n dweud uwchben y traeth, wrth lyfu ei Chornetto yn yr haul: "So what's the problem?" Roedd yn gwestiwn da. Oes raid i fwynhad fod yn broblem o hyd?

3: Peppers

RHAID EIN BOD ni'n edrych yn bâr doniol, André a finnau, yn cerdded lawr Heol y Mwmbwls am un ar ddeg nos Sadwrn: y naill yn fyr a'r llall yn dal, un yn denau a'r llall yn rhy drwm, un mewn siaced wen rhy fawr a fest ddu, tshaen aur denau am ei wddw tywyll a mwstás cul dros ei wefus ucha, a'r llall, sef fi, yr *oldest swinger in town*, mewn siaced ledr a phâr o sgidiau meddal.

Roedd yna gyfnod pan taw fi oedd yr ieuengaf, nid yr hynaf, ar y stryd. Yma, ar y promenâd, y trafaeliai trên y Mwmbwls slawer dydd. Reid ar y trên oedd uchafbwynt unrhyw drip i'r traethau. Teimlais wayw wrth gofio'r hen foi fel yr oedd tua deugain mlynedd yn ôl, yn ein harwain yn llawn asbri ac awdurdod, a meddwl amdano nawr yn y cartre yn Cross Hands, yn hen ddyn crwca yn pigo ar fisgedi *digestive* mewn cwmwl o Dettol.

Heno, nid caffe'r Pier ond bar Peppers oedd y nod. Ymunon ni â'r dorf oedd yn llifo i gyfeiriad y bar a chlwb nos Bentleys – nod yr Happy Hookers – tra dôi eraill tuag atom i gyfeiriad Cinderellas a'r Pier. Gwisgai'r dynion grysau llac, amaethyddol, addas i ddydd o gneifio ar y mynydd, tra oedd y merched – heblaw'r lleiafrif bach hirgoesog – mewn strapiau a chortynnau oedd prin yn cadw'u cnawd i mewn.

Dim ond hanner awr yn ôl, bues i'n clirio cyfog un o'r Happy Hookers, gan fopio corgimychiaid pinc y Shanghai Prawns i mewn i'r bwced o lawr y tŷ bach â'r *bleach* melynwyrdd, oglau pîn. Wedyn, wedi'r cwrs olaf, cododd un ohonyn nhw ar ei thraed, merch dew mewn dillad a het wen nyrs a chroes goch ar ei chanol (addas iawn, meddyliais), a dweud rhywbeth fel

"Like 'appy birthday, Sandee. You got what it takes and you proved it tonite. Seven Singapore Slings. Wot a gurl, innit. Yeah, the Beyoncé of Boneemaen, that's what ewe are. C'mon now gurls, *When I see you Swansea, I go out of my head, I just can't get enough, I just can't get enough…*"

Llwyddon ni i'w sgubo nhw mas drwy'r drws, yn hapus o wybod bod eu cardiau credyd i gyd wedi'u clirio gan y banc, ac wrth i'r olaf ddiflannu trwy'r drws, syrthiodd rhyw chwa o normalrwydd dros y bwyty. Ond roedd un o'r Hwrod yn rhywiol iawn ac roedd ei nicer *G-string* yn dal i chwarae ar fy meddwl pan ddywedodd André: "Braf heb Sheena heno."

"Sai'n cytuno."

"Ond llai o *stress*."

"Nid i fi. Ac mae hi'n tynnu'r *punters* i mewn."

"Mae'n tynnu nhw mewn tu fas i'r gwaith hefyd."

"Be ti'n feddwl?"

"Be wedes i."

"'Da ti ryw whew amdani, dyna i gyd."

"Na, mae'n hwrio yn y Marriott. Lot o Americans yn aros 'na. Chi'n cael rhyw ar y cerdyn credyd. Mae'n ennill mwy mewn awr fan'na nag wythnos yn lle chi."

"Lle ni, ti'n feddwl, gobeithio?"

Do'n i ddim yn deall pam roedd André'n obsesiynu am Sheena fel hyn. Roedd Sheena'n bishyn rhywiol a do'n i ddim yn barnu bod André'n cael llawer o lwc yn y cyfeiriad yna. Gallai'r cyfan fod yn ffrwyth ei ddychymyg afiach. Neu tybed wnaeth e ei thrio hi rywbryd, a methu?

"Elli di ddim profi hynna, ei bod hi'n hwrio," dywedais.

"Dwi wedi'i gweld hi'n cerdded draw o'r Sandfields mewn *ankle boots*."

"Beth mae hynna'n brofi?" atebais gan chwerthin. "Ydi'r diafol yn gwisgo *ankle boots*? O'm rhan i, gallai redeg y Moulin Rouge, os yw'n dod mewn i'r gwaith."

"Yn hollol," meddai André, " – ble roedd hi heno?"

Wrth gwrs, gallai André fod wedi'i gweld hi o'i lety ar Heol Ystumllwynarth, yn cerdded o'i chartre yn y Sandfields i gyfeiriad y Marina, lle roedd gwesty'r Marriott, a neidio i gasgliadau. Mae 'na fariau a bwytai prysur yn y Marina erbyn hyn, yr ochr draw i'r afon. Ond wedyn, pa mor aml y gallai André fod wedi'i gweld hi, a fyntau'n gweithio bum noson yr wythnos?

Ond pam o'n i'n poeni? Beth oedd André i fi? Roedd e'n gallu coginio, dyna'r unig beth pwysig. Roedd pobl nawr yn dod i'r bwyty oherwydd safon y bwyd, peth na wnes i ei ddychmygu yn fy mreuddwydion gwylltaf. Cogydd Ffrengig oedd e. Wyddai e ddim am goginio Thai pan gyflogais i e, ond roedd ganddo ffrindiau Algeraidd yn Llundain oedd yn gogyddion yn rhai o fwytai'r ddinas ac aeth i weithio am wythnos at foi o'r enw Bruno mewn bwyty Thai yn WC1.

Cerddasom heibio i'r Great Bear, y Mermaid – tafarn Dylan Thomas slawer dydd, pan oedd hi'n dafarn iawn – a'r clwb rygbi. Wedyn y Mumbles Nights, ei ffenestri wedi'u byrddio: arwydd arall, oeraidd o'r amserau. Ond do'n i ddim yn glafoerio: doedd y Secret Garden, chwaith, yn ei flwyddyn a hanner o fusnes, ddim wedi dangos elw.

Yna'n sydyn llithrodd *limousine* hirwyn heibio i ni fel cerbyd mas o freuddwyd gan Dali. Chwifiodd tusw o freichiau noeth allan o'r ffenestri tywyll; yna gwichial merched yn codi a gostwng fel trên yn diflannu i dwnnel. Rai munudau wedyn, wrth i ni gerdded heibio i'r parc bychan coediog a'r *crazy golf*, gwibiodd car heddlu i'r cyfeiriad arall gan lasu'r stryd; yna rhuthrodd ambiwlans wrth ei din, yn udo fel ci'n cael ei sbaddu.

"Nos Sadwrn Abertawe," dywedais. "Pobol mas yn mwynhau."

Anwybyddai André'r cyfan gan hoelio'i lygaid ar y palmant. Beth oedd yn mynd trwy'i ben e nawr? Gofynnais: pam ydw i'n llusgo'r *psycho* hwn am ddiod hwyr fel hyn? Wrth weld swyddfa Mumbles Cabs o'n blaenau, gofynnais: "Rannwn ni dacsi?"

"Be, nawr?" meddai André, wedi dychryn.

"Na, nes 'mlaen."

"Iawn, os chi sy'n talu."

Oni bai fod yr Oyster Beds, lle mae André'n byw, yr ochr yma i'r Marina, basen i wedi dweud wrtho am gerdded adre. Yn flin, es i mewn i'r cwt ac archebu tacsi gan y wraig flinedig.

"Two o'clock for the Marina," dywedais, yn codi fy llais dros dwrw'r set deledu.

"Not again. It's always by there or Wind Street. No wonder Mumbles is goin' down the pan," atebodd, gan fflicio llwch ei sigarét i'r cwpan *polystyrene*.

"But that's where I live."

"Better ewe than me, love."

Pan ddaliais i lan ag e, gofynnodd André: "Weloch chi'r pâr yna'n ffwcio yn y coed?"

"Naddo."

"O'ch chi'n gallu eu gweld nhw wrthi yng ngolau glas yr heddlu. Mae gwareiddiad wedi bennu pan mae menywod yn ymddwyn fel hwrod."

"So beth ni'n neud abiti fe?" atebais yn llawen.

Ond welai André mo'r jôc. Yn sydyn, teimlais bwl o drueni dros y creadur, yn byw yn ei B&B ar bwys carchar Abertawe. Pa hwyl mae e'n gael? Oes 'da fe ffrindiau? Ro'n i'n amau ei fod yn troi mewn cylch Mwslemaidd: fe welais i e ryw fore Sul yn y Marina ar fwrdd cwch o'r enw'r *Faatima* yn cyfeillachu â nifer o ddynion tywyll, siwtiog. Ai daliadau crefyddol oedd yn ei wneud e mor gul?

Gwyddwn ei fod e hefyd yn mynychu'r Mozart, bar hwyr yr Uplands, lle digon od yn ôl y sôn. Beth oedd yna iddo yma yn Abertawe? Pam dod yma o gwbl? Cyn dod ata i, roedd e'n gweithio fel *sous* mewn bwyty Ffrengig yn Llundain. Pam adawodd e'r job yna, a'r gymdeithas Algeraidd yn Blackstock Road?

Croeson ni i ganol y gylchfan gyferbyn â'r White Rose a sylwais ar ferch flonegog wrth fy ochr mewn gwisg *chiffon* â dau antena o dinsel yn sticio allan o'i phen. Meddyliais mai un o'r Happy Hookers oedd hi ond roedd 'na *halo* angel yn ysgwyd rhwng y tinsel arian. Trodd ata i ac edrych yn syth arna i â gwên geriwbaidd, *deadpan* a chanu: "*Heaven is a place on earth, Ooh, heaven is a place on earth…*"

Pwysais ar y *bollard* yng nghanol y stryd. "You can have it all…" cariodd ymlaen, yn parhau i edrych arna i.

"Perhaps later, love…"

"Later never comes, didn't you know?" atebodd gan godi ei thrwyn smwt arnaf a chroesi i'r palmant dros y ffordd lle roedd André, yn ei siaced wen, yn chwifio'i freichiau arna i, ei syched wedi'i sgythru ar draws ei wyneb tywyll.

Dilynais hi a'i dwygoes gnawdol, dew yn eu sanau rhwydog, gwyn o dan ei soser o sgert. Fflopiai ei hadenydd ar ei chefn, a'r *halo* uwch ei phen. Gallai hi fod mewn cabaret rhad yn Berlin. Roedd André'n iawn: mae'r lle 'ma mas o reolaeth. Mae unrhyw ferch ar gael, nos Sadwrn Abertawe.

*   *   *

Gwthiais fy ffordd at far Peppers trwy'r wasgfa o gyrff benywaidd cefnnoeth â *tan* gwneud a'r dynion chwyslyd yn eu dillad rhy ifanc. Wrth bwyso ar y bar bychan cefais winc fawr gan Krissy, un o ferched aeddfed, amser da y bar hwn, oedd yn eistedd ar stôl uchel tra oedd gŵr busnes yn ei chwedegau yn ei phawennu.

Triais gael sylw un o'r tair gweinyddes hardd ond ro'n i'n hapus i'w gwylio, yn eu gwisgoedd cwta, du, yn ymestyn yn athletaidd am boteli o'r silffoedd ac yn arllwys rhaeadrau o win i wydrau cwsmeriaid sychedig. Uwchben y bar roedd 'na set deledu fawr yn dangos newyddion Sky, â stribyn *ticker-tape* yn rhedeg ar draws gwaelod y sgrin: *Dow Jones hits new low / Tennis star in love child drama / Obama defends Libya TV attack …*

Llwyddais i gael sylw un o'r angylion duon, a dynnodd beint o Gwrw Braf i fi – *Cwrw Arbennig i'r Cymro Arbennig* – ac arllwys brandi i André. Cymerodd e'r gwydryn heb edrych, ei lygaid wedi'u gludo ar y sgrin. Yn awr roedd dyn â streipiau ar draws ei *combat jacket* yn traethu mewn *drawl* Americanaidd: "… the elimination of the Libyan propaganda machine is essential to the success of our mission. The television journalists and equipment are legitimate enemy targets."

Gofynnodd y cyfwelydd iddo: "But now Libya has no TV?" Atebodd y cadfridog: "The Libyan population are free to access all free world channels. When you have a regime that commits atrocities against its own people, this is what you gotta do to establish democracy and the rule of law…"

Cymerais ddracht o'r Cwrw Braf ond doedd fawr o flas arno.

"Y *fucking Yanks*," dywedodd André dan ei anadl.

"Ie, be sy'n newydd?"

"Maen nhw mas o reolaeth. Y bastards yna fydd ein diwedd ni i gyd."

"Eitha posib…"

"Ble chi'n sefyll, felly?"

"Sai'n lico nhw, ond be newch chi?"

"Ie, dyna'r broblem…"

"Bues i yn y rali yna 'nôl ym mis Ebrill, yr un *Stop the War*."

"Diawl, wydden i ddim bo chi'n heddychwr."

"Paid â phoeni, dydw i ddim. Es i i fusnesu, dyna i gyd. Roedd 'da fi ddiddordeb yn y boi 'na foddodd yn y Marina, John Harries…"

"Ie, y blydi stiwdant yna. *Poor bugger.* Ond beth oedd 'da fe i'w wneud â'r rali?"

"Roedd e'n digwydd perthyn i'r Swansea Peacekeepers, a nhw drefnodd y rali."

"Ond doedd 'da nhw ddim byd i'w wneud â'r boddi?"

"Na, sai'n credu."

"Sai'n deall…" meddai André gan swilio'i gognac.

"Na fi chwaith. Gas 'da fi ralïau. Piso mewn i'r gwynt. Aeth miliwn mas i'r rali yna yn Llundain yn erbyn rhyfel Irac. Pa wahaniaeth wnaeth e?"

"Chi'n iawn. Nid dyna'r iaith maen nhw'n ddeall."

Yn awyddus i osgoi noson o sgwrsio ofer, gwleidyddol, gofynnais i André am un o'i Gitanes. "Rwy ffansi mwgyn mas y bac," eglurais.

"Ewch chi. Ga i un wedyn."

Cymerais un o'r sigarennau Ffrengig o'i becyn plastig gan edrych ymlaen at ei mwynhau mewn llonyddwch. Gwthiais fy ffordd trwy'r dyrfa yn y bar cefn gan deimlo chwa dwym y ffan a droellai'n feddw o'r nenfwd. Ond yn sefyll o flaen un o'r lluniau mawr, gwael o Rosili roedd ffigwr moel, sgwarog Hywel Ashley, fy nghyfreithiwr. Mewn crys siec agored, a chyda gwydryn o chwisgi o'i flaen, roedd yn cynnal seiat â dau foi canol oed mewn *jeans*.

"Hei, Rhys bachan!" meddai gan godi ei law dew arna i. "Be ti'n neud mewn lle diwardd fel hyn?"

"Yr un peth â ti, 'sbo," atebais gan symud tuag ato. "Ofera, ymlacio – neu drio gneud…"

"Dyall y broblem," meddai yn Gymraeg gan gyfeirio at ei gyd-yfwyr â winc. "Smo gwaith byth yn bennu… nawr, lecet ti gwrdd â dau ffrind sydd, fel tithe, wedi bod mor ddoeth â buddsoddi mewn eiddo yn y Mwmbwls 'ma?"

Wedi fy nghyflwyno, yn Saesneg, fel y cyfalafwr newydd ar y bloc, eglurodd Hywel fod gan Jimmy, y talaf o'r ddau Sais, eiddo ar hyd a lled y ddinas, tra oedd Malcolm yn fwy newydd i'r gêm ac wedi prynu'r siop bapurau lan yr hewl. "Ni'n cydweithio ar rai materion," ychwanegodd yn ddiangen.

Fe 'sgwydais law â'r ddau ŵr hanner cant plys oedd er hynny'n gwisgo denim garw o'u corun i'w sawdl, a hefyd â June, menyw gnawdog â gwallt *platinum* oedd yn perthyn i un ohonyn nhw. Holais Jimmy: "Busnes yn weddol?"

"Could be worse," meddai. "But then you got fucking tenants. Can't live with 'em, can't live without 'em."

"Mae wastad rhyw *shit* â thenantiaid, on'd oes? Ond rwy'n siŵr bod Hywel yn gwneud yr angenrheidiol i chi."

"Cethon ni sesiwn bach yn y Clyne," meddai Hywel. "Clwb golff bach dicon nêt, rhaid dweud" – gan gyfeirio at un o glybiau golff mwyaf snobyddlyd de Cymru – "a bar dicon hwylus, hefyd. Ti ddim mewn i golff 'to, Rhys?"

"Sai'n ddigon llwyddiannus i hynny," dywedais gan droi i'r Gymraeg.

"Dal ati, dyna sy'n bwysig. Mae'r blynyddoedd cyntaf wastad yn anodd mewn busnes. Daw'r ceinioge yn bunnoedd bob yn dipyn, cei di weld."

Do'n i ddim angen ei gyngor nawddoglyd, er nad o'n i'n synnu i Hywel lwyddo yn ei fusnes cyfreithiol. Roedd e wastad yn agos i dop y dosbarth, wastad yn plesio'r athrawon yn Ysgol Pontardawe slawer dydd. Erbyn hyn mae ganddo swyddfa yng Nghaerdydd yn ogystal â Walter Road, a thŷ drud yn Llandeilo Ferwallt ar riniog Penrhyn Gŵyr. Ces wahoddiad i'r plasty yn fuan wedi imi ddychwelyd o Berlin ac fe ddaeth Hywel ac Elin ei wraig i'm 'cefnogi' wedyn yn y bwyty, ac Elin ei hun hefyd, ar ôl hynny.

Hoffais i Elin o'r eiliad y gwelais hi – merch siarp, sinicaidd o Borthmadog, yn gweithio ar ei liwt ei hun. Gradd yn y gyfraith oedd ganddi achos cwrddodd hi â Hywel pan oedd hi'n gweithio i'r hen Swyddfa Gymreig yng Nghaerdydd, a fe'n gweithio mewn practis yno. Roedd hi flwyddyn neu ddwy yn iau na Hywel ond do'n i ddim yn mynd i botshan â hi: os oedd un boi yn Abertawe nad o'n i am ei groesi, Hywel Ashley oedd hwnnw.

"So you've a boat in the Marina, moit?" meddai Jimmy. "So what toonnage is she, moy oi ask?"

"Tua dwy," atebais, yn trio peidio edrych ar y blewiach gwyn a gyrliai dros fotymau pres ei grys denim. "*Sport fisher*, pum troedfedd ar hugain."

"Peth bach digon handi, dwi'n siŵr. Mae'r *Valhalla* yn bum troedfedd a deugain…"

"Peidiwch â dweud."

"Chi'n Club Member, dwi'n cymryd?"

"Fe ymunais â'r Swansea Yacht ddwy flynedd yn ôl ond do'n i ddim yn defnyddio digon ar y lle…"

"Ddylech chi ailfeddwl. Mae'n rhaid bod chi'n gwybod am y *webcam*? Syniad ardderchog o safbwynt diogelwch. Chi'n gallu cadw llygad ar eich cwch o'ch *smartphone*."

Tynnodd ffôn Samsung newydd o'i boced gan ddangos, ar yr un pryd, y cronograff ar ei arddwrn. "Mae'n anhygoel. Chi jyst yn mynd mewn i *swanseamarina.com* a wedyn *live webcam* a'r *password* a – drychwch nawr – rwy'n pigo lan camera rhif tri, a dyna chi, welwch chi e, y *Valhalla*."

"Rhyfeddol," atebais gan sgwintio ar y sgrin.

"Tales i drigain mil am y cwch yna," meddai Jimmy gan roi'r ddyfais yn ôl yn ei boced. "Gormod o arian i golli."

"Chi'n siecio hi'n aml?"

"Dim digon aml, mêt. Mae 'na bethe digon od yn mynd 'mlaen yn y Marina y dyddie hyn. Pobol yn boddi, a gwaeth. Difaru wnewch chi os na watsiwch chi ar ôl eich eiddo."

"Mae 'na *scum* o gwmpas," meddai Malcolm. "*Addicts*. Chi'n gweld nhw yn Wind Street, wedi'u pwmpio lan ar alcohol, ecstasi a heroin."

"Mae'n dipyn saffach yn y clwb," meddai'r llall. "Ni yno nos Fercher, fel arfer."

Diolch am y rhybudd, meddyliais; ro'n i wedi bod trwy hynna i gyd ddwy flynedd yn ôl pan o'n i'n fwy brwd dros y bywyd ffug forwrol. Ond roedd y ferch fawr yn y wisg *latex* dynn nawr yn anesmwytho ac yn ailhawlio sylw Jimmy, a chymerais y cyfle i gael gair tawel â Hywel.

"Siawns cael gair cyn bo hir?" sibrydais wrth symud i'r gornel. "Ti'n gwbod y mater dan sylw."

"Rhaid i ti fadde i fi, 'wy wedi bod braidd yn brysur. Ond alla i weud 'tho ti nawr: neith y *trust fund* 'na ddim gweithio, na'r syniad o greu cwmni. Mae'r *charge* am y tŷ ishws wedi'i neud."

"Trio meddwl yn greadigol o'n i, oedd 'na ffordd o arbed ceiniog rhag dyn y dreth."

"Ta p'un, allen i wneud dim tu ôl cefn dy chwaer. Canolbwyntia ar y busnes, dyna 'nghyngor i."

"Rwy'n gwneud hynny, paid â phoeni."

Switsiodd Hywel i'w lais meddyg teulu. "A sut *mae* dy dad y dyddie 'ma, gyda llaw? Dal ei dir?"

"Cystal â'r disgwyl. Bydda i'n ei weld e fory, fel bydda i bob dydd Sul."

"Chwarae teg i ti. A llongyfarchiadau eto ar y Secret Garden. Mae'r lle ishws wedi gneud cyfraniad nodedig i fywyd Abertawe a'r Mwmbwls… Jimmy," meddai gan droi at ei ffrind, "have you tasted the delights of the Secret Garden yet?"

"Ooh, that sounds interesting, but tell me more when June's not haier…" atebodd Jimmy dan ei anadl gan roi winc i Hywel.

* * *

Allan ar y patio yn y cefn, tynnais y Gitane unig a llipa mas o boced fy siaced. Wedi gorfod disgwyl mor hir amdani, ro'n i'n benderfynol o'i mwynhau. Pwysais yn erbyn y wal *pebble dash* a chwythu'r mwg allan yn araf. Yn uchel yn yr awyr hongiai hanner lleuad dyfrllyd, fel sleisen o lemwn mewn glasied o Fartini. Ymhell odano, ar fryncyn coediog, codai siâp tywyll Castell Ystumllwynarth.

Cofiais yn syth am Lucy, ei hwyneb heulog, ei het wellt, ei hosgo a'i hacen Americanaidd. Cofiais am ei geiriau cyntaf yn y ciw hufen iâ, a'r wên gynnes, lawn ystyr a roddodd wrth ffarwelio. A'i geiriau Cymraeg. Dyna beth oedd cyfarfyddiad lwcus. Ond a fyddai *affaire* yn blodeuo rhyngom? Gwyddwn o brofiad nad oes dim yn sicr yn y maes arbennig yma.

Ond oedd ei rhif 'da fi? Chwiliais yn wyllt ym mhoced fy *jeans*. Agorais y waled: roedd y manylion yno ar gefn fy ngherdyn busnes, yn llawysgrifen onglog Lucy. Cymerais fy iPhone o'i waled ac ychwanegu ei rhif a'i chyfeiriad ebost at y rhestr *Contacts.* Wedyn cofiais am beth od. Fe sgrifennodd hi'r manylion heb edrych ar flaen y cerdyn. Eto, fe ddywedodd hi ei bod hi'n hoff o fwyd Thai. Oedd hi wedi clywed am y Secret Garden? O'n i'n enwocach nag o'n i'n sylweddoli?

Rhedais fy mys dros wyneb yr iPhone a gweld enwau eraill yn deffro'n sydyn odano: Barbara, Elise, Julia – ond pwy oedden nhw? Ble cwrddais i â nhw, ym mha ddinas, pa wlad, pa ddegawd? Yna daeth enw Monika, y ferch o Warsaw. Doedd dim perygl i fi ei hanghofio hi, yr un y basen i wedi'i phriodi oni bai i fi benderfynu dychwelyd i Gymru...

Erbyn imi gwrdd â hi, roedd fy nwy briodas wedi chwalu: yr un gyntaf ag Eira, y Gymraes oedd yn rhy dda imi, ac a ffodd o Berlin yn ôl i Gaerdydd gyda'n dwy ferch; wedyn digwyddodd Ursula, fy Almaenes wallgo, a ddiflannodd, yn y diwedd, i fila yng Nghyprus. Roedd eu henwau'n dal yno, ond â bodolaeth electronig yn unig. A fyddai enw Lucy'n ymuno â nhw ryw ddydd, gofynnais wrth roi'r ffôn yn ôl. Neu a fyddai'n dynodi rhyw drobwynt yn fy mywyd, rhyw siwrne o ailddarganfod a fyddai'n dechrau – pam lai? – â thaith ar yr *Afallon*?

Yna cofiais am y sgwrs â Hywel. Ro'n i'n ffôl yn trafod arian 'dag e, a ni'n dau dan ddylanwad. Ond eto roedd e'n iawn iddo wneud hynny a phalu chwisgis i foliau'r Saeson dŵad yna. Fuon ni'n ffrindiau erioed? Ai Berlin oedd y broblem? Pan ddes i'n ôl i Gymru do'n i ddim yn disgwyl i bobl leinio'r harbwr a chwifio baneri a gweiddi, "Croeso 'nôl, Rhys!" Ond a oedd Hywel yn dal i edrych arna i fel dieithryn?

Roedd e siŵr o fod yn iawn ynglŷn â Tegfan, tŷ'r teulu yng Nghlydach. Roedd hi'n rhy hwyr i'w achub o grafangau'r cartre yn Cross Hands lle roedd fy nhad yn byw nawr. Yn anffodus, doedd fy sefyllfa ariannol ddim mor wych ag yr oedd Hywel, efallai, yn dychmygu. Fe wnes i golledion yn sgil chwalfeydd y farchnad stoc ond ro'n i'n barnu bod fy eiddo yn y Mwmbwls yn ddiogel – mor ddiogel, o leia, ag eiddo Catherine Zeta-Jones hanner milltir i ffwrdd – er nad o'n i ddim mor siŵr am fy fflat yn y Marina…

Nofiodd ton o weiddi a chwerthin masw lan o gyfeiriad Stryd Newton a chlwb nos Bentleys. Os oedd yr Hwrod Hapus yno, rhaid eu bod nhw'n crafu'r paent oddi ar y waliau erbyn hyn. Ac roedd y ferch dew â'r adenydd angel siŵr o fod wedi cael ei gwala hefyd. Yn falch o fod allan o hwnna i gyd, tynnais eto ar y sigarét. Yna meddai llais o rywle wrth fy ochr: "Noice mune, innit?"

June oedd yno, y flonden gigog yn y wisg elastig, yn pwyso'n erbyn y wal gan chwythu mwg o'i sigarét. Roedd 'na lamp ar y wal rhyngom, yn gwynnu'r cymylau tenau. Y tu draw iddyn nhw roedd dau lygad masgarog yn edrych arna i, fel tyllau du mewn weiren bigog.

"Noice mune, oi said."

"I suppose so…"

"Pretty, innit?"

"Yes."

"I koon see you're real Welsh, Rhys. I loove it haier. I loove it in Wales."

"Wales is fine."

"Doose the mune make you feel sort of, you know – want it?"

Trwy gil fy llygad gallwn weld ei cheg lac, agored, y minlliw'n ddu yn y golau gwyn. O dan ei thagell, roedd y *latex* yn croesi'r bwlch tywyll rhwng ei bronnau fel pont grog. Roedd pryfed a gwyfynod yn hedfan yn aflonydd a tharo'u hunain yn erbyn gwydr y lamp. Rhoddais chwythiad olaf i'r sigarét a lladd y stwmpyn â'm troed.

Ar yr un pryd, clywais gorn y tacsi'n hwtian o'r stryd a llais André'n gweiddi arna i. Gan roi hanner gwên i'r wraig, troais am ddrws agored y lolfa. Yno ym mhen draw'r stafell roedd André yn amneidio ata i yn ei got wen. Dilynais ef trwy'r bar, ei got yn chwifio fel baner o'i ôl, ond yna, cyn mynd i mewn i'r tacsi, trodd ataf a dweud, ei lygaid yn fflachio: "Chi'n ffaelu gadel nhw i fod, y'ch chi, Rhys?"

4: Rali

CYMERAIS LWNC O'R Douwe Egberts a thamaid o'r *croissant low fat, low sugar, low calorie* o Tesco Extra y Marina gan edrych yn ddiog ar yr olygfa braf islaw. Roedd rhesi o fadau bychain yn gorwedd yn daclus yn y doc odana i a morwyr amatur yn paratoi ar gyfer taith o gwmpas y Bae neu Benrhyn Gŵyr. Cerddai ymwelwyr yn hamddenol wrth Amgueddfa'r Glannau, rhai'n cael eu temtio gan fyrddau awyr agored un o'r caffes gerllaw.

Allen i ddim cwyno, heblaw nad o'n i'n eistedd yn yr haul. Fy mai i oedd hynny, camsyniad wnes i wrth brynu'r fflat. Mae'n wynebu tua'r de ac ro'n i wedi dychmygu fy hun yn treulio prynhawniau hwyr fy ymddeoliad – wedi dydd o ffug brysurdeb – yn ymlacio ym machlud haul gyda diod oer a llyfr da. Ond rwy nawr yn treulio'r rhan ddelfrydol yna o'r dydd naill ai'n gweithio yn y bwyty neu ar ras i ryw warws bwyd rhew.

Rhoddais haen dda o fenyn a jam ar y *croissant* ac agor un o'r papurau Sul. Fel ro'n i'n disgwyl, roedd mwy am ddigwyddiadau yn Libya. Yn wir, roedd 'na ddigon am lwyddiant y 'rebels' dewr a lluniau ongl lydan ohonyn nhw yn dal eu dyrnau i fyny, ond dim gair am y newyddiadurwyr teledu a gafodd eu llofruddio gan luoedd NATO yn enw democratiaeth. Troais at y tudalennau ariannol ond wnaeth hynny ond fy atgoffa am gyflwr sigledig fy muddsoddiadau a chyngor anffodus Wolfgang, fy ffrind o Berlin.

Plygais y papur, gorwedd yn ôl yn fy nghadair draeth a gadael i atgofion am neithiwr nofio trwy 'mhen: André a'i osodiadau eithafol, y camddeall 'da Hywel, ffars un-act y Saesnes fronnog, y rhywioldeb rhad a'r alcoholiaeth sydd fel ymbelydredd lefel isel yn cyfaddawdu pob gair a gweithred yma yn Abertawe. O leia fe gwrddais i â Lucy yn y pnawn. Roedd y cyfarfyddiad ar y traeth fel pelydryn o haul yng nghanol y mwrllwch, ac yn codi fy mhen o faen melin rhedeg y bwyty, edrych ar ôl fy nhad a'r holl bethau eraill sy'n llanw'r amser oedd i fod ar gyfer rhyddid a mwynhad.

Casglais y papurau Sul yn fwndel, gan edrych ymlaen at siwrne feic ar lan y Bae i'r Mwmbwls. Mae hynny wastad yn braf. Fy nghynllun oedd casglu'r Audi o'r maes parcio a tharo i mewn i'r bwyty i wneud yn siŵr fod Anja, fy *sous* Romanaidd, yn hapus yn y gegin. Mae'n ddibrofiad ond yn gallu delio â'r fwydlen barod ac yn mwynhau cael y Sul iddi'i hunan, heb André.

Es i nôl y beic o gyntedd y fflat a'i lywio heibio i Gei Fictoria a'r caffes awyr agored. Croesais y bont wrth y Pump House ac roedd e'n dal yno, wrth gornel y cei, gyferbyn â'r cerflun o Dylan Thomas: y pentwr o dorchau a mementos i John Harries. Arhosais i edrych ar ei wyneb gwelw, dinod yn syllu'n ôl o ffrâm hirgrwn, fel bardd Fictoraidd wedi marw'n ifanc. O dan y llun roedd 'na bennill pathetig gan ei fam, ac yn enw'r Swansea Peacekeepers: *Johnny Rest in Peace.*

Sylwais nad oedd rhubanau glas yr heddlu yno mwyach. Dyna ffars oedd eu 'cyrch' ar werthwyr cyffuriau'r Marina, meddyliais wrth gofio am yr adroddiad yna yn yr *Evening Post.* Ond yna sylwais ar *vase* o flodau ffres, a neges newydd yn pwyso arni mewn llawysgrifen hen berson: *Gwyn eu byd tu hwnt i glyw, tangnefeddwyr, plant i Dduw.*

Am ryw reswm fe fwrodd y geiriau Cymraeg fi i'r byw, am eu bod nhw mor wir. Neu oedden nhw? Oedd John Harries y tu hwnt i glyw, ac wedi ei dawelu am byth?

*   *   *

O edrych yn ôl, roedd e'n anochel 'mod i wedi mynd i'r rali heddwch yna ym mis Ebrill. Ro'n i wedi bod yn trio'n rhy galed i anghofio am John Harries a'i waedd. Roedd un rhan ohono i'n dweud: sa draw. Bydd y lle'n llawn hipis, undebwyr, Marcswyr, henoed crefyddol ac arbenigwyr eraill mewn malu awyr. Ond ar y llaw arall, byddai'n ddiddorol; gallai daflu goleuni ar y farwolaeth...

Yn rhyfedd iawn, fe fues i mewn rali heddwch flynyddoedd yn ôl, yn Berlin. Trwy ddamwain y digwyddodd e, un adeg Nadolig. Roedd hi'n ddiawledig o oer a buon ni'n mwynhau cwpanau o *Glühwein* yn stondinau'r Alexanderplatz yng nghwmni fy ffrind Rocco a Tante Gertrud, ei fodryb wallgo, werdd oedd wedi dod i lawr am y penwythnos. Hi ddenodd ni draw at ran o'r sgwâr anferth lle roedd 'na dyrfa wedi ymgasglu, a nifer o loris cefn agored yn paratoi i ffurfio gorymdaith.

Roedd yr awyrgylch yn fywiog ac yn od o gyffrous. Roedd pobl yn cynhesu yn eu hunfan wrth i fand bach chwarae ar gefn un o'r loris. Pan fyddai'r band yn stopio, byddai areithiwr aden chwith galed yn cymryd y llwyfan ac yn taranu yn erbyn y rhyfel yn Irac. Dyna, erbyn deall, oedd pwrpas y rali, ac allwn i ddim anghytuno. Ta beth, diolch yn rhannol i'r *Glühwein,* fe ffeindiais fy hun yn ymuno â'r *Long March* i fyny'r traffyrdd gwag, gan ddilyn y lorïau rhwng y rhesi hir o lampau melyn. Roedd yn hwyl ddiniwed ar y pryd; wedyn y sylweddolais y gallen i fod wedi gwneud camsyniad...

Pan ymddangosodd y posteri du ac oren *Out of Afghanistan* ar bolion a ffenestri gwag yng nghanol Abertawe, wnes i ddim talu llawer o sylw. Ond ro'n i'n gwybod bod y Swansea Peacekeepers – y mudiad yr oedd John Harries yn aelod ohono – ymhlith y trefnwyr. Roedd yn annhebyg bod 'da nhw unrhyw beth i'w wneud â'r boddi ond eto ro'n i'n chwilfrydig: tybed ai grŵp trist, amaturaidd oedden nhw – fel roedd eu gwefan yn awgrymu – neu gorff milwriaethus, disgybledig, Almaenaidd a fyddai'n fygythiad i'r drefn?

Wedi mwynhau cinio yn y Marina, es am dro hamddenol ar hyd glan y môr i gyfeiriad y dre. Ro'n i'n gwybod bod y rali ymlaen, ond yn dal rhwng dau feddwl. Pan syrthiodd cawod o law, penderfynais groesi strydoedd y Sandfields tuag at dafarn y Wig a throi wedyn am y Guildhall, a gweld bod y rali eisoes wedi dechrau. Roedd tyrfa ymbrelog wedi ymgasglu o dan risiau'r Guildhall a gwahanol faneri'n codi o'u plith fel rhai UNISON, Cymru Cuba, The Communist Party of Great Britain, y South Wales Anarchist League, ac o dan flodyn oren unffurf, y gair *Plaid*.

Dyma ni eto, meddyliais: y *rent-a-crowd* arferol o gollwyr, breuddwydwyr a *misfits* fel gwyddau yn y glaw. Gweais fy ffordd rhwng y bobl er mwyn cael cipolwg ar y dyn oedd yn annerch ar y llwyfan parod. Roedd e'n gwisgo coler ci ac yn traethu am y dull di-drais, gan ddyfynnu'n ffri o Gandhi a Martin Luther King.

Ro'n i'n ystyried ei throi hi pan ddaeth gwraig mewn siwt i'r llwyfan – Aelod Seneddol, mae'n debyg. Gwelais yn gyflym fod hon yn wahanol. "Dwi wedi dod i sôn wrthych chi," dywedodd, "am ryfel yn yr unfed ganrif ar hugain, rhyfel fydd yn cael ei redeg nid gan bobl ond gan beiriannau. Faint ohonoch chi sy'n gwybod am y West Wales Unmanned Systems Environment? Stribyn hir o awyr yw e, yn ymestyn o Aber-porth i'r Epynt, wedi'i greu gan y Cynulliad Cymreig ar gyfer profi a datblygu technoleg *drones*.

"*Predator drones* yw'r awyrennau dibeilot sy'n bomio pentrefi a lladd degau o filoedd o bobl ddiniwed yn Irac, Afghanistan a nawr Libya. Maen nhw'n cael eu rheoli gan loerennau sy'n cael eu rheoli yn eu tro o *bunkers* yn anialwch y Nevada. Dyma ryfel fel gêm o Space Invaders, rhyfel nid â gwn ond â *joystick* yn eich llaw…"

Fe aeth ymlaen i fanylu ar y dechnoleg ac ro'n i'n ffeindio hyn yn ddiddorol, os nad yn arswydus. Ond yn y man, ildiodd y llwyfan i undebwr llafur amleiriog. Ciliais yn araf o'r dorf gan anelu eto am lan y môr. Yna, wrth basio Llys y Goron sylwais ar res o geir yr heddlu, ac un ambiwlans, ynghyd â hanner dwsin o geffylau. Roedd rhai o'r heddlu yn siarad i mewn i *walkie-talkies* a rhai'n cario *stun guns*. Do'n i ddim yn deall hyn. Ble roedd y bygythiad?

Ar risiau Neuadd y Brangwyn roedd 'na deuluoedd yn herio'r tywydd gan drio gwneud picnic o'r dydd. Odanynt, ar y palmant, fe godwyd rhai stondinau, un gan Students for Peace, lle roedd criw o fyfyrwyr yn clebran. Drws nesaf roedd stondin gan y Swansea Peacekeepers, eu henw'n wyn ar faner ddu â bathodyn CND. Felly dyma nhw, meddyliais, y grŵp roedd John Harries yn perthyn iddo. Ac roedd e fel ro'n i wedi ofni: dim ond llond dwrn o bobl yn gwerthu pamffledi a bathodynnau, fel mewn ffair sborion.

"Hoffech chi ymuno?" meddai dyn wrthyf. "Ni'n cwrdd unwaith y mis yn y YMCA lan yr hewl."

"Sorri, sai mewn i wleidyddiaeth," atebais, yn synnu at acen Gymreigaidd y dyn, oedd tua'r trigain oed. "Ond chware teg i chi am drefnu'r rali 'ma. Mae 'na bethau sy angen eu dweud. Basen i wedi hoffi clywed mwy gan yr Aelod Seneddol 'na. Pwy yw hi?"

"Jenny Ward? Ydi, mae hi'n dipyn o fenyw, gwahanol i'r rhan fwya o'r cadache lan yn Llunden. Nawr licech chi daro'ch enw ar y ddeiseb yma? Mae hi abwyti'r rhyfel yn Libya. Ni'n galw ar yr Americanied i dynnu mas."

"Fawr o obaith o hynny, oes e?" dywedais gan lofnodi'r papur.

"Ni'n gneud beth ni'n gallu, dyna i gyd."

Oedais. Roedd rhywbeth annisgwyl o normal am y boi yma. "Chi'n siarad Cymraeg?" gofynnais.

"Otw, 'wy'n dod o Ystalyfera. Mae 'na gwpwl ohonon ni'n wilia Cwmrâg yn y grŵp."

"O Glydach dwi'n wreiddiol," atebais. "Ro'n i wedi sylwi bod John Harries yn un ohonoch chi."

Sobrodd wyneb y dyn. "John druan. Dyna beth o'dd gwastraff ar fywyd. Bachan diniwed, bachan ffein, rhy ffein. Ond ddim fel chi a fi."

"Am ei fod e'n hoyw? Ai dyna chi'n feddwl?"

"Ie. Doedd ei rieni e'n gwpod dim nes ar ôl iddo fe farw. Roedd hynny'n sioc ofnadw iddyn nhw. Roedd y tri o' nhw'n aelode yng nghapel Pentecostal y Bont, chi'n gwpod yr un 'wy'n feddwl. Mae'i fam e draw fan'na – welwch chi, y wraig gyta'r cadach am ei phen…"

Edrychais tuag at y grisiau a sylwi ar grŵp bach o bobl yn yfed te mas o fflasgiau ac yn bwyta brechdanau o dan dusw o ymbrelos. Ro'n i'n chwilio am esgus i adael pan ddywedodd y dyn wrthyf, "Ffrind, falle licsech chi weud gair bach wrthi. Bydde hi'n gwerthfawrogi hynny. Ma hi wedi bod trwy uffern."

Roedd hyn yn anodd, ond roedd 'na rywbeth taer a dygn am y boi, a meddyliais: mae un gair caredig yn werth llond sach o falu awyr am heddwch a chyfiawnder. Fe fyddwn yn ei gwân hi wedyn. Cerddais lan y grisiau ac estyn fy llaw i'r wraig. Roedd hi tua'r trigain oed, yn fyr o gorff a chadach du am ei gwallt, a'i llygaid yn dal yn dywyll gan alar a gofid.

"Drwg iawn 'da fi am John," dywedais yn Gymraeg. "Buodd e'n anlwcus dros ben."

Edrychodd arna i'n amheus am eiliad, cyn dweud: "Diolch i chi," ac estyn ei llaw oer, rychiog i fi. Yna dechreuodd sgwrsio â fi, gan anwybyddu'r lleill, efallai am fy mod i'n siarad Cymraeg neu am fy mod i'n ymddangos – yn gamarweiniol – fel ffigwr o ryw awdurdod.

Meddai'n sydyn, mewn sibrwd isel: "Chi'n gwpod taw ei lofruddio cas e, on'd y'ch chi?"

"Ydw, rwy'n gwybod hynny'n iawn. Rwy'n digwydd byw mewn fflat yn agos iawn i lle ddigwyddodd e." Do'n i ddim yn bwriadu manylu, ond yna torrodd y wraig i lawr, gan lefain i mewn i hances.

"Mae'n ddrwg 'da fi, Mrs Harries…"

"A finne. Alla i ddim meddwl beth aeth e trwyddo… yr unig gysur sy gyta fi yw, falle ei fod e'n well ei fod e wedi marw na byw gyta'r profiad yna am weddill ei fywyd…"

"Y'ch chi wir yn credu hynny?"

Ddywedodd hi ddim byd. Yna dywedais: "Rhaid bod y cwest yn anodd iawn i chi."

"Y cwest? Do'n i ddim yn dishgwl cyfiawnder o'r cwest."

"Ond wedyn, hyd yn oed petase'r dyfarniad yn deg, fase fe ddim yn dod â'ch mab chi'n ôl, gwaetha'r modd."

Brathodd ei gwefus, a gafael yn fy mraich. "Yn gwmws. Chi'n gweld, rhaid bod hyn i fod. Mae pethe'n dishgwl yn annheg iawn i ni nawr, ond mae melinau Duw yn malu'n fân ac nid ein lle ni yw trio dyall ei ddulliau E."

"Ond sut allwch chi ddweud hwnna: *rhaid bod hyn i fod*?"

"Mae John yn hapus yn y byd nesa, dyna dwi'n gredu… gwell i chi fynd nawr."

Llaciodd ei gafael arnaf. Ro'n i'n mynd i ddweud rhywbeth ystrydebol am waith John yn 'parhau' yng ngwaith y mudiad heddwch a'r rali, ond gadewais gyda dim ond "Cymerwch ofal, Mrs Harries," a gafael yn ei braich.

"Diolch i chi, gyfaill," meddai, wedi ymdawelu, a throi'n ôl at ei ffrindiau.

Wedi fy ysgwyd braidd, cerddais yn araf i lawr y grisiau. Roedd y bachan o Ystalyfera yn dal i sefyll wrth stondin y Peacekeepers. Roedd yn anodd i fi ei osgoi, a dywedais: "Ces i air â mam John. Ro'n i'n synnu ei bod hi, rywsut, yn derbyn y drasiedi. Mae'n amlwg bod ganddi ffydd sy ddim 'da chi a fi."

"Does 'da ni ddim dewis ond trio byw gyta be ddigwyddodd. Fel wetws Dic Penderyn, yntefe: *O Arglwydd, dyma gamwedd*."

"Ond dyna'r pwynt. Roedd e'n gamwedd. Sai'n deall eich agwedd chi o gwbl."

"Be chi'n feddwl?"

"Y gwir yw fod John Harries wedi dioddef nid yn unig ddiwedd uffernol – cafodd ei dreisio a'i lofruddio – ond anghyfiawnder, hefyd, yn y cwest. Sut allwch chi adael hyn i fod? Fuoch chi yn y cwest?"

"Do, fe fues i yna, gyda Mrs Harries a rhai eraill. Roedd e'n anodd iawn, efallai'r pnawn anodda ges i erio'd."

"Alla i gredu hynny. Ond beth am y dyfarniad?"

"Fe wetodd y crwner bod 'na gleisie ar wahân i'r anafiade rhywiol ac y galle fe fod wedi marw trwy foddi."

"Ond diawch, os chi'n taflu rhywun mewn i'r dŵr ar ôl 'i dreisio fe, mae'n llofruddiaeth."

"Chi'n gwbod 'ny, fi'n gwbod 'ny, ond o safbwynt y crwner, gan nad oedd achos y farwolaeth yn glir, roedd yn rhaid iddo fe roi dyfarniad agored."

"Ond mae hwnna'n nonsens!" dywedais, yn dechrau colli amynedd ag agwedd llywaeth y dyn. "Yn iawn, fe ddyle'r achos gael ei ailagor."

"Ffrind," meddai, "bydden i byth eisie mynd trwy hwnna i gyd eto, na brifo 'nghlustiau a'n enaid gyta'r fath faterion. Mae'n well gatel pethe man lle ma nhw."

"Alla i ddychmygu sut mae Mrs Harries yn teimlo, a hithe'n grefyddol, ynglŷn â gneud rhai pethe'n gyhoeddus, ond beth amdanoch chi?"

"Dyw fy marn i ddim yma nac acw."

"A beth am yr agwedd ariannol? Mae teuluoedd rhai sy'n cael eu llofruddio yn gallu cael iawndal sylweddol iawn. Chi'n sylweddoli hynny?"

"Gyfaill, does dim pwynt i chi bregethu wrtha i am hyn. Mater i fam John a'r teulu fase fe, nage i fi na'r Peacekeepers."

Cydiodd y dyn yn fy llaw yn gynnes ac yn hir. "'Wy'n gweld bo chi'n dyall pa mor anodd yw'n sefyllfa ni."

"Rwy'n deall," atebais, "ond ddim yn cytuno."

Wrth ymadael, meddyliais am odrwydd y sefyllfa. Er gwaetha

popeth a ddioddefodd John Harries, doedd y bobl yma ddim fel petaen nhw am fynd â'r mater ymhellach rhag i sylw i'r elfen rywiol, wrywgydiol bardduo enw John – er na wnaeth e ddim o'i le, ar wahân i gael peint neu ddau yn ormod. Ond wedyn, beth oedd modd gwneud? Buasai'n rhaid cael arolwg barnwrol cyn ailagor y cwest a byddai hynny'n broses hir a phoenus i bawb. Efallai, wedi'r cyfan, fod y dyn yn iawn.

Troais i ffwrdd. Ro'n i angen cael y stwff yma mas o 'mhen. Yna sylwais ar rywun yn tynnu llun ohono i â'i ffôn symudol o'r stondin nesaf, un y myfyrwyr. Merch hirwallt oedd hi, mewn siwmper lac, streipiog. Heb wybod sut i ymateb, gwenais arni mewn ffordd asynnaidd cyn iddi wedyn godi'i llaw mewn arwydd 'V' am heddwch, mae'n debyg.

"Sai'n enwog," dywedais.

"Dwi jyst yn tynnu lluniau ar gyfer y wefan," meddai. "Great vibes, so positive."

"Chi'n meddwl hynny?" atebais. "Ta beth, alla i ofyn i chi beidio â defnyddio'r llun yna?"

"*Yeah, okay*, os fel'na chi'n teimlo."

"Alla i eich gweld chi'n ei ddileu e?"

"Done it!" meddai'n llon.

Ond do'n i ddim callach, wrth gwrs. Yn flin, croesais y briffordd a cherdded fel dyn gwyllt ar lan y traeth, fel 'se rhyw ysbryd aflan yn anadlu i lawr fy ngwegil. A'r haul yn trio dod mas o'r tu ôl i'r cymylau, brysiais ymlaen heibio i gaeau golff Ashleigh Road tua Blackpill a chaffe'r Junction. Yno, ces i baned o goffi ac eistedd ar un o'r meinciau o flaen y llithrennau a'r pyllau padlo. Chwaraeai plant yn hapus o'm cwmpas, yn mwynhau'r haul sydyn, tra oedd eu mamau'n hel clecs a thrafod yr *X Factor* a *Britain's Got Talent*.

*   *   *

Wedi'r profiad yna, roedd un peth yn siŵr: do'n i ddim yn mynd i atgyfodi fel dyn mewn siwt wen yn ymladd dros gyfiawnder. Ond gallwn weld bod anghyfiawnder wedi digwydd a bod 'na ddirgelwch ynglŷn â'r ddau ddyn yna a welais â'm llygaid fy hun yn rhedeg a diflannu i'r mur o dywyllwch rhwng fflatiau'r Marina a maes parcio Tesco. Roedd yn anodd credu nad oedd yna unrhyw record CCTV ohonyn nhw. Onid oedd rhai oedd ym mar y Quayside y noson honno wedi tystio yn y cwest iddyn nhw weld dau ddyn yno mewn crysau-T gwyn *Frankie Say Relax*?

Od bod y manylyn yna wedi llithro i mewn i'r adroddiad. Neu oedd fy nghof i'n chwarae triciau â fi? A beth arall oedd yn yr adroddiad ar y cwest? Un noson, tra o'n i'n crwydro'n ofer ar y we, gwelais fod 'na ffordd eithaf rhwydd o'i siecio. Cliciais ar wefan yr *Evening Post*, wedyn ar *Browse an Archive*. Nawr roedd yn rhaid pori trwy lu o benawdau straeon fesul wythnos, a'r rheini heb fod mewn trefn arbennig. Ond o'r diwedd ffeindiais yr adroddiad, o dan y teitl *Open Verdict on Drowned Man*.

Darllenais e'n llawn, ond doedd 'na ddim sôn am y tystion o far y Quayside, na'r ddau ddyn welson nhw, er bod cwyn y crwner am ddiffyg tystiolaeth CCTV yr heddlu yn dal yna, ac felly hefyd y manylion am anafiadau John Harries, a'r *temazepam* – a'r alcohol – oedd yn ei waed. Ond roedd yr adroddiad fel petai wedi'i dalfyrru. Ydyn nhw'n arfer golygu stwff i'w roi ar y we? Ond wedyn, oni fyddai adroddiad gwreiddiol y crwner ar gael yn rhywle, petai cyfreithiwr am ei weld?

Gadewais y mater – nes sylweddoli, ganol un bore, 'mod i eisoes yn llyfrgell ymchwil dinas Abertawe. Ro'n i'n galw unwaith yr wythnos yn adeiladau newydd y Cyngor uwchben y traeth i bori mewn cylchgronau busnes a chefnogi'r caffe, gan ddilyn arferiad o gyfnod chweched dosbarth pan o'n i'n galw yn yr hen lyfrgell ymchwil yn Ffordd Alexandra i fenthyca recordiau a thapiau, y ffasiwn newydd ar y pryd.

Does gan y llyfrgell newydd mo awyrgylch eglwysig yr hen un ond pan syrthiodd y geiniog es at y cownter a holi am rifynnau mis Mawrth o'r *Evening Post*. Ffeindiodd y ferch nhw i fi ac es â'r blwch at un o'r byrddau braf ar bwys y ffenest. Do'n i ddim yn cofio dyddiad y cwest felly dechreuais chwilio'n araf o'r cyntaf o'r mis ymlaen, ac yn y man fe ffeindiais yr adroddiad, sef yr un gwreiddiol ar y cwest i farwolaeth John Harries.

Cadarnhawyd fy amheuon. Roedd y stwff meddygol yn dal yna – yr anafiadau allanol a'r rhwygiadau mewnol, nid stwff i stumog wan – a'r un cyfeiriad at *temazepam* yn ei waed. Gwyddwn mai fersiwn dros-y-cownter o'r cyffur Rohypnol oedd e, y cyffur *date rape*. Ond roedd y dystiolaeth arall yno hefyd. Adroddwyd bod tystion wedi gweld John Harries yn gadael bar y Quayside gyda dau ddyn tal â bob i *crew cut* yn gwisgo trowsusau *fatigue* a chrysau-T gwyn *Frankie Say Relax*. Roedd cwynion hallt y crwner ynglŷn â'r diffyg CCTV yno hefyd – ond i ddim pwrpas ymarferol, wrth gwrs.

Dychwelais y bwndel i'r cownter a mynd, yn ôl fy arfer, am goffi i'r caffe cyhoeddus gyda'i olygfa braf o'r môr a'r Mwmbwls. Triais gasglu fy meddyliau chwâl. Felly ro'n i'n iawn. Nid dychmygu'r dynion â'r crysau wnes i. Ond po fwya ro'n i'n meddwl am y peth, y mwya *bizarre* oedd y ffaith fod y cofnodion CCTV wedi diflannu. Roedd hynny'n awgrymu cynllwyn rhwng yr heddlu… a phwy? Rhywrai oedd yn cario tipyn o rym gwleidyddol? Oedd y ffaith fod John Harries yn aelod o'r Peacekeepers yn bwysig wedi'r cyfan?

5: Wide Horizons

O S GALLA I, ac os bydd y tywydd yn caniatáu, bydda i'n hoffi rhoi awr neu ddwy i'r *Afallon* ar bnawn Sul. Potshan fydda i fel arfer, fel capteiniaid eraill y Marina. Ond weithiau bydda i'n mentro i'r môr fel y gwnes i bythefnos yn ôl gyda Lois, fy merch ieuengaf. Mae hi'n gweithio i gwmni PR yng Nghaerdydd ac rwy mor falch o ailgynnau'r cysylltiad, efallai'r peth gorau ddigwyddodd i fi ers dychwelyd i Gymru. Anaml fydda i'n gweld Eira, ei mam, sydd wedi hen ailbriodi â gwas suful yn y Cynulliad, ac mae chwaer Lois, Lisabeth, wedi setlo yn Northampton ac wedi troi'n Lizzie.

Wrth gwrs, nid 'hwylio' fydda i: does 'na'r un hwyl yn agos i'r *Afallon*. Cyn i fi adael Berlin, fe ofynnais i Rocco, fy ffrind, am gyngor ar ba gwch i'w brynu. Buon ni'n hwylio droeon ar lynnoedd y Wannsee yn ei fad dau hwylbren, *Wilhelm II,* a enwyd ar ôl brenin olaf Prwsia. Prwsiad oedd e, wrth gwrs, bastard golygus, hoyw, anodd oedd yn gweithio, fel fi, i gwmni *pharma* Sanotis, ond sut daethon ni'n ffrindiau, wnes i erioed ddeall.

"Falle a' i am *sport fisher* bach," dywedais dros wydraid ym mar y Badenscher Hof, y dafarn jazz yn Wilmersdorf. "Un o'r rhai Beneteau. Maen nhw'n gwneud rhai eitha slic."

"Dwi'n gwybod amdanyn nhw," meddai gan bletio'i wefusau. "Cwmni Ffrengig. Maen nhw'n eu masgynhyrchu."

"O leia gallen i fforddio'r pris."

"Ond wyddwn i ddim dy fod ti'n bysgotwr."

"Mae 'na ddigon o fecryll ym Mae Abertawe."

"O dy nabod di, fe ddali di fwy o fenywod nag o bysgod mewn *cruiser* bach fel'na."

Wrth gerdded tua'r Marina wedi cinio Sul yn nhafarn y Queens, ro'n i'n taer obeithio bod Rocco'n iawn. Roedd Miss Lucy Carter o Vermont wedi campio'i hun, erbyn hyn, ar *brownsite* fy meddwl. Do'n i ddim wedi cysylltu â hi eto – dim ond pnawn ddoe y digwyddodd y cyfarfyddiad ar y traeth – ond ro'n i'n bwriadu gwneud hynny heno, ar ôl ymweld â 'Nhad yn y cartre yn Cross Hands.

Cerddais i fyny planciau'r pontŵn a sefyll o flaen yr *Afallon*, ei Ddraig Goch drionglog yn hongian yn llipa o'r mast radio. Sgleiniai llythrennau aur y gair 'Afallon' ar las tywyll y cwch â'i linellau isel, secsi. Dychmygais fy hun yn cyflwyno'r cwch i Lucy.

"Yr *Afallon*," dywedais. "*I* Afallon?"

"Ie, tocyn un ffordd i baradwys, os gwelwch yn dda."

"Y tocyn cynhwysfawr, felly?"

"Ie, Capten, y pecyn yna sy'n cynnwys gwin, miwsig a'r holl *extras*."

"Camwch ar y dec, Madam…" dywedais gan estyn fy llaw iddi o fwrdd yr *Afallon*.

"A dwi am wisgo fy micini meicro. Dim problem ynglŷn â hynny, Capten?"

"Dim problem o gwbl, Madam. Fy nghyngor i fase mynd am yr *all-over tan*."

"Ac ydi darllen yn cael ei ganiatáu?"

"Cewch chi wneud ar rai adegau, gyda fy nghaniatâd i. Mae'r amserlen ar gyfer darllen lan ar wal y caban…"

Heb y Lucy ddychmygol, camais i'r cwch a sylwi ar y modfeddi o ddŵr llwyd a slochiai ar ei waelod. Roedd 'na frys i gael y pympiau *bilge* i weithio'n iawn eto, heb sôn am dasgau eraill. Dywedodd rhywun mai dau bleser sydd mewn hwylio: pan y'ch chi'n prynu cwch, a phan y'ch chi'n ei werthu e. Ond â mordaith i Afallon ar y gorwel, roedd fy agwedd wedi newid.

Tynnais y tarpwlin oddi ar gefn agored y cwch – tasg

hawdd wedi'r tywydd sych diweddar – a nôl yr offer o'r caban. Defnyddiais sbaner i dynnu plât y pwmp i ffwrdd er mwyn cyrraedd y gascet. Wedi cael y pympiau i sugno, taniais yr injan Volvo Penta – oedd, fel bob amser, yn ticio drosodd yn berffaith – a rhoi prawf ar yr Honda sbâr. Roedd un peth yn siŵr: do'n i ddim am danio *distress flares* a minnau'n cynnal sgwrs am y Brenin Arthur gydag Americanes brydferth yn hud rhyw fachlud.

*   *   *

Wedi mwynhau cawod yn fy fflat, neidiais i'r Audi a dilyn y ffordd tua'r dociau, yna troi i fyny i Fforest-fach ac i'r M4. Ro'n i wedi treulio braidd gormod o amser ar yr *Afallon*, ac fe wasgais y sbardun gan anelu at gyrraedd cartre henoed y Wide Horizons erbyn chwech o'r gloch.

Ar y draffordd protestiai'r Audi yn erbyn y ffin yrru o 70 milltir yr awr. Does 'na ddim ffin yrru yn yr Almaen – na mwy o ddamweiniau. Ond roedd y traffig heno'n arafach nag arfer. Yna, wrth y tro yn yr M4 ger Casllwchwr, gwelais pam: roedd 'na res o gerbydau milwrol llwyd yn gyrru union 50 milltir yr awr, â'u trwynau yn nhinau'i gilydd. Yng nghanol yr osgordd roedd 'na nifer o lorïau llydan yn cario tanciau. Sylwais mai platiau plaen, melyn oedd ganddyn nhw i gyd, gyda dim ond pedwar ffigwr.

Pwy oedden nhw? Y fyddin, ond pa fyddin, ac yn mynd i ble? I Freudeth tybed, o Aberhonddu? Ond ar gyfer beth?

Rhoddais y cwestiynau o'm meddwl a chanolbwyntio ar y gyrru. O'r diwedd cyrhaeddais Cross Hands, ac wedi gyrru am tua phum milltir trwy hewlydd gwledig daeth adeiladau isel y cartre i'r golwg y tu draw i bant isel. Gan anwybyddu'r arwydd *Authorised & Emergency Vehicles Only*, parciais yr Audi'n gam ar y graean o flaen prif fynedfa y gyfres o fyngalos parod sy'n ffurfio cartre henoed y Wide Horizons.

Gwasgais y botwm *Ring for Attention*. Ar y waliau roedd rhesi o dystysgrifau a rhybuddion iechyd a diogelwch. Gallwn glywed sŵn ceir rasio a chwerthin *canned* yn dod o'r setiau teledu rhad a osodwyd ym mhob twll a chornel o'r lle 'ma. O'r diwedd ymddangosodd Vicky. Dilynais hi i lawr y coridor, ei chadwyn o allweddi yn bownsio ar ei thin, yr hoglau pîn a phiso yn cydio yn fy ffroenau. Agorodd ddrws stafell rhif 8. "There they are," meddai, "as 'appy as two Yogi Bears."

"Rhys bachan!" meddai Lewsyn gan godi ei law arna i o'r gadair o dan y ffenest lle'r eisteddai gyda hen gopi o'r *Sporting Times*. Yn hen löwr asthmatig o Gwm Gwendraeth, roedd 'na rwndi blŵsaidd yn dod o'i frest, ond roedd ei ben yn glir a'i ysbryd heb ei ladd eto gan y lle 'ma.

"Welest ti'r Swans ddoe?" gofynnodd dros rimyn ei bapur. "*Draw* eto."

"Glywes i. Rheoli'r gêm, ond methu sgorio."

"Yr un hen stori. Chware'n bert, ond ofan saethu. Diain i, roien i rwpeth am gal pnawn lawr y Vetch."

"Y Liberty nawr, wrth gwrs..."

Gloywodd ei lygaid milgi. "Ie, y Liberty. Allen i neud â 'bach o *liberty*. Ond pwy obeth? Man hyn fydda i rhagor ac mewn bocs y bydda i'n gadel y lle gythrel 'ma..."

"Fe drefna i rywbeth. Alla i gael tocynnau ar y we..."

"Gêm Caerdydd fasen i'n lico gweld, mis nesa."

"Bydd honna'n gêm fawr – ond cawn ni weld..."

"Gawn ni weld beth?"

"Os alla i drefnu rhywbeth. 'Bach o amynedd, Lewsyn..."

"Hy!" poerodd.

Roedd fy nhad, yn y cyfamser, yn edrych arna i trwy gil ei lygaid. Eisteddai'n ôl yn ei gadair ag un llygad ar y teledu tra oedd yn pigo fel robin goch ar gacen Jaffa. Rhoddais y papur Sul ar yr hambwrdd, bwnshed o rawnwin a chopi newydd o'r *National Geographic*. Byddai'n arfer darllen y cylchgrawn yn fanwl, ond roedd copi o'r rhifyn diwethaf yn dal ar y troli, heb ei agor.

"Wel, sut mae'r hwylie?" gofynnais, ychydig yn drist o weld hyn. Roedd e wastad wedi bod yn ddarllenwr brwd – ond nid o ffuglen, oedd yn 'ddim ond celwydd' i'w feddwl gwyddonol. Daethai'n Rheolwr Adran yng ngwaith nicel y Mond trwy oes o hunanaddysgu.

"A ble ti wedi bod yr holl amser 'ma, 'te?"

"Yr holl amser? O'n i yma wythnos dwetha, fel bob wythnos."

"Ond ma hwnna wythnos yn ôl!"

Fel y dywedodd Woody Allen unwaith, does gan henaint ddim llawer yn mynd o'i blaid e. Ar y teledu uwchben y cwpwrdd roedd dyn yn sbinio olwyn blastig yn llawn peli ping-pong. Ar bwys y set roedd tomen o glustogau yn hel llwch. O ffrâm drom ar y wal, roedd merch ifanc Sbaenaidd yn edrych i lawr ar y cyfan â deigryn mawr yn rholio i lawr ei grudd.

"Wel, beth am baned o de?" holais yn galonnog. "Ti hefyd, Lewsyn?" A chodais i arllwys dŵr o'r sinc i'r tegell.

"Base paned o de'n burion," meddai 'Nhad. "A gad i'r dail gal bwrw'u ffrwyth. Mae'n bwysig bod ni'n cal disied teidi."

"Ond te du fydd e. 'Sdim llaeth ar ôl 'ma."

"Ond neith hynny mo'r tro o gwbwl! Rhaid i ti fynd i Central Stores i hôl peth!"

"Ond chi'n lico yfed te du. Chi sy'n gweud bod e'n iachach."

"Ond neith e mo'r tro i George Young! A gwed wrth dy fam i ddod mas â'r bara brith."

"Diawch, o'n i ddim yn gwybod bod 'da chi'r fath barch i'r boi. Tipyn o glebrwr alwoch chi e erio'd."

"Wi'n gwpod hynny'n iawn, Rhys, ond fe yw'r gweinitog yntefe," meddai 'Nhad gan wenu wrtho'i hun wrth gofio ffigwr byr, sgwarog, rhadlon gweinidog Calfaria, Clydach. "'Sdim iws rhoi rhyw hen fisged o'i flaen e. A chofia di, mae e'n ddyn dylanwadol."

Er ei barch amlwg at George Young, fuodd fy nhad erioed yn grefyddol uniongred. Weithiau, wedi rhyw bregeth na fyddai ei feddwl rhesymol, gwyddonol yn gallu ei stumogi, byddai'n ffoi i gapel bach Undodaidd yn Nhrebanos. Byddai'n dweud yn fyr ond yn bendant wrth fy mam, "Rwy'n mynd tsha'r Graig heno," cyn diflannu trwy'r drws. Doedd fy mam ddim yn hapus – roedd hi'n organydd ffyddlon yn y capel – ond roedd hi'n ddigon doeth i adael i 'Nhad fynd ei ffordd ei hun.

Cymerodd lwnc swnllyd o'r te gan ddipio'r gacen Jaffa ynddo fe, yna edrychodd arna i gan ofyn: "A ble wyt ti'n aelod nawr 'te, Rhys?"

"'Sdim capel yn y Marina."

"Y Marina? Sai'n dyall."

"Marina Abertawe. Fan'na rwy'n byw."

Edrychodd arna i'n syn: "Ond be sy'n bod ar Calfaria, capel ni?"

"Sai'n byw yn Clydach rhagor."

Edrychodd fy nhad arnaf, wedi arswydo. "Wyt ti ddim yn mynd yn agos i gapel? Ti'n bagan 'te!"

Yna meddai Lewsyn, oedd yn gwrando ar bob gair: "Dyw e ddim shwd beth, w! Gadwch e i fod, wir! Ma'r bachan yn iawn!"

Chwarae teg i Lewsyn, meddyliais. Sut lwyddodd e i aros yn gall? Gyda'r teledu di-dor a'r bwyd babïaidd, base'r lle 'ma wedi troi ymennydd Albert Einstein yn gaws. Ond roedd Mrs Lipton, y perchennog, yn eu cadw nhw'n gorfforol iach, gan elwa bob dydd o *charges* y cyngor lleol ar dai ei gwesteion. A 'Nhad wedi bod yma ers tair blynedd a hanner, roedd y rhan fwyaf o Tegfan, ein tŷ ni yng Nghlydach, eisoes yn eiddo iddi. Fe fues i'n pendroni'n ofer ar y pwnc yma ac roedd Hywel Ashley eisoes wedi taflu dŵr oer ar rai posibiliadau.

"Felly, sut mae'r nyrsys 'ma'n eich trin chi?" gofynnais yn y man, dim ond i barhau'r sgwrs.

"Twt, pa wahanieth? Nace man hyn 'wy'n byw."

"Ond yma *y'ch* chi'n byw."

"Debyg iawn, nes a' i 'nôl i Tegfan."

"Wrth gwrs…"

"Mae'n dda iawn bo ni wedi cadw'r tŷ'n wag," meddai yn y ffordd bendant, awdurdodol oedd ganddo.

"Ydi, wrth gwrs," atebais gan osgoi sôn am y pâr ifanc oedd yn byw yno nawr.

"Ond mae'r tir yn wahanol, wrth gwrs."

"Pa dir, nawr?"

"Tir Gelli Deg. Mae dy Ewyrth Bob wedi'i roi e mas, yn gall iawn. Ac roedd e'n iawn i ymddeol. Alle fe byth fod wedi cario 'mla'n i weithio mor galed."

"Ond mae Wncwl Bob wedi marw."

"Wel oti, wrth gwrs," meddai, megis yn cywiro rhyw gamsyniad bach ffeithiol. Yna cododd rhyw len wrth iddo sylweddoli ei fod yn cyfeirio at ei frawd ei hun, a dywedodd yn dawel: "Bob druan."

Cymerais ddracht olaf o'r te du, oer. Sylwais fod Lewsyn wedi troi ei gadair at y rhaglen gwis oedd newydd ddechrau ar y teledu. Digon da hynny. Do'n i ddim am iddo glywed gormod o'r sgwrs yma: fe wyddwn fod fy nhad wedi etifeddu gweddill eiddo ei frawd, oni bai am y tŷ, a rannwyd rhyngddo a'i chwiorydd.

"Y tir 'ma," dywedais gan droi at fy nhad. "Tir Wncwl Bob: ydi e'n dal yna?"

Yn awr chwarddodd fy nhad dros y lle. "Wel, fentra i 'i fod e! A Chwm Hir a Gelli Deg. Wir, ti'n dweud pethe penwan weithie, Rhys! Ti wedi bod bant rhy hir, dyna dy broblem di."

Roedd e'n iawn, mewn ffordd. Byddai'r dogfennau yn nwylo Bryn, cyfrifydd y teulu ym Mhontardawe. Ond tybed pwy oedd y tenant? Rhyw Sais, fel ro'n i'n cofio. Ond ai'r un un oedd yno nawr?

"Chi'n ffansïo tro i Verdi's dydd Sul nesa?" holais. "Mae angen newid arnoch chi o'r diawl lle 'ma. A gawn ni drafod ambell beth 'run pryd."

Yna meddai 'Nhad mewn llais gwan ond pendant: "Nawr ma'r Mwmbwls yn burion, ond i Gwm Hir lecen i fynd, a gweld Gelli Deg unwaith 'to. A bydde dydd Sul yn berffeth, fel rwyt ti ishws wedi awgrymu."

Cymerais rai o'r grawnwin a'u bwyta'n araf. "Ond be fase'r pwynt? Falle 'i fod e'n dŷ haf – os ydi e yna o gwbl."

"Dyna ti eto, yn amau pethe sy'n bod. Ma rhyw golled arnat ti pnawn 'ma."

"Gewch chi'ch siomi, mae arna i ofan. Y cof sy'n bwysig, nid y tŷ."

"Nonsens. Ti'n siarad fel menyw nawr. Y tŷ 'i hunan sy'n bwysig. Fan'na ces i 'magu. Pam na cha i fynd i' weld e? A beth amdanat ti, Rhys? Faset ti ddim yn lico'i weld e eto?"

"Be fase'r pwynt? Nid ni bia fe. Werthoch chi'r tŷ pan fu farw Wncwl Bob. Yn Clydach ces i 'ngeni."

"Ond buest ti yn Gelli Deg ddwsenni o weithie ar wylie. Oe't ti'n dwlu ar y lle. Oe't ti'n boen ar ddyn, wir, pan oe't ti'n grwtyn. Oe't ti fel tôn gron. 'Dad, Dad, pryd y'n ni'n mynd i Gelli Deg? Pryd gawn ni weld Wncwl Bob ac Anti Lisa?'"

Roedd hynny'n wir. Byddwn i a Megan, fy chwaer, yn cael mynd am bythefnos bob haf i Gelli Deg, oedd fel nefoedd ar ôl Cwm Tawe a'i strydoedd a'i simneiau. Roedd 'na gaeau a bryniau a thraethau a môr ac, yn bwysicaf, Wncwl Bob ac Anti Lisa, a fyddai'n ein sbwylio'n rhacs. Ond buon nhw farw tua ugain mlynedd yn ôl ac fe werthwyd y tŷ yn fuan wedyn.

"Wel ateb fi, Rhys: pryd cawn ni fynd? Ti'n rhydd dydd Sul, ti newydd weud," meddai 'Nhad eto, ei lygaid fel rhai sbaniel yn begian am asgwrn. Dyna'r gwahaniaeth rhyngon ni: lle gwyliau oedd Sir Benfro i fi, brodor oedd e. Brodor o Gwm Tawe o'n i: fe ddaeth y teulu ifanc draw yma yn y tridegau i chwilio am fywoliaeth well a gwaith yn y Mond. Aeth fy nhad-cu yno gyntaf, cyn i 'Nhad gamu i'w sgidiau.

Codais, a dweud mor gadarn ag y gallwn: "Gawn ni weld. Gawn ni drafod y mater dydd Sul nesa pan awn ni i'r Mwmbwls."

"Ga i ddod 'da chi?" gofynnodd Lewsyn gan droi oddi wrth y teledu.

"Rhywbryd eto," dywedais. "'Da ni bethe i'w trafod."

"Hy!" meddai Lewsyn. "Ti ddim gwell na'r Swans. Siarad yn bert, ond ffaelu sgorio."

"Mae'r Swans yn sgorio weithie," atebais.

"Ydyn, *weithie!*" meddai, â fflach o gasineb yn ei lygaid.

Lewsyn, mewn ffordd, oedd y rheswm dros ddewis y lle 'ma i 'Nhad, sef y siawns o gael cwmni Cymraeg o ochrau Cwm Gwendraeth. Roedd 'na rai eraill hefyd yn gorffen eu dyddiau yn y lle 'ma, gwragedd bron i gyd. Triais jocian â Lewsyn ond wnaeth hynny mo'i dwyllo ac fe drodd yn ôl at y *Sporting Times.*

Ffarweliais â 'Nhad a chau'r drws ar y stafell lawn tristwch. Cerddais i lawr y coridorau ond doedd dim sôn am Vicky. Sgriblais nodyn a'i adael wrth y cownter yn y cyntedd, yn dweud y bydden i'n galw am fy nhad amser cinio dydd Sul nesaf yn hytrach nag am chwech o'r gloch fel arfer. Ro'n i'n mynd i aberthu cinio Sul diog, ond ro'n i'n hapus o golli ymweliad arall â'r blydi lle yma.

*   *   *

Roedd nodyn wedi'i blygu dan sychwr yr Audi. Fe'i sgriwiais yn belen a'i daflu i ffwrdd cyn neidio i mewn i'r car a phwno'r hewlydd gwledig tua'r M4. Ai 'Nhad oedd y boi yna a welais i heno? Faint fyddai e'n cofio o'r ymweliad yna? Petaen ni'n dau'n mynd i Gelli Deg, faint fyddai e'n cofio o hynny? Fyddai ots petawn i'n gwneud rhywbeth gwael, neu byth yn galw, fel fy chwaer? Ond petai fy chwaer yn galw – pan fydd hi'n galw amser y Nadolig – fe fyddai, wrth gwrs, fel golygfa mas o'r *Sound of Music*, a'r feiolinau'n eco o bennau'r bryniau.

Ond daeth un peth da mas o'r ymweliad heno. Ro'n i wedi llwyr anghofio am dir Wncwl Bob. Oedd y tir yn y *charge*? Annhebyg bod y rhent yn uchel ond roedd y tir yn werthfawr erbyn hyn, ac yn cynnwys posibiliadau datblygu hyd yn oed. Neu, ar y llaw arall, petai'r pris yn ddigon isel, a fyddai'r tenant yn ystyried prynu? Efallai gallen i gelu rhan o'r ddêl rhag y dyn treth. Wedi degawdau yn gweithio i Sanotis, ro'n i'n gyfarwydd â'r ardal lwyd yna rhwng y cyfreithlon a'r anghyfreithlon.

Nawr, am y tro cyntaf ers blynyddoedd, roedd y syniad o fynd i Sir Benfro yn apelio. Gallen i weld y tir a galw gyda'r tenant, ond a ddylen i fynd â 'Nhad hefyd? Gallen i fynd ag e i weld yr hen dŷ: Gelli Deg. Pam lai? Byddai'n dipyn o antur, ond byddai fy nghydwybod yn glir wedyn a gallai e farw'n hapus…

Yna, wrth agosáu at draffordd yr M4 yn Cross Hands, sylwais fod y golau coch yn fflachio ar y *dashboard*. Rhegais: y *diesel* yn isel. Gwyddwn fod yr Audi yn geidwadol â'i rybuddion ond gan fod pympiau wrth law, tynnais i mewn i'r Little Chef. Llenwais y car a mynd at y cownter i dalu. Roedd 'na ferch ifanc yna ro'n i wedi'i gweld o'r blaen, un serchog â gwallt tywyll ac wyneb hir, Cymreig.

"Busnes yn weddol?" gofynnais yn Gymraeg.

"Tawel nos Sul."

"Doedd hi ddim yn dawel gynne fach," dywedais. "Chi'n cael busnes mas o'r jîps a'r tanciau llwyd sy'n prowlan lan a lawr yr M4 y dyddie hyn? Weloch chi nhw'n tagu'r drafordd ryw ddwyawr yn ôl, yn gorfodi pawb i yrru fel ar ôl angladd?"

"Dim gwahaniaeth i'n busnes ni."

"Nac i neb arall," dywedais. "Blydi Americans."

Yna meddai'r ferch, gan bwyso 'mlaen ar y cownter: "Chredech chi byth, ond dorrodd un o' nhw lawr ddechre'r flwyddyn."

"Beth, tanc?"

"Nage, Humvee."

"Humvee?"

"'Na beth mae'r Americans yn galw jîp. Cwrddodd ffrind fi â'r GIs. Hi oedd 'ma nosweth 'ny."

"Wir?"

"O'n nhw'n gwisgo dillad *camouflage* fel 'se nhw yn y jyngl ar *I'm a Celebrity*."

"Wel, o leia dethon nhw â rhyw drêd i fusnes lleol."

"Ond cethon ni ddim busnes o gwbwl. Ethon nhw â'r jîp mas o'r ffordd i garej Evans Motors lawr yr hewl. Hysh-hysh i gyd."

"Wel be nesa," dywedais. "Mae'n gysur gwybod bod y bygars yna'n torri lawr weithie."

Cymerais y cerdyn o'r peiriant talu a'r dderbynneb gan y ferch, a wenodd arna i'n gynnes. Ond ro'n i'n methu meddwl am esgus i barhau'r sgwrs felly ffarweliais â hi yn ei chaetsh gwydr a cherdded dan y goleuadau annaearol, fflworesent yn ôl at y car.

Aildaniais yr Audi ond dim ond wedyn y syrthiodd y geiniog. Fe ddywedodd hi fod jîp yn llawn GIs wedi torri lawr, ond wnaeth hi ddim dweud pryd. Os oedd hynny ddiwedd Ionawr, tybed oedd 'na siawns mai dau o'r rheini welais i'n diflannu o'r Marina y noson y boddodd John Harries? Gyrrais i lawr y draffordd tuag Abertawe, gan gnoi cil ar y ddamcaniaeth.

Wrth weld goleuadau'r ddinas yn codi yn y pellter, meddyliais eto am y ferch â'i llygaid tywyll, bywiog. Roedd yn braf cael siarad Cymraeg â rhywun ffordd hyn. Wrth yrru heibio i Bont Abraham, cofiais am y merched Cymraeg oedd yn gweini yno hefyd. Ond beth oedd hynny ond gafael mewn gwellt? Gallai fy nhad gofio cymdeithas gyfan Gymraeg. Chwarddais wrth gofio'i agwedd parchus at y blydi George Young yna, y gweinidog. Ffigwr cartŵn os bu un erioed, wastad yn ei siwt ddu a hances yn ei boced top. Byddai'n hel tai a chlecs gan bigo ar ei fara brith fel hen ferch. Paraseit ar gymdeithas, ond un digon diniwed, a ffraeth weithiau, yn ei ffordd gynnil ei hun.

Ond at y swydd, nid at y dyn, yr oedd parch fy nhad. Gweinidog yng Nghlydach oedd George Young ond roedd syniadau 'Nhad wedi'u gwreiddio yng Nghwm Hir a'r gymdeithas gron, sefydlog lle roedd y gweinidog yn ben – ochr yn ochr â'r sgwlyn, y ficer a'r plisman wrth gwrs. Lle roedd da yn dda a'r drwg yn ddrwg a phlant clyfar yn dod ymlaen yn y byd a phlant drwg yn cael eu cosbi. A lle roedd yr hafau'n boeth a'r gaeafau'n oer a'r nentydd yn llawn pysgod a phawb yn siarad Cymraeg...

Ffantasi, wrth gwrs. Afallon, Afallon fy nhad. Ond wedyn, gofynnais: i ble yn hollol ro'n i'n dychwelyd wrth ddod 'nôl i Gymru? Ai i Abertawe, y *disaster area* rwy nawr yn gweld ei oleuadau yn y pellter? I'r Marina, neu i'r Mwmbwls? Nid i Glydach, yn bendant – anaml y bydda i'n galw yno.

I ble, felly?

6: Wannsee

ROEDD HI'N NOS Sul ac yn bryd i fi gysylltu â Lucy. Roedd 'da fi ei chyfeiriad e-bost ac roedd angen i fi blannu fy un i yn ei chyfrifiadur hi, a symud yr achos ymlaen. Yng nghysur y lolfa, a chyda'r Macbook ar fy nglin, cyfansoddais neges fer a phwrpasol yn awgrymu ein bod ni'n cwrdd nos Sadwrn nesaf ond wnes i ddim sôn am y bwyty. Roedd un peth yn siŵr, ni fyddai ein cyfarfyddiad cyntaf yn digwydd dan drwyn staff busneslyd y Secret Garden, profiad a fyddai'n lladd unrhyw ramant cyn iddi gael cyfle i flodeuo.

A hynny wedi'i wneud, ces i 'nhemtio i'w Googlo hi, ond fyddai yna stwff nad o'n i eisiau'i wybod? Teipiais ei henw 'run fath, a daeth 34,500,000 canlyniad mewn 0.24 eiliad. Ond pan ychwanegais *Swansea University* daeth safle Facebook Clwb Rhwyfo'r coleg lan, gyda dolen i safle Facebook Lucy ei hun. Yn amlwg, roedd hi'n cymryd ei ffitrwydd o ddifri. Oedais eto – rwy'n casáu'r rhaglen Americanaidd â'i bodiau glas *Like* – ond clicio wnes i a mynd i dudalen gyda llun pert o Lucy ei hun, a rhestr hir o 'ffrindiau'. Ond, yn gall iawn, doedd hi ddim am rannu ei 'phroffeil' â phawb.

Gan benderfynu canolbwyntio ar ddod i nabod Lucy yn y cnawd yn hytrach nag yn ddigidol, dychwelais at y rhaglen e-bost. Sylwais fod yna res o negeseuon dan yr enw *GGottlieb* oedd heb eu hateb. Ochneidiais: Tante Gertrud eto fyth, modryb wallgo Rocco, fy ffrind mawr yn Berlin. Fe gafodd dröedigaeth i'r dechnoleg newydd yn ei henaint a phlagio pawb â'i he-byst byth wedyn.

Ro'n i wedi gwneud y camsyniad o sôn wrthi am achos John

Harries. Roedd yn stori handi i lanw neges e-bost, ond fe gydiodd hi yn yr hanes. Roedd hi'n greadur gwleidyddol iawn, yn 'wyrdd' cyn i'r gair ddod yn ffasiynol. Roedd hi'n byw mewn hen dŷ shambolaidd ar gyrion coedwig mas yn y wlad yn Brandenburg, i'r gogledd o Berlin. Pan fyddai ei gydwybod yn ei daro – nid peth a ddigwyddai'n aml – byddai Rocco yn fy llusgo i weld ei fodryb ecsentrig. Byddai hi'n ein croesawu yn ei dillad hir, lliwgar – wedi'u prynu yn stondinau ail-law strydoedd Dwyrain Berlin – ac yn ein palu â gwin cartre wedi'i wneud o lysiau'r goedwig.

Roedd yr un gwaed uchelwrol yn llifo ynddi ag yng ngwythiennau Rocco ei hun. Des i'n eithaf hoff ohoni ac fe'm bedyddiodd â'r enw ffôl Riesling, sydd yn enw ar fath o win rhad, ysgafn, anghofiadwy – ac felly'n hollol addas. Daeth yn argyhoeddedig 'mod i'n gerddor gwych ar sail cwpwl o emyndonau a chwaraeais i unwaith, dan ddylanwad ei gwin, ar ei hen *grand piano*: tonau oedd yn dal i lechu yn fy mhen oddi ar ddyddiau ysgol Sul Calfaria. Des i'n rhyw fath o ffefryn iddi, ond gallai ofyn cwestiynau personol a di-dact am flerwch fy nhrefniadau priodasol. Nid hi oedd yr unig un oedd dan yr argraff 'mod i'n dipyn mwy llwyddiannus â menywod nag oeddwn i mewn gwirionedd.

Roedd hi, wrth gwrs, yn hollol sgeptig o'n gwaith ni'n dau yn y byd *pharma*. Byddai'n hoff o bwysleisio na chymerodd hi'r un bilsen yn ei bywyd, ond unwaith bu'n rhaid iddi ofyn am ein help. Roedd hi a'i ffrindiau gwyrdd wrthi'n trefnu ymgyrch yn erbyn llaeth GM ac fe gawson ni ein recriwtio i ddyfeisio prawf i ddangos oedd y llaeth yn 'niwclear' ai peidio. Os byddai, yna byddai'r ymgyrchwyr yn dod â gwartheg i'r archfarchnad – a chriw o ffotograffwyr y wasg. Ond trodd y chwarae'n chwerw pan benderfynodd cwmni Theo Müller droi ei dîm o gyfreithwyr arnon ni.

Dechreuon nhw trwy godi amheuon am y profion. Yn amlwg,

roedd y canlyniadau'n dibynnu ar *feed* y gwartheg ond roedd 'na bethau gwaeth na hynny yn y llaeth: BGH, er enghraifft, sef *bovine growth hormone*, sy'n gwneud GBH go iawn i chi. Ond wnaeth y bygythiadau darfu dim ar Tante Gertrud, a aeth yn syth am gyngor cyfreithiol gan Greenpeace yn Amsterdam. Llusgodd yr ymgyrch ymlaen ond cyfreithwyr Theo Müller enillodd y dydd.

Ond roedd hynny yn y gorffennol pell. Edrychais yn anfoddog trwy negeseuon Tante Gertrud. Fel ro'n i'n ofni, roedd ganddi, ymhlith ei chwynion domestig, fwy o gwestiynau am achos John Harries. Ro'n i wedi trio rhoi'r cyfan y tu ôl i fi ond roedd y sgwrs â'r ferch yn y garej heno wedi deffro fy hen amheuon: tybed ai milwyr Americanaidd lofruddiodd John Harries?

Troais y chwisgi yn y gwydryn gan ystyried beth i'w wneud. Roedd arna i alwad ffôn iddi. Byddai'n symlach na chael fy nhynnu i mewn i ohebiaeth hir. Tapiais ei rhif cartref gan ddychmygu'r nodau'n atsain trwy'r hen blasty gwag. Fe ddylai fod i mewn ar nos Sul, ac yn wir, fe godadd y ffôn yn y man.

"Hallo?" meddai'n llym, ei llais yn codi'n amheus.

"Wie geht's, Gertrud?"

"Aber Riesling! So schön von dir zu hören!"

"Chi'n cadw'n iawn yn y tŷ mawr yna?"

"Na, ddim felly, gan bo chi'n gofyn…"

Diolchais am ei negeseuon ac, wedi crybwyll rhai pethau personol dibwys ro'n i'n mynd i sôn am achos John Harries – ond hi wnaeth gyntaf: dyw hi ddim yn un i ollwng gafael ar sgwarnog. Pan soniais am fy sgwrs â'r ferch yn y garej yn gynharach, a'r stori ynglŷn â'r jîp milwrol a dorrodd lawr, fe ddywedodd: "Mae hynna'n gyd-ddigwyddiad diddorol. Pwy ŵyr? Falle mai milwyr Americanaidd wnaeth e."

"Ond tybed ai'r un noson oedd hi?"

"Triwch ffeindio mwy mas, Riesling, a dwi'n meddwl y gna i ffonio Ilse i gael ei chyngor hi."

"Ilse?" gofynnais, wedi dychryn.

"Ie, Ilse Haagenveld, Greenpeace."

"Ond does gan hyn ddiawl o ddim i'w wneud â'r amgylchfyd."

"Na, fel ffrind y bydda i'n ei ffonio hi. Ry'n ni'n nabod ein gilydd yn reit dda erbyn hyn."

"Ond rhaid i chi ddeall: dwi ddim am gael fy llusgo mewn i unrhyw wleidyddiaeth. Rhyngon ni'n dau yn unig mae'r drafodaeth yma."

"Ond, Riesling," meddai mewn llais melys, "fydd dim angen i chi wneud dim, dim ond parhau i fwynhau y *dolce vita* yn eich *penthouse* yn y Marina."

Roedd yn rhaid i fi chwerthin ar y disgrifiad hwn ohonof. "A pheth arall," dywedais, "rhaid i chi gofio mai bai y boi yna oedd e ei fod wedi cerdded mewn i'r clwb hoyw yna yn hwyr nos Sadwrn, ac yntau wedi bod yn yfed. I'r ddau ymosodwr, doedd e'n neb. Roedd e'n anlwcus, dyna i gyd."

"Felly mae'n iawn i bobl dreisio a lladd gwrywgydwyr? Dewch o'na, Riesling!"

"Na, ond does dim prawf bod hyn yn wleidyddol nac â dim i'w wneud â'r Peacekeepers. Maen nhw y teip o bobol na allwch chi mo'u helpu. Petaen nhw'n cael cyfiawnder ar blât fel anrheg Nadolig, gyda'r *trimmings* i gyd, basen nhw'n ei daflu e 'nôl yn eich wyneb."

"Dwi ddim yn amau hynny. Nid nhw sy'n bwysig. Mae 'na gwestiynau ehangach, on'd oes?"

"Sef?"

"Wel, yn syml iawn: pam aeth yr awdurdodau i'r fath drafferth i guddio be ddigwyddodd?"

"Ond dy'n ni ddim yn gwybod be ddigwyddodd eto, ydyn ni?"

"Wel, mae gynnon ni lofruddiaeth, on'd oes? Ac os taw milwyr Americanaidd wnaeth e, yn amlwg, ni fyddai yn PR rhy dda iddyn nhw a'u hachos."

"Ond damcaniaeth yw hynny. Yn fwy na thebyg, y cyfan sy gyda ni yw be sy wedi digwydd ers dechrau hanes, sef yr awdurdodau yn cwato cefnau'i gilydd ac yn trio cuddio'u coc-yps rhag y cyhoedd."

"Ond pa awdurdodau? Gallai hyn fod yn *cover-up* gan rywrai tipyn pwysicach na'r heddlu lleol."

"Chi wastad wedi credu mewn *conspiracies*."

"Ac yn aml iawn, dwi'n iawn. Gallai hyn ddod o rywle uwchlaw'r llywodraeth hyd yn oed, ond dwi am gael barn Ilse gyntaf."

"Gadewch hi mas, er mwyn y nef."

"Cwliwch lawr, Riesling. Dim ond unigolyn yw hi, a hen wraig fel fi, erbyn hyn."

Ro'n i wedi gwylltio, ond cyn rhoi'r ffôn i lawr, cofiais am Rocco. Roedd 'da fe fwy o ddylanwad ar Gertrud na fi, a ta beth, do'n i ddim wedi clywed ganddo ers oesoedd.

"Gertrud: chi'n gwybod sut mae cael gafael ar Rocco?"

"Dwi wedi dweud 'tho chi: mae e yn Mykonos."

"Mykonos?"

"Mae'n amlwg nad y'ch chi'n darllen fy e-byst! Rwy wedi amau hynny ers tro."

"Ond rwy'n darllen pob gair. Rhaid 'mod i'n meddwl mai ar wyliau roedd e."

"Na, mae e wedi symud yno i fyw ers mis Mawrth. A dweud y gwir, mae'n reit anodd arna i hebddo fe."

"Fe ddaw e 'nôl, rwy'n siŵr," dywedais wrth i'r wybodaeth newydd am Rocco suddo i 'mhen. Roedd hyn yn reit anhygoel. Felly fe wnaeth e fel roedd e wedi bygwth. Buon ni'n fflamio cwmni Sanotis yn ddigon aml. Roedd Rocco'n fiocemegydd ac roedd e'n arbennig o chwerw pan wrthodon nhw roi ei gyffur ar gyfer *eczema* ar y farchnad.

"Ai achos Eczosin oedd e?" gofynnais. "Roedd e'n anhapus iawn pan gafodd ei symud mas o'r labordai yn Wedding."

"Roedd yn fwy na hynny, dwi'n deall. Cafodd e ddigon ar y cyfan."

"Chware teg iddo fe, wir!"

"Am ffoi i'r haul? A beth am bawb arall?"

"Fydd e ddim yna'n hir, gewch chi weld."

"Sut allwch chi fod mor siŵr?"

"Ynys wyliau yw Mykonos, nid lle i fyw."

"Gobeithio'ch bod chi'n iawn."

"Ond rwy'n deall nawr pam rwy heb glywed 'da fe. Oes 'na ffordd o gysylltu ag e?"

"Fe decstia i ei rifau i chi nawr. Ond anaml mae e'n defnyddio'i ffôn. Mae'n mynd i ryw giosc yn y stryd fawr yno – hynny ydi, pan mae'n cofio ffonio o gwbl…"

"Jyst fel Rocco. Diolch yn fawr, Tante Gertrud."

Wrth ddiffodd y ffôn, meddyliais: byddai'n ddiddorol clywed gan y diawl. Fe roddais fy rhifau iddo rywbryd o'r blaen, ond un bwriadol flêr oedd e gyda'r dechnoleg. Fel y cewch chi ag ambell fastard clyfar, ystyriai ei hun uwchlaw teganau poblogaidd fel ffônau symudol. Am flynyddoedd roedd 'da fe hen Samsung llwyd oedd yn agor a chau fel ceg hwyaden. Byddai'n ei danio dim ond er mwyn danfon neges mas, ac roedd y rheini'n fwy fel *haikus*, roedden nhw mor fyr.

Felly, meddyliais, fe dorrodd e'n rhydd o'r diwedd o grafangau Sanotis. Dyna ni'n dau, felly, yn yr un cwch – os mewn cychod gwahanol – ac wedi ffoi o fyd *pharma* i ryw fath o Afallon. Ond diawl gwrthnysig fu Rocco erioed, nid un i gydymffurfio hyd yn oed ar ynys mor hardd â Mykonos, a oedd, fe wyddwn, yn fagned i hoywon. P'un ohonon ni wnaeth y dewis gorau, tybed? A phwy fyddai'r cyntaf i ddifaru?

*   *   *

Roedd Rocco'n gweithio fel biocemegydd yn labordai'r cwmni yn Wedding, ardal ddosbarth gweithiol yng ngogledd Berlin.

Ro'n i – pan symudais o'r ochr werthu i'r ochr reoli – yn ei lordio hi yn swyddfeydd gwydrog y cwmni yn Potsdamer Platz. Dwi'n dal ddim yn deall sut daethon ni'n ffrindiau. Roedd e'n hoyw, finnau'n anobeithiol fel arall; fe yn snob golygus â phroffeil fel Marcello Mastroianni, fi yn lob mawr, anniben o Gwm Tawe; fe yn gŵl a Berlinaidd, fi yn ddiog, Gymreig.

Fe gwrddon ni gyntaf yn un o'r cyfarfodydd yna lle mae'r gwyddonwyr yn trio egluro'u prosiectau i adrannau eraill y cwmni. Ond yn y Badenscher Hof y cawson ni ein sgwrs gyntaf, bar jazz bach, tywyll yn Wilmersdorf lle ro'n i'n byw. Yn nes ymlaen, fe ddenodd Rocco fi i hwylio ar lynnoedd y Wannsee – ac i glwb y Seglerhaus, lle bydden ni'n rhoi Sanotis, a'r byd, yn ei le. Ac yn y clwb yna y dywedais i wrtho, ryw noson ryfedd o Hydref tua phedair blynedd yn ôl, fy mod i'n dychwelyd i Gymru.

Roedd y pnawn braf a gwyntog wedi rhoi cyfle perffaith i Rocco wneud sioe o'i sgiliau morwrol. Fi, fel arfer, oedd y *second mate*, yn ufuddhau i'w orchmynion gan daflu fy mhwysau (trwm) o gwmpas y cwch yn ôl y galw. Ond daeth prawf sydyn ar ein sgiliau cyfun wrth i *speedboat* criw o ferched sgimio heibio i drwyn y cwch. Fe welais i nhw'n dod, ond ro'n i'n siŵr y basen nhw wedi gwyro i ffwrdd. Trwy lwc, fe gydiodd Rocco yn y fraich lywio mewn pryd ond fe swingiodd yn ôl yn erbyn ei ên. Fe gododd y merched eu breichiau arnom yn jocôs a dal ati i siarad â'i gilydd, ond yn hytrach na beio'r merched fe alwodd Rocco fi'n bob enw am beidio'i rybuddio.

Fe oedd wastad yn iawn, wrth gwrs. Fe fyddwn i, fel arfer, yn anwybyddu'r nodwedd yma o'i gymeriad, ond y noson honno, a ninnau'n eistedd wrth fwrdd yn ffenest y Seglerhaus, ro'n i'n gofyn i fi fy hun: be welais i erioed yn y snichyn yma?

Roedd y merched yn swpera'n swnllyd wrth fwrdd cyfagos. Ro'n i wedi'u gweld nhw mewn noson jazz yn y Badenscher Hof ac yn gwybod eu bod nhw'n gweithio i ryw theatr yn y ddinas.

Roedden nhw'n edrych draw at Rocco bob hyn a hyn – heb sylweddoli beth oedd ei duedd rywiol – tra oedden ni'n disgwyl am ein harcheb fwyd.

"Ti'n boenus?" gofynnais gan gyfeirio at y plastar ar ei ên.

"Dyw'r boen yn ddim," meddai gan gymryd llwnc o'r *Mineralwasser* roedd e wedi'i ddewis heno. "Be sy'n waeth yw 'mod i'n edrych yn blydi ffŵl."

"Maen nhw'n dy nabod di fan hyn, paid â phoeni."

"Dyna'r broblem."

Ro'n i'n amau nad oedd Rocco am aros yma'n hir. Byddai weithiau'n mynd i'r Potsdamer, clwb dethol, poblogaidd gan hoywon, ymhellach i fyny'r Wannsee yn un o'r plasau bychain a safai ar lannau'r llyn. Gallwn weld rhai ohonyn nhw yn y ffenest fawr y tu ôl i Rocco. Roedd eu goleuadau'n cynnau o un i un yn yr hanner gwyll, eu hadlewyrchiadau'n chwalu yn nhonnau'r dŵr. Roedd rhes o hwylbrennau – gan gynnwys mastiau cwch Rocco, *Wilhelm II* – yn cris-groesi'n ddiog o'u blaenau.

Doedd dim pwynt i fi oedi. Gan gopïo arddull gŵl, ddidaro Rocco ei hun, dywedais, wedi cymryd llwnc o'r *Bier vom Fass*: "Rwy'n mynd 'nôl i Gymru y Nadolig 'ma. Maen nhw wedi cynnig pecyn i fi."

"Dyna fasen i wedi'i wneud hefyd," atebodd, fel petawn i newydd gyhoeddi rhyw sgôr pêl-droed.

"Roedd prosiect Warsaw wedi dod i ben ac roedd e'n doriad naturiol."

"Felly be sy'n digwydd i'r Bwyles fach 'na wnest ti ymddiddori ynddi? Ydi hi'n dod 'da ti?"

"Nac ydi," atebais, "ond dyw hi ddim yn gwybod eto."

"Rwy'n gweld…"

"Ddaw hi ddim i Gymru, a do'n i ddim am gofrestru mewn rhyw *Altenheim* yn Berlin."

"Ai dyna'r dewis? Gallasai'r Bwyles fach 'na edrych ar dy ôl di fan hyn yn llawer gwell na chartre hen bobol. Ti'n Ferlinwr erbyn hyn. Ti wedi treulio mwy o flynyddoedd yn gweithio yn Ewrop nag ar yr ynys."

"Mae hynny'n wir – ond oes 'na'r fath beth â Berlinwr?"

"Mae'n fwy cymhleth na hynny. Mae rhai yn Ferlinwyr cyn dod yma, heb iddyn nhw wybod hynny. Mae 'na eraill y mae Berlin yn eu newid i fod yn Ferlinwyr. Ti'n un o'r rheini."

"Rwy'n Gymro hefyd, dyna'r broblem."

"Be ti'n dewis bod yw'r pwynt. Ond *Vales,*" meddai gan droi ei wefusau fel 'se fe'n trafod un o'r clefydau y buodd e'n gweithio arnyn nhw yn ei labordy, "pa fath o le yw hynny? Ym mhle fyddi di'n byw yno? Mewn pentre yn y bryniau gyda'r defaid a'r ŵyn?"

"Na, mewn dinas. Dinas Abertawe. Lle braf, pobol braf, bae llydan, eitha hardd…"

"Paradwys, wir!"

"Alla i ddim esgus ei fod e'n debyg i Berlin. Yn wir, prin bod 'na ddwy ddinas fwy gwahanol yn y byd. Ac mae 'Nhad yn dal i fyw 'na, hefyd. Mewn *Altenheim,* fel mae'n digwydd…"

"Ac yn cael gofal da?"

"Mae'n cael gofal."

"Mae diwedd bywyd yn gachu ar y gorau," meddai Rocco gan gymryd dracht o'r *Mineralwasser.* "Gwell derbyn hynny."

"Felly sut mae Rudow?" gofynnais wedi cymryd llwnc da o'r cwrw. "Rhaid ei bod yn braf bod mas o ganol y ddinas."

"Na, mae'n dipyn o dwll, mewn gwirionedd. Ond fasen i ddim yn meindio hynny, petaen nhw'n defnyddio 'ngwaith i. Beth yw'r pwynt, os gallan nhw dy roi di ar y clwt dros nos?"

"Ti ddim ar y clwt, chwara teg."

"Ddim eto. Roedd Eczosin yn gweithio, ti'n gweld. Roedden ni wedi'i gracio fe. Ond dyna'r broblem, wrth gwrs. Roedd e'n gweithio'n rhy dda, yn clirio'r croen yn rhy gyflym. Felly doedd 'na ddim elw ynddo fe. Fel ti'n deall yn dda iawn, rhaid i gyffur greu dibyniaeth dros amser. Y peth ola mae Sanotis angen yw cyffur sy'n gweithio."

"Rwy'n deall hynny, wrth gwrs."

"A thrwy gofrestru'r patent, byddan nhw'n rhwystro unrhyw un arall rhag ei gynhyrchu. Dwi'n meddwl gadael y *shit* i gyd."

"Ond ti'n gwybod y côds. Allet ti'i werthu e fel cyffur generig, i ryw wlad sosialaidd?"

"Gwlad sosialaidd? Oes 'na un ar ôl?"

"Beth am Venezuela?"

"Mae'r syniad yn iawn, ond dwi ddim yn arwr, a dwi ddim am golli 'nghwch."

"Gallet ti hwylio draw 'na ynddo fe!"

"Beth sy'n fy lladd i," aeth Rocco ymlaen, "yw nid 'mod i wedi rhoi fy mywyd i Sanotis, ond 'mod i heb wneud. Eu bod nhw heb ddefnyddio 'ngwaith i, a heb wneud elw ar 'y nghefn i. Mae'n wast o arian, mae'n wast o fywyd, bron. A dwi angen poenladdwr," meddai gan daro'i law ar ei ên. "Ti'n gwybod ble maen nhw'n cadw nhw?"

"Bydd y gweinydd yn gwybod."

Daeth y gweinydd draw yn ei wasgod werdd sioe gerdd a mynd â Rocco i'r stafell Cymorth Cyntaf yng nghefn y clwb. Yn falch o'r hoe, suddais yn ôl yn fy sedd gan gymryd dracht dwfn o'r *Bier vom Fass*.

*   *   *

Tra oedd Rocco i ffwrdd, cyrhaeddodd y plateidiau bwyd ac fe gymerais y cyfle i archebu gwydraid arall o'r cwrw casgen. Yna daeth tri deifiwr tal, Ariaidd i mewn mewn siwtiau rwber streipiog coch a du. Tynnodd hyn sylw'r merched theatrig gan gynhyrchu ychydig mwy o chwerthin ffôl ond fe ddaliodd y ferch dal â'r sbectol fawr a'r lipstic coch fy llygaid; yna, er syndod mawr i fi, fe gododd a dod draw ata i.

"Dwi'n dod i ymddiheuro am y *near miss* yna," meddai. "Roedd e'n agos, on'd oedd?"

"Oedd, trwch blewyn."

"Ydy'ch ffrind chi'n iawn?"

"Peidiwch â phoeni am y diawl yna. Mae'n gallu edrych ar ôl ei hun yn well na neb rwy'n nabod."

"Ond roedd 'na glais ar ei wyneb, on'd oedd?"

"Mae e'n delio â hynny nawr." Dangosais sedd Rocco iddi. "Steddwch. Rwy'n siŵr i fi'ch gweld chi yn y Badenscher Hof yn un o'r nosweithiau jazz."

"Ydyn, ni'n mynd yno weithiau, dibynnu pwy sy'n chware. Chi'n digwydd gwybod pwy sy 'na heno?"

"Na, ond gallwn i siecio'r iPhone…"

"Fyddwch chi'n mynd yno eich hun?"

"Sai'n siŵr be rwy'n neud heno. Mae'n ymddangos bod fy nghyfaill wedi diflannu i rywle."

"O wel, falle wela i chi rywdro eto yn yr Hof," meddai'r ferch gan godi a dychwelyd at ei ffrindiau.

Aeth chwarter awr heibio ond do'n i ddim yn poeni am Rocco nawr. Ro'n i'n rhy gyfarwydd â'i ymddygiad ecsentrig. Yna sylwais ar ddyn ifanc yn sefyll yn nerfus wrth y drws. Awn ar fy llw mai Hans, cariad newydd Rocco, oedd e. Bachan gwylaidd, â gwallt golau a llygaid glas, yn gwisgo siwmper y clwb hwylio a throwsus llac, melfaréd: bachan rhy ifanc, rhy ffein i ddiawl fel Rocco.

Wnes i erioed ddeall ei fywyd rhywiol. Byddai'n pigo cariad newydd lan, yn blino'n gyflym ar hwnnw ac yn mynd ar helfa newydd. Ond wedyn byddai'n difaru ac yn mwynhau cyfnod o 'ryddid' cyn pigo cariad arall lan – rhywbeth fel fi, felly? Onid o'n i ar fin dympio Monika, un o'r merched neisa i fi gwrdd erioed? Pam? Er mwyn mynd 'nôl i Gymru i edrych ar ôl 'y nhad?

Ro'n i wedi cwrdd â Monika yr haf blaenorol yn Warsaw, lle roedd hi'n gweithio fel cyfieithydd Pwyleg/Almaeneg/Saesneg. Fel un o staff hŷn y cwmni, ro'n i wedi derbyn cynnig i ymuno â'r tîm oedd yn codi ffatri newydd yng Ngwlad Pwyl, un yn cynhyrchu cyffuriau generig a fyddai'n 'cystadlu' â chyffuriau

Sanotis ei hun, a hefyd yn gwneud yr un pils dan eu henwau brand. Roedd llywodraeth Gwlad Pwyl yn hapus i gael y gwaith a chyfarwyddwyr Sanotis yn hapus i bocedu'r grantiau, ac os oedd 'na rai swyddi yn llai yn yr Almaen o ganlyniad – pwy oedd yn poeni?

Beth bynnag, un pnawn Gwener fe wahoddais Monika am swper yn un o seleri canoloesol hen dre Warsaw, ac o hynny ymlaen ro'n i'n byw ar gwmwl, wedi cael cariad ifanc a cholli deng mlynedd o'm hoedran dros nos. Yn hwyliog a siarp a cherddorol, roedd hi'n bopeth o'n i moyn. Roedd fy ail briodas ag Ursula wedi hen orffen, er bod y cyfreithwyr yn dal i bigo fel brain dros y sbarion. Ond nid ffling oedd y peth i Monika: roedd ganddi fywyd yn ymagor o'i blaen, a holl freuddwydion merch ifanc am setlo lawr a chael teulu a gyrfa. Ond wrth gwrs, doedd yr un ohonom wedi gweithio'r peth mas. Roedd hynny i ddigwydd yn y misoedd anodd rhwng nawr a'r Nadolig pan fyddwn yn mynd ar fy nhaith olaf yn ôl i Gymru yn y Volkswagen Transporter, ei lond o gelfi, llyfrau ac atgofion chwerwfelys...

Na, ddôi Rocco ddim yn ôl. Roedd ei fwyd yn dal ar ei blât. Roedd e eisoes wedi ffarwelio, a falle dyna'r ffordd orau. Ac roedd e wedi ffarwelio â'r bachan ifanc blond yna 'run pryd. Roedd e, hefyd, wedi diflannu erbyn hyn. Dyna setlo'r noson, felly. Dim ond un peth oedd ar ôl i'w wneud, sef dal yr *S-Bahn* yn ôl i Berlin.

Talais y gweinydd a chodi llaw, wrth basio, ar y ferch yn y sbectol fawr. Edrychodd arna i â ffug siom. Gwthiais fy ffordd trwy'r drws, fy emosiynau'n gawl: casineb at Rocco, difaru gadael y ferch – neu o'n i'n difaru rhywbeth mwy: gadael y lle, gadael Berlin? Wrth gau'r drws ar y bar braf ces i emosiwn odiach, un na ches i'n aml yn ystod fy nghyfnod yn yr Almaen: nad o'n i, mewn gwirionedd, yn perthyn i'r lle 'ma wedi'r cyfan...

Cerddais yn frysiog tua'r orsaf *S-bahn*, ryw hanner milltir i ffwrdd. Parhaodd y teimlad rhyfedd o bellter yn y trên wrth i'r Almaenwyr ifanc, bywiog ddod i mewn yn y gorsafoedd swbwrbaidd, â'u bryd ar fwynhau nos Sadwrn yn Berlin. O'n i'n gall i aberthu'r cyfan, nid yn unig Monika ond fy ffrindiau eraill i gyd? Sut gallwn i fyw heb griw'r Hof: Walther, y pianydd â'i fwstás brwsh cans a'i het gantel lydan, yr oedd Ursula wastad yn fflyrto 'dag e, minnau hefyd â Millie, y ffotograffydd; wedyn Wolfgang, y *wheeler-dealer* roddodd gyngor gwael i fi yn nes ymlaen, a Max y Marcsydd oedd wastad mor ddiddorol, ac wedyn yr Iddew bach tawel yna, mewn siwt dwt, ddu, oedd yn rhedeg y siop faco yn y Bayerischer Platz ond oedd â gwendid mawr, cudd am gerddoriaeth jazz…

Wrth edrych trwy'r ffenest gwelwn bopeth yn gwibio heibio, popeth a fwynheais yn fy ngwlad fabwysiedig: fy ffrindiau ecsentrig, cyffro di-ben-draw y ddinas a'i goleuadau, y bariau a'r orielau a'r caffes a'r theatrau ac uwch-reid yr *U-bahn* o'r Zoo i'r Alexanderplatz pan y'ch chi'n gwibio fel bwled hedegog rhwng tyrau'r ddinas fel mewn hen boster iwtopaidd o'r Bywyd Modern…

Ro'n i wedi ffoi o Gymru, wedi ffoi o Loegr hefyd, er mwyn hyn: a ffoi o ddeng mlynedd yn niffeithwch Brentford yn gweithio i SmithKline. Ffoais oddi wrth Eira, y wraig oedd yn rhy dda i fi, a'r ddwy ferch fach. Roedd hi'n styfnig, ond ro'n innau hefyd. Fe dalais bris uchel iawn am aros yn Berlin. Oeddwn i nawr am daflu'r cyfan i'r gwynt?

Tybed oedd Rocco'n iawn? O'n i wedi gwneud y penderfyniad yn rhy hwyr? Os o'n i moyn hynny neu beidio, a o'n i, erbyn hyn, yn Ferlinwr?

7: Morgans

W NES I MO'I nabod hi'n syth. Ro'n i'n eistedd yn un o gadeiriau lledr sgwâr Morgans yn mwytho glasied o Tio Pepe sych ac yn llygadu'r stafell fywiog. Roedd hi'n nos Sadwrn ac roedd criwiau yn ymgomio wrth y bar ac wrth y byrddau. Roedd merched hardd yn eu plith ac fe sylwais ar ferch ddeniadol mewn ffrog ysgafn yn sgwrsio â'r *commissionaire* wrth y drws, a golau'r haul yn trapio siâp ei chorff. Tra o'n i'n pendroni ydi merched yn gwybod be maen nhw'n neud wrth wisgo mor secsi (a phenderfynu eu bod nhw), cododd y ferch ei llaw arnaf.

"Haia Rhys!" meddai gan gamu ataf fel actores mewn noson BAFTA. "*Super* i'ch gweld chi eto!"

Codais i'w chusanu'n ysgafn. "A chithe, Lucy. Felly nid breuddwyd oedd Langland wedi'r cyfan…"

"Ond mae hyn fel breuddwyd hefyd," meddai hi gan droi at y stafell eang â'i ffenestri uchel a'i cholofnau clasurol.

"Dyma i chi'r hen Abertawe, chi'n gweld. Fan hyn oedd cyfnewidfa'r porthladd, un o'r ychydig adeiladau na chafodd eu bomio yn y rhyfel. Cafodd sawl bargen galed ei tharo yma – a dyw hynny ddim wedi newid, chwaith, rwy'n amau."

Eisteddodd Lucy yn y sedd gyferbyn gan roi ei bag hufen ar y glustog a phlygu un goes dros y llall. "Dwi'n licio'r hwylbrennau yna," meddai gan bwyntio at y ddau gerflun arian uwchben y bar, rhwng y raciau gwin. "Ai dyna ydyn nhw i fod?"

"Wrth gwrs. Yma roedd y llongwyr a'r masnachwyr yn bargeinio ac yn yswirio. Abertawe, am ddwy ganrif, oedd canolfan y byd ar gyfer allforio copr a thun. Ac roedd Neuadd y Dre jyst rownd y gornel, lle mae Canolfan Dylan Thomas heddiw. Chi wedi bod fan'na rwy'n siŵr?"

"Ond wrth gwrs! Roedd yn rhaid i mi dalu fy nyled i Dylan. Dyna'r peth cynta wnes i ar ôl dod i Abertawe."

"Roedd yr hen Abertawe yn eitha sownd yn bensaernïol," dywedais. "Ond be sy 'da ni heddiw? Un o ganol dinasoedd hyllaf Ewrop."

"'Sen i ddim yn dweud hynny. Beth am y Marina a'r *waterfront* newydd?"

"Roedd y syniad yn iawn, y datblygwyr yw'r drwg. Be na ddistrywiodd Hitler, fe wnaeth y cynghorwyr Llafur, a be na orffennon nhw, fe wnaeth y datblygwyr."

"Dewch o 'na, dyw Abertawe ddim mor ddrwg â hynny."

Cymerodd Lucy'r winlen a throi'r tudalennau memrwn. Fel roedd hi'n gwneud hynny, sylwais ar y Lucy wahanol, soffistigedig a eisteddai o'm blaen. Yn lle sandalau roedd hi'n gwisgo sgidiau careiog oedd yn dringo hanner ffordd lan ei choesau. Yn lle het wellt roedd rhwymyn cul yn dal ei gwallt yn ôl ac yn lle'r ffrog haf roedd ganddi wisg hir, rywsut yn gyn-Raffaelaidd, yn syrthio o'i hysgwyddau. Ac roedd yn glir nad oedd hi, y tro yma, yn fronnoeth...

"Mae yma win Cymreig, rwy'n sylwi – ydi e'n saff?"

"Wrth gwrs! Medd a seidir oedd yr hen ddiodydd Cymreig, ond heddiw – gwin!"

"Seidir?"

"Seidir maen nhw'n yfed yn Afallon. Wyddech chi mo hynny?"

"Ond wrth gwrs – yr holl goed afalau!"

"Heno bydd yn rhaid i ni gyfaddawdu gyda'r Sugarloaf Abergavenny Medium Dry," dywedais ar ôl craffu ar y rhestr fy hun.

"Yeah, let's go for it!"

Rhoddais yr archeb i'r gweinydd a sylwi ar naws braf, nos

Sadyrnol y lle. Roedd 'na dipyn o brysurdeb o gwmpas y bar, lle roedd dynion mewn siwtiau siarp, glas tywyll a merched ysgwyddog mewn gwisgoedd *beige* yn sgwrsio'n swnllyd a sychedig. Â llawer ohonyn nhw'n gwisgo bathodyn crwn, lliw oren, ro'n i'n dyfalu eu bod nhw newydd ddod o gynhadledd o ryw fath.

"Ro'n i'n gneud y stwff yna slawer dydd," dywedais.

"Be chi'n feddwl yn hollol?"

"Cynadleddau i'r wasg, cyrsiau undydd. Ro'n i'n gweithio ar yr ochr farchnata am sbel. Ro'n i'n deall y gemeg ac yn gallu egluro pethe iddyn nhw, gyda chymorth PowerPoint wrth gwrs, a digon o win rhad."

"Ar gyfer pwy oedd y cyfarfodydd yma?"

"Meddygon, rheolwyr cwmnïau gwerthu cyffuriau, a gwasg y fasnach wrth gwrs."

"Ac oeddech chi'n hapus yn gweithio i Big Pharma?"

"Ddim yn llwyr, rwy'n cyfadde. Pwy sy'n hollol hapus yn ei job?"

"Wel, *okay…*"

"Ond meddyliwch ble fasen ni heb gyffuriau. Buasai hanner y boblogaeth yn dal i farw o'r diciâu."

"Mae'n fwy cymhleth na hynny, yn tydi? Mae rhai o'r cwmnïau yn gwneud elw *obscene*, ac ydi pobol wir angen y cyffuriau yma i gyd?"

"Fwy na thebyg, na."

"Chi'n dal â rhywfaint o gydwybod, felly?"

"Cerpyn neu ddau…"

Edrychodd Lucy arna i â gwên amheus, yna craffu i gyfeiriad y bar: "Pwy 'di'r rheina, tybed? Chi'n nabod nhw?"

"Sai'n siŵr, ond mae rhai o'r wynebau'n gyfarwydd."

Roedd rhai ohonyn nhw'n mynd a dod i'r bar coctel ar y *mezzanine* rhwng y ddau lawr lle roedd, ro'n i'n dyfalu, rhyw gynulliad mwy swyddogol. Yna daeth y gweinydd atom a gosod dau wydraid o win ar y bwrdd marmor isel. Mynnais fod Lucy'n ei brofi ac fe gymerodd y gwydryn ac arogli ei gynnwys yn ofalus cyn troi'r gwin yn ei cheg.

"Dwi'n licio fe. Glân, os ychydig yn asidaidd."

"Chi'n deall gwin, Lucy?"

"Fe ddysgais i rywfaint pan o'n i'n gweini mewn bwytai yn Boston."

"Y rhai gorau, rwy'n siŵr," dywedais yn dychmygu Lucy'n llithro'n osgeiddig rhwng byrddau rhyw fwyty crachaidd gan ddenu sylw hufen cymdeithas Boston.

"Rwy'n cyfadde, roedd yna *movers and shakers* ymhlith y cwsmeriaid, ond bues i'n gweithio hefyd mewn orielau a siopau llyfrau ac mewn tŷ cyhoeddi."

"Swnio'n ddifyr iawn."

"Mae mwy i Boston na banciau a *skyscrapers* ac mae 'na faeau braf yno ar gyfer hwylio."

"Felly buoch chi'n hwylio hefyd?"

"Do, ro'n i'n perthyn i un o'r clybiau."

"Bues i'n hwylio tipyn yn Berlin hefyd… mae'n swnio i fi eich bod chi wedi cael gyrfa tipyn mwy diddorol na'r rhan fwyaf ar ôl graddio."

"Wnes i ddim graddio," atebodd. "Dyna be dwi'n neud nawr, yma yn Abertawe!"

"Rwy'n gweld…"

"Ca i ddweud y stori wrthych chi eto, Rhys. Roedd 'na gymhlethdodau personol fasech chi ddim eisiau clywed amdanyn nhw…"

"Peidiwch â phoeni. Dyw fy mywyd i, chwaith, ddim wedi rhedeg mewn llinell syth. Felly, pa radd y'ch chi'n gneud nawr?"

"Saesneg. *Masters* ar Blake. Bues i'n lwcus i gael fy nerbyn."

"Blake?"

"*To see a world in a grain of sand, and a heaven in a wild flower…*"

"Ond beth am Arthur a'ch diddordeb Celtaidd?"

"Dyna ail ran fy nghynllun mawr. Dwi am gael y radd yma o'r ffordd erbyn haf nesaf. Dwi wedi bod yma flwyddyn. Wedyn dwi am wneud doethuriaeth ar bwnc Celtaidd."

"Base hynny'n ffantasdig," dywedais gan weld gobaith i'n carwriaeth.

"Ffantasdig yw'r gair, dwi'n ofni. Mae popeth yn dibynnu ar *funding*."

"Ond be wnaeth i chi feddwl am ddod i Gymru o gwbl?"

Cymerodd Lucy lwnc o'r gwin. "Chi'n iawn! Does dim o'i le ar win Cymreig!"

"Iechyd da, Lucy."

"Ond i ateb eich cwestiwn… ar y Mabinogion mae'r bai. Darllenais i nhw pan o'n i yn fy arddegau ac ro'n i'n *crazy* amdanyn nhw. Dwi wastad wedi mwynhau ffantasi fel *Lord of the Rings* a hyd yn oed Harry Potter, ond y Mabinogion ddechreuodd e i gyd. Chi wedi'u darllen nhw, Rhys?"

"Wel, rwy'n cofio ambell stori o'r ysgol gynradd…"

"Y Ford Gron, y Greal Sanctaidd, marchogion Arthur, yr *affair* rhwng ei wraig Guinevere a'i ffrind agosaf, Lancelot…"

"Yn gwmws…"

Ond cyn iddi gael cyfle i ymhelaethu ar ei gwybodaeth, a minnau ar fy anwybodaeth, fe gyrhaeddodd y gweinydd a'n gwahodd i'w ddilyn i fyny'r grisiau i'r stafell giniawa. Hanner ffordd i fyny, sylwais ar brysurdeb y bar coctel ar y *mezzanine*. Craffais eto. Roedd rhywbeth cyfarwydd am y ffigwr sgwarog yna mewn siwt wen oedd a'i law ar ysgwydd rhyw ferch siapus. O'r tu ôl y gwelwn i e, ond doedd dim modd camgymryd y cefn llydan, y chwerthiniad harti a'r gwallt du oedd bellach yn llinynnau wedi'u cribo'n ôl yn gyrls bach ar ei wegil.

"Chi'n nabod e?" gofynnodd Lucy.

"Wrth gwrs 'mod i," atebais. "Steff Daniels. Buon ni'n rhannu stafell yng Nghaerdydd 'nôl yn y saithdegau. Rhaid bod deng mlynedd ar hugain ers i ni gwrdd ddwetha."

"Cymrwch air ag e," meddai Lucy. "I'm easy."

*   *   *

Wrth gerdded draw at y bar gwydrog, gwyrddlas, llifodd yr atgofion yn ôl am flynyddoedd Caerdydd, y saithdegau cynnar a chyfnod coleg, y Conway a'r Connoisseurs… Ond roedd Steff eisoes wedi 'ngweld i'n dod. Daeth lan ataf ac ysgwyd fy llaw nes ei bod yn cratshan.

"Jesus Christ, *fucking* Reesy John!"

"Steff y bastard, be ti'n gneud mewn lle fel hyn?"

"A be ti'n neud 'ma, ar wahân i ffwcio'r flonden yna?"

"O, welest ti hi?"

"Sut allen i beidio, was? Waw!" meddai, yn tynnu ei law ar draws ei dalcen.

"'Sai prin yn 'i nabod hi."

"Ti wedi newid dim, felly." Yna edrychodd arna i'n feirniadol, a phwno'r bloneg yn fy mol. "Wel, ti wedi llanw mas fel pob un ohonon ni, ond dal yn ddigon ffit, alla i weld 'ny."

Roedd e wedi newid hefyd, yn llawnach o gorff ac o'i hunan, ac yn fwy urddasol nag yn yr hen ddyddiau yng Nghaerdydd. Wedi gwella wrth heneiddio efallai, ond ddim yn llai o fastard, ro'n i'n siŵr.

"Felly beth yw hyn i gyd?" gofynnais gan gyffwrdd â'r bathodyn *Dyfodol Gwell*. "Be ma hwnna i fod i feddwl?"

"Be mae'n ddweud, y cont. Ti ddim isie dyfodol gwell? Ti ddim yn lico'r syniad?" heriodd.

"Ie, ond beth y'ch chi? Cwmni? Mudiad? Neu grefydd newydd?"

"'Sdim lot o *bucks* mewn crefydd, oes 'na, y dyddie hyn? Na, rwy mewn i bolitics, *Reesy boy*, ac wedi bod ers ache."

"Be, ti'n wleidydd?"

"AC, bachan, Aelod Cynulliad. Plaid. Rhaid bo ti wedi bod mas o'r wlad?"

"Rwy *wedi* bod mas o'r wlad – bues i yn Berlin am ddegawd neu ddau."

"Wir? Berlin? A be ti'n neud nawr?"

"Ymddeol yn gynnar, prynu *restaurant* bach yn y Mwmbwls i 'nghadw i mas o drwbwl…"

"Ac yn gneud yn dda, alla i weld hynny," meddai gan edrych arna i o'r newydd.

"Sai mor siŵr. Gallu bod yn boen."

"Ie, yn dy gefn, yn whilbero'r holl arian i'r banc…"

"Na, ti sydd wedi cyrredd pen y domen, boi. Ddylen i fod wedi dyfalu. Fel'na o't ti yng Nghaerdydd, wastad yn fy nhynnu i ryw rali neu'i gilydd, wastad mewn rhyw drwbwl 'da'r heddlu neu yn codi cnec yn yr undeb."

"Gawn ni siarad 'to, boi – yn glou. 'Wy'n gweld bod dy ddwylo di'n llawn iawn heno."

"Paid betio arno fe," dywedais, a rhoi fy ngherdyn iddo. "Dere draw. Dim esgus nawr. Ti'n addo?"

"Bydda i *fucking* yna, mêt," meddai gan wasgu fy llaw yn friwsion am yr eilwaith.

"Cofia nawr. Rwy'n gwybod bo ti'n fachan prysur, ond base fe'n braf dala lan…"

"Paid â phoeni, Reesy. Nage gwaith yw popeth: 'wy wedi hen ddysgu'r wers yna. Fe rodda i ganiad i ti pan wela i ffenest yn dod lan…"

"A dy gerdyn di?"

"Ond wrth gwrs… a hwyl i ti 'da honna!" meddai cyn dychwelyd at y criw yr oedd e'n amlwg yn frenin yn eu plith.

Rhoddais y cerdyn yn fy waled. Byddai'n braf cwrdd eto, cael cyfle i ailasesu ein bywydau. Dyna sy'n braf am gwrdd â hen ffrind: chi'n gallu pontio dros y sbwriel i gyd – y priodasau, y swyddi, y dyrchafiadau, y marwolaethau, yr ysgariadau… a'r ail briodasau. A chwerthin – neu lefain – am y cyfan.

Ond fel ro'n i'n gadael, gwelais ferch dal, hŷn yn codi'i llaw arnaf o gornel y bar *mezzanine*. Â'm meddwl ymhell, codais fy llaw yn awtomatig, heb ei nabod yn iawn. Roedd hi'n edrych yn debyg i Elin, gwraig Hywel Ashley. Ond hi fase'r olaf i ddod i ryw ddwli fel hyn. Mae rhywbeth yn ecsentrig amdani ac ro'n i wastad wedi meddwl amdani fel tipyn o *loner*, ac nid un i ymuno mewn rhyw randibŵ pleidiol.

Heb feddwl mwy am y peth, croesais yn ôl tua'r grisiau. Ond doedd Lucy ddim yno. Llamais i fyny'r stâr, yn gobeithio nad oedd Steff wedi cawlio fy oed â'r Americanes, fel y drysodd e sawl trefniant flynyddoedd yn ôl yng Nghaerdydd.

*   *   *

Ond yno roedd hi yn y stafell giniawa yn sefyll gydag Eidalwr llydan, pen bwled – prif weinydd Morgans, a barnu wrth ei wisg a'i osgo – o flaen y murlun mawr, tywyll sy'n llanw'r wal gefn. Roedden nhw'n trafod perspectif y castell a'i leoliad uwchben afon Tawe. Dywedai'r Eidalwr rai pethau anghywir ond penderfynais mai doethach fyddai disgwyl wrth y bwrdd a gwylio fy nghwmni bywiog a deniadol o bell. Roedd yn hawdd gweld ei bod yn mwynhau'r sylw manwl, gwrywaidd.

"Drwg 'da fi am hwnna," dywedais pan ddaeth ata i o'r diwedd. "Chi'n gwbod fel mae hi â hen ffrindiau coleg."

"Wrth gwrs. Gen i ffrindiau tebyg fy hun 'nôl yn Boston."

"Chi'n dal i gyfarfod?"

"Jyst weithiau, amser Nadolig, yn y clwb hwylio yn Wollaston Beach."

"Pan y'ch chi'n cyrraedd fy oedran i mae'ch ffrindiau i gyd mewn swyddi uchel a chi'n methu credu mai'r bygars yna sydd nawr yn rhedeg y byd."

"Jyst creu hafoc mae fy ffrindiau i, dwi'n ofni."

"Mae pobol yn newid, ond eto dy'n nhw ddim. Chi'n falch bo nhw ddim, ond hefyd yn siomedig. Roedd Steff yn dipyn o arweinydd yn y cyfnod yna yng Nghaerdydd. Cael sianel deledu Gymraeg oedd yr obsesiwn ar y pryd ac aeth Steff i garchar am wythnos gyda rhyw griw. Lot o strach, dim ond i gael sianel deledu."

"Ond peidiwch dweud hynny, Rhys! Dwi'n licio gwylio'r sianel. Mae'r isdeitlau'n wych ar gyfer dysgu Cymraeg."

"Felly chi o ddifri am ddysgu'r iaith? Do'n i ddim yn siŵr, pan gwrddon ni ar y traeth."

"Mae'n rhaid i mi wneud, a finne wedi dod yma, yr holl ffordd. Ond rhaid i mi gael y radd, a'r traethawd, o'r ffordd gynta – a chael y *funding* wrth gwrs."

"Wel, alla i ddim rhoi hynny i chi, ond cofiwch 'mod i ar gael os byddwch chi'n chwilio am Gymro iaith gynta i ymarfer arno."

"Wna i ddim anghofio am y cynnig yna," meddai Lucy gan gymryd llwnc o'r Sugarloaf. "Ond roeddech chi'n sôn am Gaerdydd. Oeddech chi'n mynd i brotestiadau heddwch o gwbl?"

"Na, fues i erioed yn y rheini."

"Ddim erioed?"

"Wel, fe fues i mewn rali yma yn Abertawe ym mis Ebrill, yr un yn erbyn rhyfel Afghanistan."

"Chw<, teg i chi. Mae'n bwysig dangos ochr."

"Fuoch chi yna, felly?"

"Naddo, ond dwi wedi ymuno â grŵp heddwch y coleg, Students for Peace. Ro'n i'n arfer mynd i brotestiadau yng nghynhadledd flynyddol y Democratiaid pan o'n nhw'n dod i Boston."

"Felly chi'n dipyn o heddychwraig?"

"Mae'n debyg. I mi, mae'r gân 'Imagine' yn dweud y cyfan, y freuddwyd o fyd heb ffiniau…"

"Felly un wlad fawr? Yr *US of A* falle?"

"Peidiwch bod mor llythrennol, Rhys. Mae'n gân am nefoedd, am fyd heb lywodraethau. *You may say I'm a dreamer…* mae'n bwysig breuddwydio, yn tydi?"

"Falle dylen i ddarllen mwy o Blake."

"Ond os y'ch chi mor sgeptig, pam aethoch chi i'r rali?"

"I fusnesu, dyna i gyd. Ro'n i angen gwybod pa mor gryf, faint o fygythiad oedd y mudiad heddwch y ffordd hyn."

"Pam hynny?"

"Boddodd rhywun yn y Marina, 'nôl ym mis Ionawr, jyst o dan fy fflat. Roedd e'n perthyn i'r Swansea Peacekeepers ond rwy'n amau nawr a oedd hynny'n bwysig o gwbl."

"Ond sut allai hynny fod yn bwysig, os boddi wnaeth e?"

"Nid boddi wnaeth e, ond cael ei lofruddio."

"Sut allwch chi fod mor siŵr?"

"Clywes i waedd ola'r boi wrth iddo syrthio i'r dŵr."

"Wir?" meddai Lucy, wedi cael sioc. "Rhaid bod hynny'n ofnadwy."

"Wyddwn i mo hynny ar y pryd, diolch byth."

"Ond nid llofruddiaeth oedd dyfarniad y cwest," meddai Lucy'n bendant.

"Chi'n gwybod am yr achos, felly?"

"Roedd e yn y papurau i gyd, on'd oedd? Mae'n rhyfedd pa mor aml mae 'na storïau am y Marina."

"Diawch, chi'n gneud iddo fe swnio fel y Bronx."

Buon ni'n bwyta mewn tawelwch am ychydig ac yna daeth y gweinydd Eidalaidd, penfoel at y bwrdd a chymryd ein dysglau a gwneud seremoni fawr o bolisho'r platiau ar gyfer y cwrs nesaf. Pan ddaeth y bwyd, meddai Lucy: "Nawr, beth amdanoch chi, Rhys? Mae'n amlwg eich bod chi wedi cael bywyd diddorol."

"Llai diddorol na chi, rwy'n credu."

"Felly sut aethoch chi mewn i gemeg?"

"Pwnc 'y nhad oedd e. Roedd e'n gweithio am flynyddoedd yn y Mond, y gwaith nicel mawr yn nhop Cwm Tawe. Roedd 'da fe job dda, am rywun heb fawr o addysg."

"Dwi'n cofio chi'n sôn… ond pam mynd mewn i gyffuriau?"

"Wel, fe roliais i ddeilen neu ddwy pan o'n i yng Nghaerdydd, ond cadwes i'n glir o'r powdrau gwyn."

"Big Pharma dwi'n feddwl, wrth gwrs," chwarddodd Lucy.

"Wel, be wnewch chi â chwpwl o raddau mewn cemeg? Aeth rhai o fy ffrindiau i ddiwydiant, rhai i ddysgu a rhai i Boots. Do'n i ddim yn ffansïo Boots ac es i i Brentford am naw mlynedd at SmithKline ond ces i lond bol ar y lle a'r *no man's land* yna ar gyrion gorllewin Llundain. Y dewis wedyn oedd naill ai dod 'nôl i Gymru – efallai fel athro gan fod swyddi diwydiannol mor brin – neu symud ymlaen i'r byd mawr y tu fas, a dyna wnes i."

"Ond pam Berlin?"

"Daeth y job lan yn y tudalennau swyddi."

"Mor syml â hynny?"

"Ces i gyfweliad yn Llundain, ac aeth e'n iawn. Ro'dd 'da fi'r profiad erbyn hynny, wrth gwrs."

"Beth am yr iaith?"

"Rhoion nhw flwyddyn i fi ddysgu Almaeneg ond roedd y wyddoniaeth yn Saesneg, wrth gwrs."

"Ac roedd Berlin yn iawn?"

"Oedd, yn rhy dda. Fe dalais i amdano fe â 'mhriodas. Gwrthododd Eira aros yna – y ddwy ferch fach oedd y broblem… ond does dim i'w ennill o wneud y syms. Cymerais y cyfle, a'r canlyniadau."

Wedi saib, gofynnodd Lucy: "Oeddech chi yno, felly, pan syrthiodd y wal?"

"Oeddwn. Digwyddodd e'n weddol fuan ar ôl i fi gyrraedd. Roedd e'n brofiad cyffrous iawn ar y pryd, a chael dod â darn bach o'r wal 'nôl i'r fflat."

"Roedd 'na brotestiadau heddwch yn Berlin, on'd oedd?"

"Mae 'na wastad y rheini yn Berlin."

"Fuoch chi ddim ynddyn nhw, felly?"

"Wel, fe fues i wrth gwt rhyw orymdaith unwaith yn erbyn rhyfel Irac."

"Felly roeddech chi'n heddychwr?"

"Does dim rhaid i chi fod yn heddychwr i gytuno bod rhyfel Irac yn un o goc-yps mwya'r ugeinfed ganrif. Doedd al-Qaeda ddim yn agos i'r wlad, wrth gwrs, ond fe wnaeth y rhyfel y job: fe gafodd y Gorllewin yr olew."

"Rwy'n gweld… ond mae gen i ail gwestiwn, braidd yn wahanol…"

"Mas â fe!"

"Be wnaeth i chi agor bwyty Thai? Dewis braidd yn od i gemegydd"

"Pa fath o fwyty fasech chi'n disgwyl i gemegydd ddechre – siop *chips*? Nawr, beth am botel arall o win?" gofynnais wrth sylwi ar y gwydrau gwag.

"Dwi'n iawn, diolch, Rhys."

"Beth, problem 'da'r Sugarloaf?"

"Dwi jyst ddim am yfed mwy heno, dyna i gyd."

"Rwy'n gweld…"

"Wel, oes angen alcohol i fwynhau?"

"Dim o gwbl," dywedais yn wan gan weld fy ffantasïau am noson hwyr, glwbnosol yn diflannu.

"Dwi'n cael lifft gan rywun beth bynnag."

"Ond gallech chi yfed, felly?"

"Gallwn, ond pam? Mae hyn i gyd mor wych. A drychwch ar y drysau Art Nouveau yna. On'd ydyn nhw'n *gorgeous*?"

"Ydyn, mae'r drysau yna'n grêt."

Buon ni'n siarad wedyn am fân bethau, ond heb yr un blas, i fi. Cofiais am wersi a rhybuddion o'r gorffennol. Yn y maes arbennig yma, does dim yn syml. Mae'r bil wastad yn uwch na'r amcangyfri, ac mae 'na'r holl gostau cynnal a chadw.

Yn sydyn des i'n ymwybodol o'r clindarddach y tu ôl i fi, a

gweiddi a chwerthin pobl yn dod i mewn o'r bariau. Roedd y gwleidyddion bathodynnog wrthi'n meddiannu'r bwrdd pellaf gyda chymorth yr Eidalwr awdurdodol a rhai gweinyddesau ifanc oedd yn rhedeg ar eu holau â hambyrddau yn llwythog o wydrau a danteithion, fel yn un o wleddoedd Nebuchodonosor.

Â'm meddwl ar grwydr, gofynnodd Lucy: "A sut mae'r *Afallon*? Chi'n hwylio'n gyson?"

"Tua dwywaith y mis. Pathetig, yntê? Mae rhywbeth yn codi o hyd yn y bwyty 'na."

"Ond mae'r bwyd yn dda, dwi'n deall."

"Mae hynny'n gysur i glywed. Basen i wedi cynnig pryd i chi nos Sadwrn dwetha, ond ro'n i'n gweini fy hun."

"Ga i gyfle eto, gobeithio?"

"Wrth gwrs."

Yna pwysodd ymlaen yn ddeniadol gan ddal ei hwyneb rhwng ei breichiau a gadael i'r groes Geltaidd swingio rhwng ymchwydd ei bronnau. Edrychodd tuag ata i a dweud: "Rhys… ga i fod yn *cheeky* iawn?"

"Wrth gwrs. 'Da fi groen eliffant."

"Chi'n gwbod be fasen i'n licio yn fwy na dim?"

"Cael y *funding* i aros yng Nghymru?"

"Ar wahân i hynny?"

"Dysgu Cymraeg, gyda fi fel athro personol?"

"Mae'r syniad yna yn apelio – ond rhywbeth arall eto…"

"Beth 'te?"

"Cael tro ar yr *Afallon*. Ga i?"

Cymerodd eiliad neu ddau i'r cais fy nharo i'n iawn. "Ond wrth gwrs, Lucy! Dylsen i fod wedi gofyn i chi fy hun – rhaid bod fy meddwl i mewn cwmwl. Pryd y'ch chi'n rhydd: mewn wythnos, pythefnos?"

"Ddywedwn ni wythnos i fory?"

"Perffaith, wrth gwrs."

"Gyda phryd Thai i orffen?"

"Cawn weld am hynny…"

Cawsom sgwrs fywiocach wedyn ond daeth yr amser anochel i dalu'r pen bandit Eidalaidd, a estynnodd y broses trwy rwdlan â Lucy, a ymatebodd yn ddiangen o lawn. Yna dilynais ei chamau ysgafn i lawr y grisiau carpedog ac i'r drws allanol. Roedd hi wedi tywyllu, ac awel hafaidd ysgafn yn codi tuag atom. Troais at Lucy a dweud: "Oes raid i ni wahanu mor fuan?"

"Gawn ni gwrdd eto, Rhys. Gen i lifft i'r Uplands heno, fel y soniais i. "

"Chi'n cael liffts i'r Uplands o hyd."

"Ond fan'na rwy'n byw, ac mae Rory'n rhannu'r un tŷ â fi."

"Rwy'n gweld."

"Roedd y noson yn berffaith fel roedd hi: y pryd, a'r Sugarloaf Abergavenny hefyd. Diolch, Rhys."

"Fy mhleser i oedd e, Lucy."

Fe safon ni'n lletchwith ar ben y grisiau tra oedd goleuadau'r ddinas yn wincio'n ofer arnon ni o'r ochr arall i'r briffordd.

"'Sdim angen i chi aros," meddai. "Bydd Rory yma toc."

"Ydi e yn y coleg hefyd?"

"Ydi. Gwyddonydd yw e, yn yr adran Materials Engineering. Allan o 'myd i, rwy'n ofni."

"Felly faint ohonoch chi sydd yn y tŷ 'ma yn Eaton Crescent?"

"Tri. Nhw gafodd y lle i mi. Doedd dim posib i fi beidio â dod i Abertawe wedyn – ond dyma Rory ar y gair."

Cyffyrddodd â'm llaw a sgipio i lawr y grisiau tuag at hen MG *powder blue* top agored oedd wedi aros o flaen y maes parcio. Roedd miwsig roc trwm yn pwmpio ohono. Llithrodd ei gwisg denau, hufen lan i'w chluniau wrth i Lucy gamu i mewn i sedd ddofn y car, nesaf at fachgen golygus tua deg ar hugain oed â mop o wallt golau, a edrychodd tuag ata i heb fy nghydnabod.

Gwasgodd e'r sbardun yr eiliad y caeodd Lucy'r drws, a chyda rhu'r *twin carbs* fe yrrodd y car at y gyffordd. Pan newidiodd y goleuadau fe droesant i'r chwith ar hyd y briffordd bedair lôn tua'r gorllewin.

Arhosais yn y fan a'r lle, gan ddilyn llwybr yr MG wrth iddo aros wrth y ddwy set o oleuadau traffig bob pen i'r Ganolfan Hamdden. Wrth yr ail set, sylwais nad oedd e'n troi i'r dde tuag at yr Uplands, nac yn dilyn y lôn ganol i'r Brifysgol, ond yn hytrach yn cario 'mlaen ar y lôn chwith, yr un sy'n troi am y Marina a gwesty'r Marriott.

Roedd hynny'n rhyfedd, braidd. Neu oedd e?

8: Charlies

PWYSAIS YN ERBYN mynedfa Morgans i ddod ataf fy hun. Aeth hi'n weddol, erbyn y diwedd, 'sbo. Dylsen i, wrth gwrs, fod wedi estyn y gwahoddiad i'r *Afallon* fy hun, ond y canlyniad oedd yn bwysig: roedd Lucy *on board*.

Roedd e'n eiliad perffaith ar gyfer mwgyn, ond roedd yn rhaid i fi siecio'r iPhone. Ro'n i wedi'i ddiffodd yn ystod y swper; nawr gwelais fod hynny'n benderfyniad da. Rhegais wrth sylwi ar y negeseuon coll, dwy gan Sheena ac un gan André, i gyd wedi'u hanfon ryw awr yn ôl, tua naw o'r gloch. Sheena (Neges 1): *Andry wont do the dupes. Cant carry on. Come over PLESE.* André: *Whys U fone off Rees. U the boss U gotta sort this out. The sluts outta control.* Wedyn Sheena (Neges 2): *Leaving this nuthouse, cant work with the muslim filth no more.*

Roedd yn dda na welais i'r sbwriel yna yn ystod y swper. Nid y geiriau hyll, rhegllyd oedd yn fy mlino, ond y casineb amlwg rhwng y staff. Roedd hi'n ddeg munud wedi deg. Rhy hwyr, diolch byth, i ddiffodd tân yn y bwyty, rhy gynnar i fynd i'r gwely. Ac nid mwgyn ro'n i angen nawr, ond gwydraid i olchi'r budreddi yna i lawr ac i ladd y syched a gododd wrth ymestyn hanner potel o win dros ddwyawr a hanner.

Draw ar y chwith roedd hen amgueddfa'r ddinas, ei cholofnau Rhufeinig yn codi'n wyn yn y llifolau. Gyferbyn roedd 'na fariau Mecsicanaidd amryliw yn gwahodd o'r ochr draw i'r briffordd a redai ar draws gwaelod Wind Street. Ond dyw Wind Street a'i hangars yfed ddim yn lle i'r gwangalon ar nos Sadwrn.

Yna sylwais ar arwydd neon Charlies yn fflachio'n goch ar adeilad ar y dde i fi. Do'n i ddim wedi gweld hwnna o'r blaen.

Gwelwn silwét rhai ffigyrau enigmatig yn ymgomio'n fywiog yn y ffenest. Y cyfan ro'n i angen oedd diod ddienw mewn bar dienw ond gwâr: peth haws i'w ffeindio yn Berlin neu Efrog Newydd nag yn Abertawe. Mentrais i mewn; weithiau mae modd cael llonyddwch yng nghanol sŵn.

Gwthiais fy ffordd trwy'r dyrfa a llwyddo i archebu potel o Sol wrth y bar cyn setlo mewn llecyn tawel rhwng y ffenest a'r drws, o dan lun mawr sepia o Frank Sinatra. Roedd canhwyllau trydan yn fflicro'n aflonydd ar y waliau lliw tywod a hen gomedi Americanaidd wael yn chwarae ar y sgrin blasma.

Cymerais swig o'r Sol, a'i deimlo'n golchi'n oer i lawr i fy stumog. Yna sylwais ar griw siwtiog yn seiadu yn y ffenest, eu bathodynnau oren yn fflachio dan y lampau sbot. Dôi bloedd o chwerthin bras o'u cyfeiriad bob hyn a hyn. Yn sefyll ar y cyrion roedd Elin, gwraig Hywel Ashley. Rhaid mai hi welais i gynnau, felly. Yn amlwg, fe grwydrodd rhai ohonyn nhw, fel finnau, draw yma o Morgans i orffen y noson.

Yn anochel, cyfarfu ein llygaid. "Rhys!" meddai wrth ddod draw ataf, ei chorff tal, main yn swingio'n lletchwith ond yn sarffaidd wrth iddi weu ei ffordd trwy'r dorf a dod i sefyll ar fy mhwys. Roedd ganddi wydraid mawr o sudd oren yn ei llaw. "Be ti'n neud yn y rhan yma o uffern?" meddai. "'Sgin ti ddim byd gwell i'w wneud ar nos Sadwrn?"

"Ga i ofyn yr un cwestiwn i ti, Elin? Doedd 'da fi ddim syniad bo ti'n un o'r crowd Plaid yma."

"Tydw i ddim yn un ohonyn nhw, wir, 'sti. Gweithio iddyn nhw dwi."

"Felly be ti'n gneud yn eu canol nhw ar awr mor hwyr? Mae hyd yn oed dy ddiod di yr un lliw oren corfforaethol. O'n i'n meddwl am funud mai cwmni *pharma* oeddech chi. A' i ar fy llw i Sanotis ddefnyddio'r slogan yna am gyfnod, *Dyfodol Gwell...*"

Chwarddodd Elin yn uchel yn ei llais dwfn, hysgi. "Rhaid 'i fod o'n slogan addas iawn, felly. Dyna be oeddan ni'n neud pnawn 'ma, lansio maniffesto'r Blaid ar gyfer y Gwasanaeth Iechyd."

"Wir?"

"Ddylian ni fod wedi gofyn i chdi ddeud gair fel arbenigwr yn y maes."

"Cyn-arbenigwr, rwy'n falch o ddweud. Felly be ti'n neud iddyn nhw yn hollol?"

"Cyfieithu ar y pryd, heddiw. Ond ro'n i'n chwara â 'modia y rhan fwya o'r pnawn, efo dim ond y dysgwyr yn mynnu siarad yr iaith, plys un ffanatig. Mae'r rheini'n popio i fyny yn y llefydd rhyfedda. Pres da am 'chydig iawn o waith."

"Felly cyfieithydd wyt ti? O'n i'n meddwl mai'r gyfraith wnes ti. O't ti ddim yn arfer gweithio yn y Swyddfa Gymreig?"

"Oeddwn, flynyddoedd lawar yn ôl, wedyn mi fues i'n gweithio efo Hywal pan ddechreuodd o 'i fusnas, ond wedyn mi benderfynis 'i bod hi'n haws i ni'n dau weithio ar wahân. Ffrilansio dwi rŵan, 'chydig o hyn, 'chydig o'r llall. Tipyn o gyfieithu, amball adroddiad, be bynnag sy'n dŵad. Unrhyw beth, wir, i gal dŵad allan o'r tŷ."

"A ble ti'n gweithio, yn gwmws?"

"Gin i swyddfa fach oddi ar Walter Road, wrth odra'r Uplands."

"Ond fan'na mae swyddfa Hywel, yntefe?"

"Ia, rownd y gongol. Ond mae o'n symud rŵan o fan'no i SA1, dros yr afon. Ac mae gynno fo swyddfa yng Nghaerdydd. Mae o dros y lle i gyd, fel petai…"

"Yn yr ystyr fusnes?"

"Ym mhob ystyr," meddai gan giledrych arna i. "Ac ro'n i'n gweld bo gin ti, hefyd, gwmni heno 'ma?" ychwanegodd yn ysgafn.

"O, yr Americanes 'na. Digon dymunol, ond dyw Americans ddim cweit fel pawb arall, ydyn nhw?"

"Sut felly?"

"Anodd rhoi bys ar y peth. Hyderus ar yr wyneb, ond ansicr

mewn ffyrdd eraill. Ac roedd hi'n credu mewn heddwch a chwalu ffiniau ond ar yr un pryd yn dwlu ar Gymru a'r Brenin Arthur…"

"Wel, os ydi hi wedi gwirioni ar Gymru, faswn i ddim yn cwyno gormod taswn i'n dy le di."

Daeth bwlch i'r sgwrs wedyn ond roedd yn hoe braf, ddidensiwn. Synnais mor gartrefol oedden ni yng nghwmni'n gilydd er mai dyma'r tro cyntaf i ni sgwrsio, dim ond ni'n dau. Roedd Elin wedi galw yn y bwyty gyda rhai o'i ffrindiau, ac wrth gwrs fe gawson ni'r swper braidd yn anodd yna gyda Hywel yn eu plasty yn Llandeilo Ferwallt. Rwy'n ei chofio hi yn fan'na yn dweud rhai pethe digon siarp ar draws ei gŵr a do'n i ddim yn hoffi hynny. Gallwn weld nad oedd eu perthynas yn berffaith. Roedd ffordd Elin yn blaen a di-lol tra bod Hywel yn fwy rhadlon ar yr wyneb ond yn fwy cyfrwys odano.

Ro'n i'n disgwyl iddi ddychwelyd at ei chwmni gwleidyddol, ond parhau i sefyll ar fy mhwys i wnaeth hi.

"Ydi Steff am ymuno â chi?" gofynnais.

"Nac'di, pam ti'n gofyn?"

"Roedden ni'n ffrindiau coleg yng Nghaerdydd yn y saithdegau."

"Fo 'di'r *golden boy*. Eith o'n bell. Mae o *wedi* mynd yn bell. Aelod Caerfyrddin, a rŵan Dirprwy Lywydd."

"Yn y Cynulliad, rwy'n cymryd?"

"Ia, tydio ddim yn Senadd Lloegar. Tydio ddim yn dilyn Gwynfor, mewn mwy nag un ystyr."

"A beth ma hwnna'n feddwl?"

"Gynno fo betha erill ar 'i feddwl o heno 'ma, ti'n dallt. Ac nid am wleidyddiaeth dwi'n sôn."

"O, fel'na. Wedi newid dim, felly."

"Ti'n 'i nabod o'n well na fi."

"Ddim erbyn hyn. Ond mab gweinidog. Chei di mo hwnna mas o'r gwaed."

Yna meddai Elin yn dawel: "Tydio ddim o bwys i mi be mae o'n neud efo'i fywyd personol. Tydw i ddim yn cymryd safbwynt moesol ar y petha 'ma, 'sti…"

Cyfarfu ein llygaid mewn eiliad o ddealltwriaeth ond do'n i ddim am ddilyn y trywydd yna a phrysurais i gynnig diod arall iddi. "Rhywbeth â 'bach mwy o gic tro 'ma? Campari'n mynd yn dda ar ben sudd oren."

"Dwi'n amau dim – ond 'run fath eto dwi'n ofni. Dwi'n dreifio'n ôl. *Boring* yndê?"

Pan ddychwelais o'r bar roedd hi'n dal i sefyll o dan y llun mawr sepia o Frank Sinatra, gan bwyso'n ôl yn ddiog yn erbyn y wal. Er nad oedd hi'n ifanc, roedd hi'n edrych yn reit ddeniadol, os rywsut yn *decadent* a thridegol â'i gwallt hir, du, fflat a'r lipstic rhy goch ar ei gwefus gam.

Ro'n i wedi sylwi bod rhai o ganeuon y crwniwr ei hun yn chwarae trwy'r system sain. Nawr roedd yn nyddu geiriau 'My Kind of Town' yn ei ffordd hamddenol, dwyllodrus o rwydd.

"Lico'r gân?" gofynnais wrth roi'r sudd oren yn llaw Elin a chadw'r Sol i fi fy hun.

"Ydw, dwi'n licio fo, wir."

"Ddim yn ddrwg, am Americanwr."

"Eidalwr oedd o, cofia."

"Dyna esbonio pam mae e'n gallu canu."

"A dyna fo, uwch ein penna ni!" meddai Elin gan bwyntio at y llun mawr ar y wal.

"Ond cân am Chicago ydi hon, cofia," dywedais wrth wrando ar y geiriau sentimental am *My kind of town… my kind of people too, people who smile at you…*

"Jyst newid 'Chicago' am 'Abertawe', dyna i gyd ti angan, 'de, Rhys?"

"Yn gwmws. Tre rwff, ond un lle mae pobol yn gwenu ar bobol."

"Ia, fy math i o dre…"

"Ti'n hapus yma felly? Dim hiraeth am y Gog?"

"Dwi'n licio mynd yn ôl yna ond Swansea Jack ydi Nia'r ferch erbyn rŵan. Neu Swansea Jill ddyliwn i ddeud."

"Mas ar y dre heno? Wind Street?"

"Dwi ddim isio gwbod, wir…"

Meddai wedyn, yn dawel: "Roeddat ti'n iawn i ddŵad yn ôl i Gymru, Rhys."

"Doedd 'da fi ddim dewis."

"Dy dad ti'n feddwl?"

"Roedd hynny'n ffactor…"

"Ti ddim yn swnio'n rhy siŵr."

"Paid â 'nghamddeall i. Nid dod 'nôl oedd y broblem. Do'n i ddim yn mynd i farw ar y cyfandir. Dwi jyst ddim yn siŵr am be wnes i wedyn. Y Marina, er enghraifft: dyw e ddim yn hollol real fel lle i fyw…"

"Be ti'n feddwl? Mae o'n un o'r cyfeiriada mwya trendi yn ne Cymru!"

"Ond mae pethe rhyfedd yn digwydd 'na."

"Be ti'n feddwl?"

"Wel… boddodd rhyw foi yn go agos i fy fflat i rai misoedd yn ôl."

"Dwi'n gwbod. A dim ond bora 'ma ro'n i'n darllan am ryw hogan yn taflu'i hun dros y bont grog, a hitha'n disgwl plentyn. Stori drist iawn."

"Do, wir? Pwy oedd hi?"

"Rhyw hogan ifanc leol, dyna'r cyfan dwi'n gofio."

"Dyw e mo'r cyfeiriad gorau i fyw ynddo yn Abertawe erbyn hyn."

"Ond gin ti fusnas bach del yn y Mwmbwls?"

"Ddylen i ddim cwyno, 'sbo. Ond mae wastad rhyw brobleme, rhai staff yn fwy na dim…"

"Does 'na'r fath beth â llwyddiant a methiant," meddai Elin yn bendant. "Mae pob dim yn gorffan rywbryd. Be ti wedi neud, a be ti heb neud – dyna'r unig betha sy'n cyfri mewn bywyd. Ti wedi mentro, Rhys. Ti'n neud o, a'i neud o rŵan."

"Ond ti'n rhedeg dy fusnes dy hun hefyd."

"Rhyw geiniog a dima o beth."

"Ti yw'r bòs, dyna sy'n bwysig."

"Ond yn wahanol i chdi, dwi 'di chwara'n saff trwy 'mywyd…" meddai gan edrych i fy llygaid.

Cymerais swig arall, hir o'r Sol, yna dweud yn joli gan bwyntio at y criw yn y ffenest: "Wel, o leia mae Plaid wedi lansio eu maniffesto iechyd yn llwyddiannus heddiw."

"Dwi'n ama ydyn nhw hyd 'n oed wedi gneud hynny'n iawn."

"Sut felly?"

"Dydyn nhw ddim yn dallt cyffuria, sut mae pobol yn ymddwyn. Maen nhw'n dal i gredu mewn rhoi pils i bawb am ddim. Syniad gwirion, yndê?"

"Ydi braidd. Ddim yn helpu pobol i ddod oddi ar gyffuriau. Ond *vote catcher.*"

"Maen nhw'n gallu bod mor naïf," meddai gan estyn cerdyn o'i bag a'i roi yn fy llaw. "Mae 'na betha'n codi o hyd. Dwi'n siŵr gallan ni helpu'n gilydd. Ac mae'r rhif *mobile* yna'n bersonol, gyda llaw."

"Diolch, Elin," dywedais gan roi'r cerdyn yn fy mhoced yn araf.

"Cysyllta."

"Yn anffodus, sai'n debyg o fod angen gwasanaeth cyfieithu. Haws i ti gysylltu â fi?"

"Wel, beth am roi Cymraeg ar dy fwydlenni di?"

"'Sdim lot o Saesneg arnyn nhw, 'mond llunie bach o *chillis* i rybuddio pobol pa mor boeth yw'r cyrris…"

"Dwi'n siŵr gallan ni gydweithio," meddai Elin â gwên awgrymog os ychydig yn euog, cyn gweu ei ffordd yn ôl at y criw gwleidyddol oedd yn dal i glochdar yn y ffenest. Doedd hi ddim yn bishyn, nac yn trio bod yn un, ond os mai'r ymennydd yw'r *zone* mwya rhywiol yna roedd hi'n sgorio'n uchel. Ddywedodd hi 'run gair o'i le heno ond roedden ni'n dau'n gwybod ein bod ni wedi hwylio'n agos at ryw ffin, un nad oedd hi, efallai, wedi'i chroesi o'r blaen…

Cymerais swig olaf o'r botel Sol a'i tharo ar gornel y bwrdd. Roedd hwnna'n braf, ac yn ddiddorol. Y pethau annisgwyl sydd wastad orau. Cerddais allan trwy'r drws agored ac yn ôl heibio Morgans a thafarn y Queens, lle roedd rhyw foi mewn siaced aur yn bloeddio rhai o ganeuon hynaf Elvis Presley. Roedd y miwsig yn siwtio fy hwyliau, ond ro'n i wedi cael digon am un noson.

9: Verdi's

ROEDD HI'N GANOL pnawn erbyn i fi ddod yn ôl o Cross Hands i'r Mwmbwls gyda 'Nhad. O leia roedd yn newid o'r ymweliadau nos Suliol ro'n i wedi cadw'n gaeth iddyn nhw ers dod 'nôl o Berlin. Parciais yr Audi ar y llinellau melyn ar Heol y Mwmbwls. Ro'n i wedi dangos y bwyty i 'Nhad o'r blaen, ond â'i gof fel yr oedd, doedd dim dal a fyddai'n cofio.

"Dyna fe," dywedais. "Y bwyty, a'r fflatiau uwchben."

"Ti bia hwnna i gyd?" gofynnodd 'Nhad gan graffu dros rimyn ffenest y car. Roedd wedi'i strapio i mewn yn isel yn y sedd flaen, fel sach o datw. "Myn diain i, ti wedi gneud yn dda, Rhys. Ti wedi talu am y cyfan?"

"'Da fi forgais, ond mae'r rhenti'n talu hwnna."

"Ond The Secret Garden? 'Na enw od i fwyty. Base fe'n iawn i siop flode neu un o'r llefydd 'na lle maen nhw'n gwerthu *lawnmowers*."

"Enw yw e i dynnu pobol mewn. Gimic."

"Ond pam 'i alw e'n Ardd?"

"Mewn gardd mae bwyd yn tyfu, yntefe?"

Ystyriodd hyn. "Wel, ti'n llygad dy le. A pha fath o fwyd ti'n tyfu 'na?"

"Ni'n darparu bwyd yn steil Gwlad Thai."

"Gwlad Thai? Ble yn y byd ma hwnna?"

"Yn y Dwyrain Pell."

"Wel wel, oes 'da nhw ddim cefen gwlad fel ni? Dim ond tai?"

"Na, Thailand. Chi bownd o fod wedi clywed am Thailand. 'Da nhw ffordd wych, iach o neud bwyd. Mae'n tynnu'r pobol mewn. Pobl ag arian."

"Da iawn ti, Rhys. 'Da ti fwy yn dy ben na feddyles i erio'd."

Llywiais y car i faes parcio Verdi's, gan wybod y byddai chwarter awr arall yn pasio cyn y bydden ni'n eistedd wrth unrhyw fwrdd. Wedi llwyddo i ryddhau 'Nhad o sedd isel yr Audi, buon ni'n llusgo'n traed yn araf yn yr haul tua Verdi's, y caffe Eidalaidd gwydrog, wythonglog sy'n tynnu'r torfeydd ar rodfa'r Mwmbwls.

Dewisais fwrdd wrth y ffenest ac archebu *ciabatta* a phaned o de i 'Nhad, a dim ond coffi i fi. Roedd yn olygfa braf. A hithau'n bnawn Sul ganol Mehefin, roedd rhodfa'r môr yn llawn ymwelwyr, teuluoedd, loncwyr, beicwyr, cariadon. Roedd badau modur yn sgimio ar draws y môr glas, a bryniau isel Abertawe, yn y pellter, yn diogi yn y tarth ysgafn.

Roedd fy nhad, yn y cyfamser, yn archwilio'r lle'n fanwl gan wneud sylwadau uchel a dilornus am rai o'r bwytawyr – ro'n i'n gweddïo nad o'n nhw'n deall Cymraeg – ond pan ddaeth ei baned o de, fe dawelodd yn sydyn. Roedd e'n hapus nawr. Meddyliais am Lewsyn a'r siom ar ei wyneb pan ffarwelion ni'n gynharach. Byddai'n rhaid i fi gadw at fy addewid i fynd â nhw i weld y Swans. Pleserau bach sy'n bwysig i'r bois yma.

Roedd fy nhad nawr yn brwydro'n galed gyda'r bara gwyn Eidalaidd a'r crinddail salad a guddiai tu mewn i'w blygion. O'r diwedd, wedi'i drechu, fe'i rhoddodd i lawr ac anwesu ei fŵg o de. Yna edrychodd arna i a dweud: "Ti'n cofio ni'n dod 'ma slawer dydd, y pedwar ohonon ni?"

"Ydw'n iawn, ond i gaffe'r Pier."

"Debyg iawn. Fan'na oedd trên y Mwmbwls yn bennu. Beth ddath dros 'u penne nhw i godi'r lein?"

Roedd fy nhad yn mynd yn ôl yn bell iawn nawr. Rhaid 'mod i'n saith neu wyth oed pan gaeodd y lein. "Cyngor Abertawe," dywedais. "Be wnewch chi â nhw? Basen nhw wedi gneud miliynau 'se nhw wedi cadw'r lein ar agor, un hyna'r byd ar gyfer pobol."

"Sai'n gwpod be sy wedi digwdd i Abertawe. Cyn y rhyfel, o'dd hi'n ddinas hardd i ryfeddu. O'dd High Street fel Oxford Street yn Llunden, a dwy orsaf drene, a thair neu beder theatr."

"Fel'na mae ym mhobman. Popeth yn mynd i'r diawl."

"Ond drycha!" meddai wedi cyffroi a phwyntio at ardal yr ochr draw i'r cownter. "Maen nhw'n byta bwyd iawn draw fan'na, gyta chyllyll a ffyrc!"

Roedd e'n iawn, wrth gwrs. Roedd yna fwyty mwy ffurfiol mewn rhan arall o'r adeilad, gyda phobl yn bwyta wrth fyrddau â llieiniau, ac Eidalwyr ifainc yn gweini.

"Lecen i gael bwyd iawn, Rhys. Byse ceffyl ddim yn gallu byta'r plancyn 'ma!"

Cytunais, gan weld cyfle i fwynhau glasied o win fy hun i leddfu rhywfaint ar y drasicomedi. Fe symudon ni draw, ac wedi craffu'n hir ar y fwydlen, fe archebodd fy nhad *spaghetti bolognese*. Yn y man roedd llinynnau o basta yn hongian wrth ei grys ac yn llifo o'r plât i'r bwrdd ac o'r bwrdd i'r llawr.

Yna meddai, ar ben ei dennyn: "Myn asen i, Rhys, ma angen gradd i fyta'r bwyd 'ma. Be sy'n bod ar fwyd Cwmrâg? Pam 'se ti wedi dechre bwyty Cwmrâg, Rhys?"

"Dim o gwbl. Ond pethe gwahanol i'r arfer ma pobol yn lico pan ma'n nhw'n mynd mas i fyta. Nid y cartrefol, ond yr egsotig."

"Ie, a mynwod egsotig. I Wlad Thai ma dynon yn mynd i hwrio, yntefe? Ti ddim yn gwbod 'ny?"

"Ma hwrio ym mhob gwlad. Ma hwrio yng Nghymru. Ma hwrio yn Abertawe 'ma."

"Ti yw'r *expert*, 'wy'n gweld yn burion."

"Chi gododd y pwnc. Ta beth, ma bwyd Thai yn fwyd da ac yn fwyd iach."

"Ond beth oedd yn bod ar y bwyd o'n ni'n cael slawer dydd yn Gelli Deg? Bwyd da, maethlon: cawl, cwningen wedi'i stiwo, tatw pum munud…"

"Wrth gwrs bod e'n fwyd da. Ond rhaid i fusnes dalu'i ffordd."

"Ie, dyna ni, arian eto! Ond 'sdim rhaid i ti fecso, oes e? Nei di ddigon o arian o werthu'r tŷ, ar ôl i fi farw!"

Rhoddais fy nghyllell a'm fforc ar y bwrdd. Er mor annheg y cyhuddiad, roedd yn gyfle i fi godi'r pwnc ro'n i eisiau.

"I ddechre," dywedais gan bwysleisio fy ngeiriau, "Mrs Lipton fydd yn cael y tŷ. Hyd yn oed 'se chi'n marw fory nesa, bydde dim ond dimeiau'n sbâr. Yn ail, os bydd arian o gwbl, fe gaiff e'i rannu rhyngddo i a Megan. Dyna pam o'n i isie gofyn i chi am y tir."

"Pa dir, wir?"

"Tir Wncwl Bob. Y tir oedd yn arfer perthyn i Gelli Deg. Yn Cwm Hir."

"'Wy'n gwbod yn iawn, Rhys," meddai gan dyneru yn awr, wedi clywed yr hen eiriau cyfarwydd. "'Sdim angen i ti bregethu wrtha i am hynny."

"Iawn, ond pan beidiodd Wncwl Bob ffarmo, fe osododd y tir mas, a chi gafodd y tir ar ei ôl e. Ydw i'n iawn?"

"Siŵr o fod," meddai, yn sychu'r *spaghetti* â'i lawes.

"Ond ble ma'r dogfenne, yn y banc neu gyda Bryn, y cyfrifydd? Neu 'da chi, gartre yn Tegfan?"

"Be ti'n feddwl, dogfenne?"

"Wel, gweithredoedd y tir, a'r cytundeb rhentu."

"Sai'n gwbod am be ti'n sôn, wir."

Roedd hyn yn anodd. Weithiau byddai'r gair 'Tegfan' yn ddigon i danio llif o atgofion neu obeithion gwan. Dro arall, doedd e'n golygu dim iddo. Y peth anodda wnes i erioed oedd ei symud allan o'r tŷ a'i roi yn y cartre henoed. Digwyddodd hynny'n fuan wedi i fi ddod 'nôl o Berlin. Roedd Mam wedi marw dair blynedd ynghynt ac er nad oedd fy nhad yn gallu edrych ar ôl ei hun, roedd e'n gwrthod yn lân â chael gofalwyr. Cofiais y diwrnod olaf uffernol yna pan oedd raid i fi ei lusgo mas yn erbyn ei ewyllys. A'r gwaith wedyn o glirio'r tŷ ar gyfer tenantiaid, gan daflu oes o atgofion i focsys ac yna i'r sgip, er bod 'na ambell focs yn dal ar ôl yn yr atig.

Byddai'n rhaid i fi, felly, weld Bryn. Fe oedd wedi cymryd y cyfrifoldeb dros faterion ariannol 'y nhad. Bachan tua'r trigain â swyddfa ym Mhontardawe, dyn solet a gofalus – ond un oedd yn chwarae â bat syth, nid un i drafod taliadau cudd.

"Rhys," meddai fy nhad, â gobaith newydd yn ei lygaid. "Dyna hynny wedi'i setlo, 'te. Awn ni i weld y tir. A Gelli Deg 'run pryd. Base fe'n drip bach neis iawn."

Triais osgoi ei lygaid, a'r olwg druenus oedd arno. Ond dechreuais ystyried y posibiliadau. Gallai'r gweithredoedd fod gan Hywel Ashley wrth gwrs, er mai gan Bryn y byddai'r cytundeb, mae'n debyg. Wedyn byddai'n rhaid i fi wneud siwrne i Sir Benfro, i gwrdd â'r tenant, pwy bynnag oedd e. Byddai'n haws gwneud hynny fy hun. Neu oedd hynny'n hunanol? Er mor uffernol fyddai'r daith, a ddylen i fynd ag e ar un siwrne olaf i'w hen gartre?

Ond yna gollyngodd y pwnc, ac wedi plastro'i hun â mwy o'r *spaghetti*, meddai: "A sut mae Eira'r dyddie hyn? Sai wedi'i gweld hi ers ache."

"Mae'n iawn, mae'n ffein."

"Gest ti wraig hardd iawn yn Eira. Fuest ti'n lwcus iawn. A ble wyt ti'n byw nawr?"

Dywedais yn flinedig: "Rwy'n byw yn Abertawe nawr. Des i 'nôl 'ma i fyw."

Yna meddai, fel petai cwmwl wedi pasio heibio i gefn ei lygaid: "Wrth gwrs – fe ddest ti'n ôl. Diolch i ti, Rhys," a gafael yn dynn yn fy llaw.

"Mae'n iawn, Dad," atebais. "Ond gwell i ni fynd tua thre, rwy'n credu," ychwanegais gan gymryd un o'r napcynau a 'sgubo crys a thei yr hen foi.

"Tua thre?" dywedodd e ar fy ôl i, yn hoffi'r geiriau. "Ond rhaid i fi fynd i'r tŷ bach yn gynta. Helpa fi i godi, wnei di?"

Dyna wnes i, a'i gyfeirio at y tŷ bach. Byddai'n cymryd oes, ond o leia doedd e ddim yn rhy fusgrell i edrych ar ôl ei hun yn fan'na. Llusgodd ei draed yn araf ar draws y llawr. Cododd rhai o'r bwytawyr eu llygaid mewn chwilfrydedd. Cymerais un o'r papurau Sul o'r bwrdd yn y cyntedd. Ffliciais trwy un o'r adrannau oedd yn sôn am yr heintiau yn Affrica, gan fynd i hanner trymgwsg wedyn.

Diawch, roedd e'n cymryd 'i amser yn y tŷ bach. Oedd e mewn trafferth? Oedd e'n gallu gneud yr angenrheidiol? Beth petai e'n marw 'na? Ond cofiais am banics tebyg o'r blaen. Mae cyflymder henaint yn perthyn i blaned arall.

O'r diwedd gwelais ddrws y tŷ bach yn cilagor, a 'Nhad ar gychwyn ei saffari oddi yno i'r bwrdd. Pan gyrhaeddodd fe eisteddodd yn drwm a diolchgar yn ei sedd blastig, a wichiodd dan ei bwysau. Plygais y papur newydd, a'i roi'n ôl ar y bwrdd.

"Chi'n barod nawr?" gofynnais.

"Nagw, ddim nawr. Rhys, beth am y pwdin?"

"Pwdin? Ond diawch, chi wedi cael cinio, a *ciabatta* a mẁg o de."

"Ond 'sdim cino heb bwdin. A'r *batta* dwl 'na, 'na beth oedd syniad hanner call a chrac. Pan oedden ni'n mynd i'r Pier slawer dydd, o'n i wastad yn cael hufen iâ blas mefus ond, wrth gwrs, pwdin reis oedd y drefn yn Gelli Deg…"

Am ryw reswm fe aeth defnydd fy nhad o'r gair 'trefn' at 'y nghalon i. Roedd e'n dod o fyd trefnus, byd yr oedd ar fin ei adael, byd nad oedd yn bod ond yn ei feddwl. Galwais ar un o'r gweinyddesau ifanc, Eidalaidd ac archebu *strawberry sundae* iddo fe a brandi i fi.

*   *   *

Wedi cael ei wala o basta a hufen iâ, roedd fy nhad mewn trymgwsg wrth fy ochr wrth inni yrru'n ôl i'r Wide Horizons. Troais i'r chwith fel arfer wrth arwydd y Little Chef, gan gofio am y ferch Gymreigaidd fu'n gweini arna i wythnos yn ôl. Byr fu ein sgwrs bryd hynny gan nad o'n i wedi meddwl dim ar y pryd am arwyddocâd y jîp yna a dorrodd i lawr ar y draffordd. Ond nawr ro'n i am gadarnhad o *conspiracy theories* Tante Gertrud, yn ogystal â fy amheuon fy hun.

Wedi gadael fy nhad yn ôl yng ngofal Mrs Lipton, penderfynais daro'n ôl i mewn i'r garej yna. Roedd hi'n gynt yn y nos na'r tro diwethaf, ond wedi parcio'r Audi ar ymyl y cwrt sylwais mai'r un ferch oedd yno. Cerddais i mewn i'r siop wedi cydio mewn can o olew.

"Dim ond can rwy moyn tro 'ma. Yr injan yn heneiddio erbyn hyn."

"'Wy'n synnu," meddai, gan fy nabod. "O'n i'n meddwl bod injans Audi yn para am byth."

"Gwell bod yn saff, yntefe. Chi'n cofio chi'n sôn tro dwetha am y jîp yna dorrodd lawr sbel yn ôl?"

"Ond ffrind fi oedd yn y garej, nage fi, y nosweth 'ny."

"Ie, rwy'n gwbod hynny. Nawr, wedoch chi iddyn nhw fynd â'r jîp i'r garej lawr yr hewl, garej â'r enw Evans."

"Ie, nhw ddaeth i'w nôl e, yn un o'u *transporters*."

"Chi'n gwbod be ddigwyddodd wedyn? Nethon nhw drwsio'r jîp? Neu ddaeth y fyddin i'w nôl e?"

"Allwch chi weud 'na 'to!" meddai'r ferch. "Dethon nhw â *helicopter* i'w bigo fe lan."

"Be, Chinook?"

"'Sda fi ddim cliw, ond medde ffrind fi bod 'na dipyn o le 'na, a bod 'na geir heddlu ac ambiwlans hefyd yn mynd a dod cyn i'r *helicopter* fynd 'nôl."

"Ambiwlans?"

"'Na beth wedodd fy ffrind."

"Welodd eich ffrind chi hyn yn digwydd?"

"Na, clywed wnath hi oddi wrth staff y garej. A wedodd hi bod y garej yn hapus iawn â be gethon nhw gyda'r Americans am ddim ond cludo'r jîp o'r M4 – wel, biti hanner milltir, yntefe?"

"A tua pryd digwyddodd hyn i gyd?"

"'Da fi ddim syniad, ond go gynnar yn y bore, siŵr o fod."

"Ond pa amser o'r flwyddyn? Dechre'r flwyddyn meddech chi. Alle hi fod yn Sadwrn ola Ionawr?"

"Sai'n siŵr, ond biti'r amser 'ny, 'sbo."

"Chi wedi dweud digon, diolch yn fawr i chi. Ac fe bryna i lwyth o betrol tro nesa."

"Pidwch poeni dim, nage fi sy'n cal y proffits."

Yna stopiais am eiliad. Cofiais yn sydyn am rywbeth ddywedodd Elin neithiwr. Fe soniodd hi – mewn brawddeg ffwrdd-â-hi – am ryw foddi arall yn y Marina, rhywbeth roedd hi newydd ddarllen amdano yn y papur. Troais yn ôl at y ferch a gofyn: "Chi ddim yn digwydd gwerthu'r *Evening Post*? Un ddoe?"

"Mae rhai ddoe wedi'u bwndelo yn y cefen, yn barod i fynd 'nôl."

"Dim siawns allech chi ddwyn copi i fi?"

"Maen nhw wedi'u cyfri, chi'n gwbod."

Rhoddais bapur pumpunt ar y cownter. "At yr achos."

"Diolch, basen nhw byth yn gweld eisie un copi…"

Gwenodd yn gynnes wrth imi ffarwelio â hi a mynd 'nôl at yr Audi â'r papur yn fy llaw. Do'n i ddim yn siŵr ai yn y rhifyn yna roedd y stori, ond do'n i ddim yn trystio'r archif gwe erbyn hyn. Beth bynnag, gan roi'r mater allan o fy meddwl, tynnais allan i'r lôn allanol a gwasgu'r sbardun gan adael i'r traffig ar y lôn gyferbyn ddod lan ata i, eu goleuadau dwbl yn fflachio fel llygaid *cheetahs* yn y nos.

10: Y Marina

AGORAIS DDRWS y lolfa a gweld lleuad lawn yn hongian uwchben y Marina, a chwlwm o wlân cotwm yn nofio o'i blaen. Safais am eiliad yn y ffenest, wedi fy nal gan yr olygfa ddieithr a hudol. Hongiais fy siaced ledr a nôl Dannemann o'r *humidor*. Ro'n i'n arfer eu prynu nhw yn yr hen siop *tabac* ar y sgwâr yn y Bayerischer Platz, lle ro'n i'n byw, er mwyn cefnogi'r hen Iddew oedd yn cadw'r lle i fynd, ond cewch chi nhw'n rhatach ar y we erbyn hyn.

Pwysais yn erbyn y rheilen ar y balconi gan edrych i lawr ar y cychod a'r lampau ar y ceiau, eu hadlewyrchiadau'n crynu yn y dŵr tywyll. Draw yn y pellter roedd rhimyn o fôr yn pefrio'n arian dan olau'r lleuad. Yn agosach yma roedd goleuadau gwesty'r Marriott a thŵr y Meridian yn creu patrymau o sgwariau bach melyn. Sylwais fod llawer o ffenestri'r tŵr yn dywyll: roedd pobl wedi'i gwân hi ar ôl talu eu hernesau a gwneud y syms.

Cofiais am y taflenni sgleiniog ges i gan yr arwerthwyr bedair blynedd yn ôl yn canmol y *new, dynamic lifestyle quarter*. Ble roedd y *buzz*, y bistros, y bywyd, y bariau? Doedd dim byd Berlinaidd am yr ochr yma i'r Marina, dim bywyd stryd, dim byrddau ar y palmant, dim pobl brydferth yn cerdded heibio. Ond roedd yna un bar mawr, y Quayside, yn pefrio ar y dde i fi, ei fylbiau amryliw yn hongian dan y bondo fel coeden Nadolig. Dyna'r bar ddenodd John Harries i'w farwolaeth. Nid ar y bar oedd y bai, ond nid er mwyn hyn y dewisais i ddod i'r Marina.

Caeais y ffenest Ffrengig ac eistedd ar y soffa gyferbyn â llun mawr dyfrlliw Rocco. Fe'i paentiodd o risiau'r Seglerhaus ryw bnawn o haf, flynyddoedd yn ôl: llun gwyllt, argraffiadol yn sblashio o las a melyn. Yn rhywle yn y canol mae yna linell denau ddu fel matsien gam: dyna'r hwylbren, yn gwyro i lawr o dan yr elfennau. Ac odano yn rhywle, yn anweledig, ro'n i'n dychmygu Rocco, yn torri'i gwys ei hun yn y gwynt a'r tonnau a'r storm.

Dyna wnaeth e wrth fynd i Mykonos: dewis braidd yn well na Marina Abertawe. Ro'n i'n gyfarwydd â'r ynys hynod dwristaidd a phoblogaidd ymhlith hoywon. Sylwais ar hynny pan es i draw yno gydag Ursula, fy ail wraig, sawl blwyddyn yn ôl. Cawson ni amser da yn crwydro o un *piano bar* i'r llall ymhlith y bobl brydferth, ac yn diogi yn y caffes traeth bob pnawn tra oedd yr hoywon yn eu thongs yn chwarae pêl-foli ar y tywod.

Rhyw fachgen ifanc aeth â hi oddi wrtha i yn y diwedd. Nid un o hoywon Mykonos ond Berlinwr â *designer stubble*. Roedd e'n un o'r criw o'r cwmni PR oedd yn mynd bob gaeaf i fila yng ngogledd Cyprus. Mynnai Ursula ei bod hi'n diodde o SAD ac, yn wir, roedd ganddi wendid am yr haul fel mae gan eraill wendid am y lleuad. Roedd hi'n fenyw hyderus, ddinesig ond roedden ni'n rhy wahanol. Neu efallai ddim yn ddigon gwahanol, fel roedd Rocco a fi.

Roedd golau'r lleuad yn taro gwaelod llun Rocco ac yn taflu rhyw wawl annaearol arno gan ei wneud yn fwy gwallgo a dienaid. Arllwysais chwisgi i fi fy hun ar ben iâ o'r ffridj a mynd yn ôl at y soffa, yn dal yn methu tynnu fy llygaid oddi wrth y ffigwr anweledig yn y llun. Wrth flasu'r Penderyn, cododd ton o eiddigedd yn fy mol, fel cyfog.

*   *   *

Cydiais yn y copi o'r *Evening Post* roedd y ferch yn y garej wedi'i achub i fi. Ffliciais trwy'r tudalennau ac, yn wir, yno roedd y stori, o dan y teitl *Swansea Docks Suicide Shock*. Wrth ddechrau darllen yr hanes, ces i deimlad rhyfedd o *déjà vu*, fel 'sen i'n gwybod ymlaen llaw 'mod i'n mynd i ddarllen rhywbeth uffernol. Ac roedd e, hefyd: merch o Townhill wedi taflu'i hunan dros y bont grog sy'n croesi afon Tawe, a hithau'n disgwyl plentyn ers pum mis oed, a HIV arno. Roedd wedi trio lladd ei hunan o'r blaen â *barbiturates*, ac wedi gadael nodyn yn ei stafell. Y fath lwyth o drasiedi mewn ychydig baragraffau.

Ond, yn wahanol i John Harries, doedd dim rhaid i hon farw. Gwyddwn fel cemegydd bod 'na gyffuriau ar gael ar gyfer *embryos* â HIV. A pheth blêr, wedyn, yw hunanladdiad aflwyddiannus. Does dim rhaid iddo fod felly. Roedd Tante Gertrud wedi gofyn i fi roi ffiol iddi o goctel cemegol arbennig iddi, rhag ofn y deuai rhyw Armageddon neu anabledd personol gwael, mae'n debyg. Ac fe gytunais.

Doedd yr adroddiad ddim yn dweud a fu'r ferch yma, Kylie Marshall, mewn ysbyty wedi'i hymgais gyntaf. Ond mae 'na sgil-effeithiau seicolegol yn ogystal â chorfforol i drio lladd eich hun. Duw a ŵyr pa feddyliau oedd yn mynd trwy ben hon a beth a'i gwnaeth hi mor benderfynol o wneud hynny, y weithred dristaf yn y byd. Yna darllenais y nodyn a sgrifennodd: *Cant take no more and gonna do it right this time. So sorry Mum and Dad for letting u down. I luv u foreva and Ill be happy when Im outta this and I hope he burns in hell, that Yankee scum that raped me.*

Collodd fy nghalon guriad wrth weld y gair 'Yankee'. Felly pryd ddigwyddodd e? Os oedd hi'n disgwyl ers pum mis, yna rhaid bod yr ymosodiad wedi digwydd ddiwedd Ionawr neu ddechrau Chwefror, sef yr un pryd ag y boddodd John Harries...

Darllenais weddill yr adroddiad yn frysiog. Dywedwyd i Kylie gwrdd â rhywun yng nghlwb nos yr Oceana ar y Kingsway ond dim mwy. Felly cyfrifoldeb Kylie oedd popeth a ddigwyddodd. Does dim byd anghyfreithlon mewn cael rhyw ar nos Sadwrn yn Abertawe; yn wir, mae'n fwy tebyg o fod yn anghyfreithlon i beidio'i gael e. Ond y gair yna, *raped*. Os cafodd hi ei threisio go iawn, pam nad aeth hi at yr heddlu? Ond eto, os diflannodd y boi, sut gallai hi ei gyhuddo? A ffodd ef yn yr un jîp â'r ddau ddyn a laddodd John Harries?

Plygais y papur. Damcaniaethu ro'n i, wrth gwrs. Gallai'r Ianc yna fod yn rhywun gwahanol. Ond roedd y cwestiwn yn codi: faint o filwyr aeth ar chwâl y noson honno yn Abertawe, a faint o lanast wnaethon nhw? O'n i nawr yr un mor euog o greu damcaniaethau *conspiracy* â Tante Gertrud? Roedd arna i angen barn rhywun hollol annibynnol, rhywun deallus heb agenda wleidyddol. A daeth yr enw i fi'n syth: yr un a soniodd wrtha i gyntaf am yr ail foddi – Elin Ashley.

Oedd hyn yn ddoeth? Penderfynais gysgu ar y peth. Wedi'r cyfan, doedd e'n ddim i fi, beth bynnag ddigwyddodd y nos Sadwrn yna yn Ionawr. Ai mater o dawelu'r meddwl oedd e, o fodloni chwilfrydedd personol? Do'n i ddim yn deall fy nghymhellion fy hun, a dyna'r prif reswm dros oedi a chael ail farn.

*   *   *

Rhois y creision Apple & Cinnamon Crunch 'nôl yn y cwpwrdd a thaflu'r blwch sudd oren Tesco, *juicy bits, not from concentrate*, i'r bin ailgylchu. Ro'n i wedi trio – ond hyd yma, wedi methu – deall system Dyddiau Pinc a Dyddiau Gwyrdd Cyngor Abertawe.

Es i'n ôl i'r lolfa gan baratoi i ymosod ar y tasgau ro'n i wedi'u gohirio tan y bore. Yr un gyntaf oedd ffonio Sheena. Fe welwn i André nos yfory, yn y bwyty, ar ôl ei shifft. Byddai'r bastard bach yn siŵr o'i amddiffyn ei hunan i'r carn, ond fyddai Sheena ddim haws chwaith.

Ro'n i'n siŵr y byddai ein cyfarfod nesaf yn wahanol iawn i'r un diwethaf gawson ni yn y stafell hon, flwyddyn yn ôl, pan 'gyfwelais' i Sheena ar gyfer y swydd. Â'i gwallt du yn gwch gwenyn fel Amy Winehouse am ei phen, tshaeniau yn swingio o'i chlustiau a'i dwygoes hirbleth yn gwthio'i sgert fer lan at ei thin, gallai fy nhrin fel pwti. Fu 'na ddim cyfweliad, wrth gwrs. Gan drio gwthio'r atgof o'm meddwl, ffoniais ei rhif ond doedd 'na ddim ateb. Gadewais neges yn dweud y byddwn yn galw yn ei chartre am chwech o'r gloch oni chlywn i'n wahanol ganddi.

Nawr gallwn droi at fater arall: Elin Ashley. A ddylen i ei ffonio? Ar y naill law, roedd ganddi radd yn y gyfraith ac roedd hi'n ddeallus ac yn gŵl. Byddai'n gwybod am bethau fel yr hawl i weld recordiadau CCTV ac adroddiadau crwner. Ar y llaw arall, oedd 'na berygl iddi gamddehongli'r alwad? Onid oedd hi braidd yn fuan i fi gysylltu â hi?

Es o'r gegin i mewn i'r lolfa ac estyn fy siaced oddi ar y bachyn. Oedd, roedd ei cherdyn yn dal yno, â'i rhifau swyddfa a phersonol.

O'n i'n chwilio am esgus i'w ffonio? Beth oedd yna i'w wybod, ta beth? Yn achos John Harries, dim ond bod rhyw gyrff cyhoeddus neu gudd yn cuddio'u traciau. Be sy'n fwy cyffredin na dileu ffeiliau a shredio gwybodaeth am gamgymeriadau trychinebus neu wariant anghyfrifol a phrosiectau marw-anedig? Wedi oes yn y byd *pharma,* fe wyddwn i rywfaint am y sgiliau tywyll. Ond hyd yn oed os cawn gadarnhad o'r cyfan hynny, faint gwell fasen i?

Pam na allen i ollwng y cyfan? Ai'r atgof yna oedd yn dal i 'mhoeni o'r noson yna ym mis Ionawr, fel petai gwaedd olaf John Harries yn ymbil am ateb gan rywun oedd yn dal ar dir y byw? Neu'r ffaith ei fod e'n hoyw, fel fy ffrind, Rocco, neu'n dod o Gwm Tawe? Es allan i'r haul gyda'm paned o goffi. Roedd yr iPhone yn fy mhoced a cherdyn Elin Ashley yn fy llaw. Onid o'n i'n gwneud môr a mynydd o rywbeth digon syml? Safiais ei rhifau i'r peiriant, a galw'i rhif personol.

"Helô, Elin Ashley," atebodd yn sych.

Suddodd fy hwyliau wrth glywed y llais, a'r gair 'Ashley' yna

yn arbennig, ond roedd yn rhy hwyr i dynnu'n ôl. Es ymlaen:
"Rhys yma, Rhys John. Iawn i siarad?"

"Rhys! Dyna syrpréis neis!"

"Neb gyda ti?"

"Gen i apwyntiad am ddeg ond dwi'n rhydd tan hynny."

"Mae hyn yn anodd…"

"Dwi'n dallt," meddai yn ei llais hysgi.

"Wel, anodd yn yr ystyr bo 'da fi ddim job i ti, dim byd *billable*…"

"Paid â phoeni am hynny. Ddim am y pres dwi'n gweithio, dim go iawn…"

"Yn gwmws fel fi, felly," jociais. "Ond eisie dy gyngor ydw i, fel cyfreithwraig – ond nid cyngor ffurfiol chwaith. Jyst barn bersonol, bant o'r record. Nawr, mae hyn yn fater braidd yn anodd i'w drafod dros y ffôn…"

"Ond does 'na ddim problem ynglŷn â hynny, oes 'na?" meddai'n gynnes.

"Ti'n cofio ti'n digwydd sôn nos Sadwrn am ryw ferch foddodd yn y Marina'n ddiweddar iawn?"

"Ydw, newydd ddarllan amdano fo yn y papur oeddwn i."

"Wel, nid hi yw'r unig un. Mae 'na fwy na hynny. Mae 'na achos arall, achos o foddi ddigwyddodd jyst o dan fy fflat, fel y sonies i, ond nid boddi damweiniol oedd e…"

"Dwi'n gweld…"

"Nawr, does 'da fi ddim byd i'w wneud â hyn i gyd, ac rwy'n trio anwybyddu y pethe 'ma sy'n digwydd… ond licen i jyst gael barn annibynnol, dyna i gyd."

"Wel, mi alla i roi hynny i chdi, â chroeso."

"Ac fel un sy'n deall y gyfraith, falle baset ti'n gallu rhoi cyngor ar bethe fel yr hawl i weld recordiadau CCTV. Yn un o'r achosion, does 'na ddim ar gael…"

"OK, Rhys," meddai'n bwyllog. "Ond rhaid i chdi ddallt: dwi'n addo dim. Nid Miss Marple ydw i. Ond mi fyddai'n ddifyr cael sgwrs efo chdi p'run bynnag. Jyst d'wad ble a phryd. Ddim yn y swyddfa 'ma, rhywla arall…"

"Bar tawel, canol y dre falle?"

"Oes 'na'r fath beth, d'wad?"

"Base'n haws dros bryd o fwyd. Gallen ni gwrdd yn rhywle hwylus, a symud ymlaen…"

"Syniad da. Be am y George, ar Walter Road?"

"Neu'r Brunswick?" dywedais gan awgrymu tafarn gyfagos mewn heol gefn.

"Iawn," meddai. "Pa mor fuan?"

"Wythnos yma'n anodd i fi achos probleme staff. Fase wythnos nesa'n bosib i ti, nos Fawrth? Tua chwech o'r gloch, i arbed i ti ddod 'nôl mewn i'r dre?"

"'Sgin i ddim problam efo dŵad i mewn yn hwyrach, 'sti."

"Y Brunswick, hanner awr wedi saith 'te. Fe gadwa i fwrdd yn rhywle ar gyfer wedyn."

"Dwi'n edrach ymlaen, wir, Rhys."

Diffoddais y ffôn, yn llawn ansicrwydd. O'n i wedi gwneud diawl o gamsyniad? Sut yn y byd y trodd y syniad o gael cyngor cyfreithiol yn wahoddiad i noson mas ar y dre â gwraig Hywel Ashley? Nid ei bod hi'n briod oedd y broblem, ond ei bod hi'n briod â Hywel Ashley.

11: Sandfields

D O'N I DDIM yn mynd i risgio gadael yr Audi yn y Sandfields,
yr ardal o dai teras rhwng Heol San Helen a'r môr. Roedden
ni'n dod yma slawer dydd ar nos Sadwrn, gan ymddwyn fel
dynion mawr yn y tafarnau bach moel a garw, cyn troi am y
Kingsway a'r clybiau nos. Wrth gwrs, roedd 'na dafarnau bach
moel a garw yng Nghlydach hefyd, ond yn y rheini roedden
nhw'n gwybod ein hoedran ac yn nabod ein tadau.

Bydden ni'n mynd yn hy at y bar ac yn codi rownd o Double
Diamond cyn cael gêm o ddarts neu pŵl. Ond yn gyntaf bydden
ni'n rhoi 'Daydream Believer' ar y blwch jiwc, neu 'Get Back' y
Beatles, neu'r 'Age of Aquarius' hyd yn oed – ie, dyna pa mor
bell yn ôl oedd hi. A doedden ni ddim wastad yn plesio yfwyr
caled a phlwyfol y tafarnau hyn, yr oedd eu ffin genedlaethol yn
rhedeg trwy Heol San Helen. Os oeddech chi'n dod o Glydach,
do'ch chi ddim gwell na dyn du. Eto, roedd 'na Ddreigiau Coch
yn addurno'r bariau, a sgarffiau du a gwyn y Swans, a lluniau o
Ivor Allchurch a John Charles a Trevor Ford.

Cerddais gyda glan y traeth cyn troi i'r dde a chwilio am stryd
a rhif tŷ Sheena. Roedd 'na Toyota Land Cruiser 4x4 du yn sefyll
y tu fas a thusw o ddisiau ffwr yn hongian o'r drych a darnau
o groen llewpart wedi'u taflu dros y seddi. Canais y gloch *two-
tone* a daeth Sheena i'r drws mewn crys-T gwyn, tyn *Frankie Say
Relax,* y llythrennau'n donnau ar ei bronnau.

Diawch, onid dyna'r slogan ar grysau'r ddau foi yna
ddiflannodd o'r Quayside y noson y lladdwyd John Harries?
Aflonyddodd hynny fi am eiliad, gan adael rhyw deimlad o
fusnes heb ei orffen. Dilynais Sheena i'r lolfa, ei phersawr yn

saethu i 'mhenglog, ac ro'n i'n falch o suddo i'r soffa siâp-L wrth iddi baratoi coffi.

Gorweddai ci Alsatian yn llonydd ar y mat gwyn, gwlanog o flaen y tân nwy effaith-glo. Roedd plentyn yn chwarae gêm rasio ceir o flaen y set deledu HD gan gynhyrchu gwichiadau electronig wrth chwifio'r ddolen Wii yn ffyrnig i'r awyr.

"Roman, cer lan i dy stafell!" gorchmynnodd Sheena wrth ddychwelyd â hambwrdd o goffi. Fe'i gosododd ar y bwrdd gwydr tywyll ac arllwys paned i'r ddau ohonom, ei bysedd modrwyog ar ddolen y *cafetière*. Yna eisteddodd gyferbyn â fi, ei dwylo hirion wedi'u plethu'n ddisgwylgar dros ei phengliniau perffaith.

"Ie, nos Sadwrn," dechreuais, yn trio osgoi edrych ar y slogan du a gwyn. "Haloch chi negeseuon hyll iawn ata i…"

"Mae'r dyn yna'n *creepy* ac mae'n gneud 'y mhen i mewn."

"Ond be ddigwyddodd?"

"Wedes i wrthoch chi: roedd e'n gwrthod gneud y *dupes*. Roedd e'n dweud 'Not on the menu' a diflannu 'nôl mewn i'r gegin."

"Felly ni'n sôn am gwsmeriaid yn gofyn am rywbeth arbennig?"

"Na, dim ond pethau syml fel tynnu mas y *prawns*."

"Felly beth nethoch chi?"

"Galw Suzy."

"A beth nath hi?"

"Gweud bo rhaid iddo fe, wrth gwrs."

"Rwy'n falch o glywed hynny."

"Jyst i sbeitio fi oedd e i gyd. Y *smirk* yna ar 'i wyneb sy'n fy lladd i. A sai'n mynd i odde mwy ohono fe, Rhys."

"Ond roeddech chi'n arfer dod 'mlaen."

"Tries i ei anwybyddu e yn y dechre. Ro'n i'n mwynhau'r gwaith, chi'n gweld. O'n i'n lico'r *buzz*, lico'r Mwmbwls, ond mae'r blas wedi mynd nawr."

"Felly be ddigwyddodd wedyn?"

"Roedd yna fwrdd o bedwar, a dau ohonyn nhw wedi ordro cyrri Panang. I fod yn onest, sai'n siŵr beth oedd yn bod ar y cyrri, ai'n rhy gryf neu ddim yn iawn mewn rhyw ffordd. Es i â'r dysgle 'nôl ond wrthododd e ail-wneud nhw ac fe gynigiodd Suzy dynnu'r cyrris mas o'r bil. Ond do'n nhw ddim yn hapus â hynny ac wedi tipyn o halibalŵ fe gerddon nhw mas."

"Rwy'n gweld."

"A dywedodd un ohonyn nhw'n uchel dros y bwyty, 'Dyw'r blydi lle yma ddim mwy Thai na Joe's Ice Cream Parlour.'"

"Cystal ein bod ni wedi'u colli nhw," atebais gan deimlo'r ergyd yn fy stumog, a chymryd llwnc o'r coffi.

"Ac mae 'na bethe eraill. Chi bant o hyd a 'sda chi ddim cliw be sy'n mynd 'mlaen. Mae'r bwyd mae e'n mynd gatre 'da fe, wel, gallech chi fwydo hanner Affrica 'dag e…"

"Ni'n deall ein gilydd ar hyn, Sheena. Fe sy'n archebu bwyd ac mae 'da fe hawl i fynd â bwyd dros ben adre."

"Peidiwch â gneud i fi chwerthin. Wedyn ei arferion personol. Dy'n nhw ddim yn neis iawn, ydyn nhw?"

"Alla i ddim dweud 'mod i wedi sylwi…"

"Mae'r ffordd mae'n gwthio yn fy erbyn i weithiau, mae e'n *sexual harrassment.*"

"Mae angen bach o synnwyr cyffredin gyda stwff fel hyn…"

"Petai yna achos o *sexual harrassment*, byddech chi 'mla'n hefyd fel cyflogwr."

Caeais fy llygaid am eiliad, fy nghydymdeimlad am y tro gydag André.

"Y gwir yw," aeth Sheena ymlaen, "mae 'na sawl peth am y dyn sy'n ddrwg i'ch busnes chi, a gorau po gynta cewch chi wared ag e."

"Nawr, un peth ar y tro. Fe wela i e fory, ar ôl gwaith, i drafod y cwynion ynglŷn â nos Sadwrn yn benodol."

"Ie, ac wedyn?"

"Os na fydda i'n hapus gyda'i eglurhad, bydda i'n rhoi rhybudd ffurfiol iddo fe."

"*Honestly*, Rhys," meddai, "chi'n meddwl gneith hynny *flying fart* o wahaniaeth?"

Tra o'n i'n meddwl am ateb, gwaeddodd Sheena: "Darren!"

Do'n i ddim wedi sylweddoli bod 'na rywun yn y gegin. Dywedais: "Mae hyn yn fater rhyngoch chi a fi. Does dim angen dod â neb arall mewn i hyn."

"Ond mae hyn yn effeithio arno fe. Mae e'n byw 'da fi."

"Ond o'n i'n meddwl bo chi'n byw ar ben eich hunan."

"Wnes i erioed ddweud 'mod i."

"Ond o'n i'n deall bo chi'n fam sengl, a taw dyna pam o'ch chi'n cael probleme gwarchod ac yn methu dod mewn. A dweud y gwir, ro'n i wedi bwriadu trafod hynny 'da chi cyn y trafferthion nos Sadwrn."

"Dwi *yn* fam sengl. 'Smo ni'n briod. Fi sy'n rhedeg y tŷ 'ma, yn talu'r biliau, yn mynd â'r plant i bobman, yn gneud y siopa ac yn nôl y *benefits*."

"Benefits?"

"Ie, *benefits*," atebodd yn heriol.

"Felly ddyle gwarchod ddim bod yn broblem?"

"Petai gwarchod yn broblem, 'sen i heb gymryd y job. Alla i handlo pedair noson yr wythnos yn iawn. Wrth gwrs, mae pethe'n codi weithie, alla i mo'r help am hynny. Darren!"

"Chi rwy'n gyflogi," dywedais eto'n bendant. "Nid fe."

"Ond dylech chi gwrdd," meddai gan godi. "Fe yw tad Roman, chi'n gweld. Mae'n gweithio'n iawn. Fe mas yn y dydd, fi yn y nos. Mae'n gweithio ar seit adeiladu yn SA1 nawr ond chi'n gwbod, gwaith ar gontract…"

Yna daeth dyn ifanc penfoel i'r stafell yn gwisgo hen *jeans* a chrys-T du. Safodd yn y bwlch i'r gegin, ei goesau ar led, ei freichiau ymhleth. Ar y rheini, roedd tatŵ Jack Army mewn llythrennau Gothig glas tywyll.

"Trwbwl, Sheen?"

"Na, jyst eisie ti gwrdd â Rhys, fy nghyflogwr. Chi ddim wedi cwrdd o'r blaen, y'ch chi?"

Edrychodd arna i fel 'sen i'n ddyn darllen *meters* nwy, a dweud: "Ond ti'n OK, Sheen? Dim trwbwl?"

"Na, dim trwbwl."

"So chi wedi sortio'r *fucking* Arab 'na mas?"

"Mae Rhys yn deall y sefyllfa."

"Dyw e ddim yn iawn, be sy'n mynd ymlaen yn eich caffe chi. Rhaid i chi gael gwared ag e, mêt," meddai Darren, yn dal i sefyll yn y bwlch fel petai'n ei amddiffyn rhag y Viet Cong. "Os na fyddwch chi'n sortio'r broblem, bydd raid i rywun arall wneud."

"A be chi'n feddwl wrth hynny?"

"Ni'n gwbod ble mae'r *scum* yna'n byw – ar y ffrynt."

Llyncais fy mhoer. "Ga i'ch deall chi'n iawn. Ydi hwnna'n fygythiad?"

"Dwi'n bygwth neb, *butty*. Dwi'n *easy-going* fy hun, dyna'r teip ydw i. Jyst gobeithio na fydd pethe'n troi'n gas, yntê. Bob tro mae Sheena'n dod gartre, mae rhywbeth wedi digwydd. Mae'r dyn yna'n *perv*, ac mae e'n *fucking Muslim*."

"Mae hanner y byd yn Fwslemiaid. A ta beth, sut y'ch chi'n gwybod ei fod e'n un?"

"Maen nhw'n prynu'r *fucking* eglwys yn Heol San Helen, chi'n gwybod 'ny? Maen nhw'n mynd i'w droi e mewn i *fucking* mosg."

"'Sda fi ddim syniad am be chi'n sôn."

"Yr eglwys gyferbyn â'r *fucking* mosg," meddai, yn codi ei lais. "A *Muslims*, maen nhw'n *terrorists* hefyd. Mae'n rhaid bo chi'n gwybod hynny?"

"Mae pobl math o bobl yn *terrorists,* nid dim ond Mwslemiaid."

Edrychais draw at Sheena ond roedd hi'n syllu i'r gwacter

o'i blaen gan eistedd fel cerflun llonydd ac angylaidd gyferbyn â fi, ei breichiau ymhleth o dan y slogan dwbl-bwyntiog, *Frankie Say Relax*. Yna dywedodd yn felys: "Dwi'n meddwl, Darren, fod Rhys wedi cael y neges. Mae'n mynd i siarad ag André fory. Dwi'n siŵr bod e'n awyddus i osgoi sefyllfa hyll."

Edrychais draw ati gan obeithio bod ei geiriau'n arwydd bod y ffars yma'n dod i ben, ond doedd Darren ddim wedi gorffen.

"Yeah," meddai, yn ymlacio nawr. "Mae hi'n *fucking* deniadol, on'd yw hi?"

Ro'n i'n mynd i godi a gadael, ond aeth ymlaen: "Chi ddim yn cytuno, mêt? Hi yw'r *waitress* mwya *fucking* deniadol yn Abertawe. Mae'n dod â'r *punters* mewn i'ch caffe chi. Chi'n blydi lwcus i'w chael hi, am yr arian chi'n talu... so ti'n iawn, Sheen?"

"Ydw, Dar."

Eisteddais 'nôl, yn ddiawledig o falch o weld cefn y bastard penfoel yn swagro'n ôl i'r gegin, ei goesau ar led fel petai newydd saethu cowboi mewn salŵn a mwg yn codi o'i din. Ond roedd ofn gwirioneddol wedi cydio yn fy ngyts. Bastards fel'na sy'n lladd Mwslemiaid yn Abertawe yn eu cwrw, fel yr un gafodd hi o flaen y Wetherspoon's ar y Kingsway dro yn ôl.

"Mwy o goffi, Rhys?" meddai Sheena fel tryffl yn toddi.

"Dim diolch. Ddes i ddim yma i gael fy nhrin fel cachu."

"Dwi'n cael un fy hun, beth bynnag," meddai Sheena gan arllwys coffi o'r *cafetière*. Yna meddai mewn llais isel: "Fe" – gan bwyntio â'i ben at y gegin – "yn gallu bod yn anodd weithie. Mynd i weld y Swans pnawn dydd Sadwrn os ma nhw'n chwarae gatre. Ond lico'i beint, chi'n deall?"

"Rwy'n gweld..."

"Nid bai fi yw e, chi'n deall? Mae e'n gweithio'n galed hefyd, a ni'n dod i ben rywsut."

"Sheena, sai eisie gwybod pam y'ch chi'n methu dod mewn. Gorfes i ganslo swper mas nos Sadwrn dwetha. Mae 'da fi fywyd personol, credwch neu beidio. A wnewch chi fy ffonio tro nesa, nid anfon neges destun?"

"Iawn, ond ro'n i mewn panic wedi'r ddamwain, ac yn gorfod rasio draw i Dreforys."

"Ond wrth gwrs, anghofiais i, roedd 'na ddamwain," dywedais yn sarcastig.

"Oedd, roedd plentyn wedi ei anafu, ac yn gorfod cael triniaeth yn yr A&E."

Gwir neu beidio, do'n i ddim yn mynd i'w threchu, ond do'n i ddim yn mynd i adael heb godi'r mater yr oedd André wedi'i blannu yn fy mhen.

"'Da fi un cwestiwn olaf," dywedais.

"Ewch ymlaen…"

"Oes 'da chi job arall, Sheena?"

"Oes," meddai'n gyflym. "Rwy weithiau'n helpu mas yn y Marriott. *Night reception*. Maen nhw'n ffonio fi pan maen nhw'n brin. Ydi hynny'n broblem?"

"Na 'di."

"Fel chi'n gwybod, sydd bedair noson sy gen i yn y bwyty, a basen i'n hoffi parhau i weithio i chi."

"Wela i chi nos Fercher, felly. Bydda i wedi siarad ag André. "

Yn awr pwysodd Sheena yn ôl yn ei sedd a blincio'i llygaid mawr, amrannog arnaf, a dweud: "Ga i ddweud hyn? Chi'n ddyn neis, Rhys, ond yn fos gwan. Dwi wastad wedi lico'r Secret Garden, y *buzz*, y bobol, y Mwmbwls, yn arbennig nawr yn yr haf. 'Da chi fusnes da, peidiwch sbwylio fe…"

"Rwy'n gneud be alla i, ond sai'n cymryd fy mygwth, ti'n deall?"

"Darren yw Darren, dyna'i ffordd e. Dwi'n gwybod y gwnewch chi'r peth iawn, Rhys."

Cymerais y cyfle i godi ac yna cododd hi a sefyll yn dalsyth yn y cyntedd a gwenu'n felys wrth imi ei phasio hi yn ei chrys tyn. Llwyddais i beidio brwsio'n erbyn ei dwyfron ond bwrodd ei phersawr fi eto a chollais gam wrth groesi'r rhiniog, gan besychu am awyr y nos.

Cerddais yn gyflym i lawr y strydoedd teras tua'r môr. Roedd hi'n dywyll erbyn hyn, a golau glasoer y teledu yn fflico o'r stafelloedd blaen. Ar waelod y stryd roedd yr Abertawe Alehouse. Doedd neb y tu mewn yna, ond roedd poster yn y ffenest: *Coming Attraction. This Saturday, Mitzi & Dave, Dynamic Vocal Duo.* Rhaid i fi gofio dweud wrthyn nhw am bâr arall deinamig, meddyliais: Sheena & Darren.

12: André

Yn flin fy hwyliau, neidiais i mewn i'r Audi. Roedd hi'n wyth o'r gloch ar nos Fawrth ac unwaith eto ro'n i'n anelu at y Mwmbwls, nid i helpu yn y bwyty y tro hwn ond i ddisgyblu André. Byddai'n lot o hwyl. Gofynnais i fi fy hun: sut daeth hi i hyn? Sut ddiawl ces i 'nal yn y siswrn yma rhwng André a Sheena? Sut 'mod i'n gwastraffu oriau prin fy ymddeoliad ar y fath sbwriel? Wrth yrru ar hyd yr arfordir, cofiais am y ddwy flynedd yna o ryddid ges i wedi dychwelyd i Abertawe, oedd yn teimlo mor bell yn ôl erbyn hyn. Beth oedd ar fy mhen i, i ddod â'r bywyd yna i ben, oedd mor braf a dibroblem?

Mae'n wir, ro'n i'n chwilio am her ar y pryd, a Frank blannodd syniad y bwyty yn fy mhen. Roedd e'n ddyn busnes lliwgar, a deryn bar, yn byw 'da merch Thai bert iawn o'r enw Kikki. Roedd e wedi gweld tipyn o'r byd, ac fel fi, roedd 'da fe gwch yn y Marina yr oedd e'n rhy brysur i'w ddefnyddio.

Wrth yrru heibio i Blackpill a West Cross, llifodd atgofion yn ôl o'r cyfnod digyfrifoldeb yna pan o'n i'n crwydro strydoedd a bariau Abertawe yn ddyn rhydd. Ro'n i wedi taro i mewn i dafarn y Queens yn gynnar ryw nos Sadwrn, yn sbriws yn fy siaced ledr ond heb gynllun pendant ar gyfer y noson, a sylwais ar y boi yma oedd yn eistedd ar stôl ym mhen arall y bar mewn siaced wen a chrys-T du, ei wallt tenau wedi'i sgubo'n ôl dros ei gorun ac yn cyrlio ar ei wegil. Roedd 'da fe graith ar draws ei foch, ond yn bwysicach, rhyw bresenoldeb.

Gan adnabod ein gilydd yn reddfol fel adar o'r unlliw, fe ddechreuon ni sgwrsio. Holodd Frank beth oedd fy agenda am y noson. Dywedais ei fod o dan gamargraff – ro'n i ar y pryd yn dal i ddiodde o sgil-effeithiau colli Monika – a dywedodd e: "Er eich mwyn chi, os y'ch chi'n chwilio am fenyw, rwy'n gobeithio nad un o Abertawe yw hi."

"Wel, rheini gewch chi yn Abertawe, ar y cyfan?"

"Rhy wir, ond gwastraffais i flynyddoedd yn mela â nhw. Mae merched Abertawe yn swynol, yn feddal, yn anwadal, yn dwyllodrus, yn llawn hang-yps ac yn ffwcio'ch meddwl chi lan. Mae 'na *underbelly* meddal i ddinas Abertawe, wyddoch chi. Peidiwch cael eich sugno mewn iddo fe, ffrind, os y'ch chi am aros yn gall."

"Rwy'n deall y broblem – ond beth yw'r ateb?"

"Ewch dramor," atebodd gan godi'r botel Beck's i'w geg. "Dyna wnes i. Ges i wraig hyfryd o Wlad Thai. Maen nhw'n deall anghenion dynion ac maen nhw'n ffyddlon. Mae 'da nhw safonau, nid fel menywod Abertawe."

"Ethoch chi draw 'na'n arbennig?"

"Rwy'n delio fel mae'n digwydd mewn celfi *antique* – stwff drud, y gorau – ac yn eu gwerthu nhw i dafarnau, busnesau, buddsoddwyr. Es i draw i Bangkok a des i â menyw 'nôl gen i yn ogystal â llwyth o gelfi da. Y *deal* ore wnes i erioed."

"Chi'n gneud iddo fe swnio'n rhwydd. Buoch chi'n lwcus, rwy'n amau."

"Falle, ond fe wnes i chwilio am fy lwc."

Gan ddal i bwyso ar y bar, dywedais: "Rwy'n dal i ddiodde yn sgil rhyw achos ges i yn Berlin. Pwyles ifanc – merch, fel chi'n dweud, â safonau. Ro'n i wedi gobeithio y buasai dod i Abertawe wedi gneud pethe'n well, nid yn waeth."

"Dim ond menyw newydd setlith y broblem yna i chi, ffrind."

"Neidio 'nôl ar y meri-go-rownd, felly?"

"Rwy'n ofni."

"Mae'ch ateb chi yn besimistaidd iawn. Be wnewch chi yn Abertawe hebddyn nhw?"

"Cwestiwn cas," meddai, gan hoelio'i lygaid glas golau arnaf, chwarter gwên yn chwarae'n ddrygionus ar ei wefus. "Be gewch chi yma? Y sinemâu, er enghraifft. Dim ond stwff plentynnaidd, Americanaidd. A'r theatr wedyn? Ambell grŵp geriatrig wedi atgyfodi o farw'n fyw. Wrth gwrs, mae 'na fandiau blŵs yn canu hwnt ac yma, ac mae Kikki yn reit hoff o'r rheini. Ond yn y bôn, yng nghanol Abertawe, be newch chi ond yfed?"

"Bues i'n byw yn Berlin am ugain mlynedd, a gallech chi dreulio penwythnos cyfan yn crwydro'r caffes, yn darllen y papurau, yn sgwrsio â hwn a'r llall, yn taro mewn i oriel neu ddwy cyn mwynhau gwin a phryd, ac adloniant cerddorol, falle, i orffen. Ond chi'n iawn – yn Abertawe, be newch chi ond yfed? Dylai Cyngor Abertawe gynhyrchu taflen: *Mwynhau Canol Abertawe heb Alcohol: Canllawiau a Chynghorion.*"

Chwarddodd Frank. "Basen i'n barod i dalu'n ddrud am un o'r rheina. Diolch i Dduw am y traethau, yntê? Oni bai am y Gŵyr, basen ni i gyd wedi mynd i uffern."

Sai'n cofio sut aeth y sgwrs ymlaen. Buon ni'n trafod y manteision a'r anfanteision o gadw cwch ac roedd e'n cwyno braidd am ddisgwyliadau Kikki. Fe gwrddais â hi ychydig wedyn, ac fel ro'n i'n disgwyl, roedd hi'n fwndel o swyn a rhywioldeb, yn hongian fel addurn wrth ei fraich, yn chwerthin ar bob un o'i sylwadau brathog. Ond deallais wedyn nad oedd Frank yn berffaith, nac yn landlord delfrydol ar y tai mawr oedd 'da fe yn Walter Road.

*   *   *

Roedd hi'n dawel yn y bwyty, fel y bydd hi ar nos Fawrth, hyd yn oed ym Mehefin. Dim ond tri oedd yno: cwpwl ac un dyn canol oed. Gofynnais i Suzy droi'r arwydd ar y drws i 'Ar Gau', ac egluro 'mod i am gael sgwrs breifat ag André. Deallodd y sefyllfa'n syth a gadael â gwên lwc-dda.

Gallai'r boi canol oed fod yno trwy'r nos. Roedd yn sipian ei win gwyn, sych fel petai'n *arsenic* ac yn edrych am ganrif trwy'r ffenest ar y Bae, neu ar ei bapur newydd, pan na fyddai'n cymryd llond gwniadur i'w fwyta. Dywedais wrtho, a'r lleill, am alw os oedden nhw eisiau sylw.

Es i trwodd i'r gegin lle roedd André'n aros amdanaf â wyneb hir fel rhaca. Eisteddodd ar ei stôl yn ei ffedog wen a'i drowsus sgwarog a phlethu ei freichiau, fel petai'n gwarchod ei ffau. Sgleiniai rhes o gyllyll fel *scimitars* uwch ei ben yn y golau llachar, fflworesent. Ar y wal y tu ôl iddo roedd tiwbiau glas y blwch lladd pryfed.

Llusgais stôl rydd odanaf. "Gawn ni ddechre gyda'r ffeithiau? Be ddiawl ddigwyddodd nos Sadwrn?"

"Nos Sadwrn?" meddai gan blethu'i dalcen, fel petai'r noson yn perthyn i ddegawd arall, neu gyfnod cynhanesyddol.

Ochneidiais. "Gawn ni dorri'r cachu mas, André? Weles i Sheena ddoe. Gerddodd pedwar cwsmer mas, on'd do?"

"Fydden i ddim yn gwybod. O'n i yn y gegin."

"Rwy wedi gofyn, gawn ni dorri mas y *shit*?"

"Sheena a Suzy sy'n delio â blaen y tŷ."

"Ond wnest ti wrthod paratoi rhyw ddysglau?"

"Na, fe wnes i nhw."

"Ie, ond dim ond wedi i Suzy ofyn. A rhyw gyrris, wedyn: beth oedd y broblem gyda nhw?"

"O, wnaeth Sheena glapian am hynny hefyd?"

"Nid clapian yw cario cais gan y cwsmer i'r gegin."

"Dwi ddim yn deall pobol sy'n archebu cyrri os nad y'n nhw'n gallu'i fyta fe."

"Nid dyna'r pwynt," atebais. "Mae'r cwsmer *wastad* yn iawn… a sut ti'n gneud y blydi cyrris ta beth? Llwyaid o bowdwr o'r Co-op?"

"Py!" meddai André, yn codi o'i sedd. "Dwi ddim yn aros fan hyn i gael fy sarhau. Dwi'n defnyddio gwahanol ddulliau. A be ddiawl chi'n wybod am gyrris, ta beth?"

"Fel Swansea Jack, rwy wedi bwyta fy siâr."

"Ie, *vindaloos* sy'n byta'ch gyts chi ac yn rhoi'r *runs* i chi am wythnos. Ddylech chi fod wedi agor *takeaway* nid *restaurant*."

"Rwy'n rhoi rhybudd ffurfiol i ti," dywedais, yn gwylltio. "Iawn, ti sy'n gwybod am goginio ond fi sy'n gwybod am fusnes. Gollon ni bedwar cwsmer nos Sadwrn. Mae hynny'n lot o arian, ac mae'r gair yn mynd ar led yn gyflym mewn pentre fel y Mwmbwls, a phentre yw Abertawe, wir. Unrhyw drwbwl eto gyda gneud y *dupes* – a ti mas o job."

"Chi ddim yn gall," meddai André, yn cerdded i ffwrdd. "A roisoch chi rybudd iddi hi, hefyd?"

"Pam ddylen i? Am beth?"

"Am ymddygiad hiliol, am fwlio, am fy ngalw i'n 'Arab scum'…"

Roedd hyn yn ffars. Sylweddolais y dylen i fod wedi gweld y ddau gyda'i gilydd. Meddai André, ychydig yn dawelach: "Rhaid i chi drin 'ych staff 'run fath. Chi ddim wedi gweld sut mae hi. Mae'n fy nhrin i fel baw. Mae rhywbeth wedi digwydd iddi."

"Mae 'na waed drwg rhyngoch chi, on'd oes? Ti'n sôn amdani'n hwrio o hyd, rhyw nonsens felly. Yn amlwg mae 'da ti broblem ynglŷn â hi."

"Wel, mae hi 'nôl a 'mlaen o'r Marriott o hyd."

"Ydi, rwy'n gwybod."

"Be chi'n feddwl?"

"Fe ddwedodd Sheena ei hun wrtha i neithiwr. 'Da hi swydd 'na. Mae hi'n helpu mas yn *reception*."

Tynnodd hynny'r gwynt o hwyliau André ac fe godais, estyn y botel agored ac arllwys rhai modfeddi o win Thai i wydryn. "Moyn un?" gofynnais.

"Gymra i'r Sauvignon," meddai gan agor potel ffres o'r Louis Eschenauer o'r rac ac arllwys hanner gwydraid iddo'i hun.

Arllwysais weddill y gwin Thai i'r sinc a chymryd y gwin Ffrengig fy hun. Dywedais: "Allwn ni fod yn rhesymol? Rwy wedi siarad â Sheena'n barod. Nid pwy sy'n iawn yw'r cwestiwn. Mae'r byd 'ma'n lle rwff a'r cyfan allwn ni wneud, ar ddiwedd y dydd, yw trio'i wneud e'n llai rwff na mae e. Ydi hynny'n ormod i ofyn?"

"Ond ydw i'n cael rhybudd, a hi ddim?"

"Ie, dyna'r sefyllfa fel mae nawr."

Yna, â'i lygaid duon yn fflachio, taflodd y gwin o'i wydryn i'r sinc a chipio ei siaced ddu o'r bachyn. Wedyn cerddodd heibio i fi a slamio'r drws cefn.

Caeais fy llygaid am eiliad wrth i'r cryndod ddistewi, a gorffen fy ngwin. Yn y tawelwch sydyn, stwffiais y corcyn yn araf yn ôl i'r botel Sauvignon. Pwysais yn erbyn y cownter, a theimlo rhyw ryddhad annisgwyl. Oedd e wedi cynnig ffordd allan i fi? Fe gadwn i Sheena, a chael Darren bant o 'nghefn 'run pryd, a chwilio am gogydd newydd. Beth oedd mor anodd am hynny?

Doedd André ddim yn debyg o ymladd yn erbyn ei ddiswyddiad. Petai angen, gallwn gael cyngor cyfreithiol da, nid gan gyfreithiwr pen ffordd fel Hywel, ond gan arbenigwr yn y maes. Mewnfudwr oedd André, boi ar ei ben ei hun. Nid cael gwared ag e oedd y broblem, ond be wnawn i wedyn...

Yna daeth llais o ben draw'r bwyty: "Any life left on earth?"

"Am ychydig eto," atebais cyn mynd trwodd ato â bil o ddeunaw punt. "Ond dwi ddim yn optimistaidd."

Yna meddai, gan roi papur ugain yn y soser: "Dwi'n licio'ch lle chi ond mae'r miwsig 'ma'n sgramblo'ch pen chi."

Dychwelais o'r til gyda soser yn dal dau ddarn punt. Rhoddodd y dyn un o'r darnau yn ôl i fi.

"Diolch yn fawr i chi am hwnna," dywedais yn sarcastig.

"Dim o gwbl," atebodd y dyn. "A phob lwc i chi."

Setlais fil y pâr arall cyn clirio'r platiau a'u taflu i'r peiriant yn y gegin. Yno, sylwais ar faner fach Algeraidd yn hongian o gornel un o'r silffoedd. Mae'r cefndir gwyn a gwyrdd yn debyg i faner Cymru ond yn lle draig goch mae 'na leuad a seren goch

Islamaidd yn y canol. Wedyn sylwais ar ffôn symudol ar y silff uwchben y faner. Cydiais ynddo a gweld mai iPhone newydd sbon oedd e, model diweddarach na fy un i. Ymhlith yr *apps* ar ei wyneb gwydrog roedd 'na *online translator*. Meddyliais: tybed pa ieithoedd roedd André'n eu defnyddio? Saesneg i Ffrangeg? Neu i Arabeg? Ro'n i wedi'i glywed e'n siarad Arabeg gwpwl o weithiau pan ddigwyddais dorri ar ei draws yn y gegin...

Yna daliodd André fi. Do'n i ddim wedi sylwi ei fod yn sefyll yn y bwlch rhwng y gegin a'r bwyty. "Gymra i hwnna," meddai.

"Neis iawn, hefyd," dywedais gan droi'r teclyn drosodd yn fy llaw. "Gwell na alla i fforddio."

Cipiodd André'r ffôn oddi wrthyf a chraffu arna i'n ansicr am eiliad neu ddau cyn diflannu eto trwy'r drws. Oedd e'n difaru, tybed? Ond do'n i ddim am ruthro hyn. Peth peryglus yw cerdded mas ar gyflogwr.

*   *   *

Yn falch o gefnu ar glawstroffobia'r bwyty, safais am funud o flaen y drws yn sawru naws y nos. Roedd parau yn cerdded yn hamddenol ar y rhodfa o flaen llyn mawr, tywyll y Bae â'i gadwyn o fân berlau. Teimlais yn well yn sydyn. Beth oedd arna i? Ro'n i'n cymryd problemau twp y bwyty ormod o ddifri. Yna sylwais ar ffigwr tywyll yn eistedd ar un o'r meinciau, yn smygu. Ai André oedd e?

Craffais eto. Doedd dim amheuaeth. Ro'n i'n nabod y ffordd yna o ddal sigarét lan yn theatrig. Be wnawn i? Gallen i ei anwybyddu a mynd yn syth i faes parcio Verdi's i nôl y car, a gadael i André ddal bws yn ôl. Ond nid dyna wnes i, am ryw reswm.

"Lifft 'nôl?" gofynnais wrth fynd ato.

"Diolch," meddai gan amneidio at y lle ar ei bwys ar y fainc.

Estynnodd André Gitane i fi'n fecanyddol. "Ddrwg 'da fi

am hwnna," dywedodd. "Do'n i ddim wedi bwriadu cerdded mas."

Wrth imi danio'r sigarét, aeth André ymlaen. "Dwi'n licio'r job – ar wahân i *shit* fel hyn wrth gwrs."

"Pwy 'se'n meddwl. Lico ffor'ma?"

"Anodd peidio," meddai wrth chwifio'i fraich tua'r Bae.

"Beth am y bobol?"

"Maen nhw'n iawn, y rhan fwya."

"Sut oedd hi yn y lle dwetha fues ti'n gweithio, y lle Ffrengig yna gyda'r enw trendi?"

"La Maison d'Être. Roedd y gwaith yn galed, yr oriau'n hir, ond dwi'n mwynhau coginio Ffrengig. I fi, dyna'r safon. A doedd dim *shit* hiliol, chwaith. Mae Llundain yn amlhiliol, dyw Abertawe ddim."

"Felly pam adewaist ti?"

"*Sous* o'n i fan'na. Dwi'n *chef* fan hyn."

"Ond ffordd bell i fynd, dim ond i godi gris?"

"Mae hynny'n cyfri mewn gyrfa."

"O ble daeth dy ddiddordeb mewn coginio Ffrengig?"

"Roedd 'Nhad yn Ffrancwr, Mam yn Algeriad. Cethon nhw'u dau eu lladd yn y rhyfel cartre. Yn ddamweiniol: bom stryd gan y GIA, yr eithafwyr Islamaidd. Ffoies i i Baris, wedyn i Lundain. A 'mrawd gyda mi."

"Ydi dy frawd yn Llundain hefyd?"

"Na, aeth e 'nôl, ond i Tunisia. Roedd e am wneud arian cyflym ac aeth e mewn i'r busnes olew ond roedd y cwmni mewn cartél a cethon nhw eu dal am fficsio prisiau. Buodd e'n anlwcus ac mae e nawr mewn carchar yn Tunis."

"Wir? Am ba hyd?"

"Dyna'r cwestiwn," meddai André gan gnoi ei wefus ac edrych tua'r môr. "Chi'n deall, ychydig iawn o arian oedd 'da ni ar ôl colli'n rhieni."

"Ond roedd dy dad yn Ffrancwr. Oedd 'da fe deulu?"

"Oedd, ar gyrion Paris. I fan'na aethon ni yn gynta, a chael ychydig o help ganddyn nhw."

"Sai cweit yn deall. Soniaist ti am y GIA, eu bod nhw'n eithafwyr Islamaidd. Ond ti'n Fwslim dy hun, rwy'n cymryd?"

"*Nutters* y'n nhw, chi'n deall. Dwi'n Fwslim, fel roedd fy mam. Dwi'n darllen y Corân, yn mynd i'r mosg."

"Yr un yn Heol San Helen?"

"Wrth gwrs."

"Rwy'n clywed bo chi'n ehangu, bo chi'n cymryd drosodd Eglwys Sant Andrew's gyferbyn. Rhaid bod hynny'n costio ffortiwn."

"Mae'r eglwys yn adfail, ond fe wnaeth rhyw *scum* wrthwynebu'r cais, wrth gwrs, rhyw fastards nad oedd erioed wedi tywyllu eglwys yn eu bywyd."

"Ie, rhyfedd."

"Ydych chi'n Gristion, 'te?"

"Wel, ydw," dywedais yn llipa, "o dras, fel petai, os ei di 'nôl genhedlaeth neu ddwy…"

"Chi'n mynd i eglwys neu gapel nawr?"

"Na'dw."

Dywedodd rhyw "Hy!" ysgafn a pharhau i edrych o'i flaen, ei law yn codi i'w wyneb wrth iddo dynnu ar ei sigarét.

"Y bachan Bruno 'ma," dywedais wedyn. "Trwyddo fe glywest ti am y job yma?"

"Bruno?" meddai, wedi dychryn. "Sut glywoch chi amdano fe?"

"Ti ddwedodd mai fe ddysgodd goginio Thai i ti."

"Ie, wrth gwrs, fe wnaeth."

"Ond sut oedd e'n gwybod am y swydd yn y lle cynta?"

"Roedd hi lan ar y we. Halodd e linc i fi."

"Ond pwy yw e? Beth mae e'n neud?"

"Cogydd yw e, yn Llundain."

"Cogydd Thai?"

"Na. Mae'n gweithio mewn bwyty yn Mayfair."

"Swnio fel tipyn o *fixer*," dywedais. Onid oedd hyn yn wahanol i beth ddywedodd André o'r blaen?

Ond do'n i ddim yn teimlo fel holi mwy am ei gysylltiadau Algeraidd wedi clywed ei hanes trasig. Clywais i e'n siarad Arabeg droeon ar ei ffôn symudol, â'i ffrindiau a'i berthnasau yn Blackstock Road, mae'n siŵr. Ro'n i'n gweld hynny'n rhyfedd ar y pryd, ond a oedd e'n wahanol i fi'n siarad Cymraeg?

"Lifft?" holais wrth bwyntio at faes parcio Verdi's, a chodi.

Cerddon ni ar hyd y rhodfa mewn tawelwch, gan basio'r rhesi o gychod ysgafn oedd wedi'u parcio ar eu *trailers*, yna gofynnais: "Mewn fory?"

"Bydda, ond rhaid i chi ddelio 'da honna. Mae hi mas o reolaeth."

Cerddon ni at yr Audi mewn tawelwch. Ychydig ddywedon ni hefyd wrth yrru'n ôl gyda ffin y Bae. Rhoddais y radio ymlaen yn dawel gan adael i fiwsig pop gwael a lleisiau midatlantig Sain Abertawe gymryd drosodd. Ond trwy'r amser ro'n i'n gofyn: a wnes i'r dewis anghywir? Oni ddylsen i fod wedi gadael i'r diawl gerdded mas pan wnaeth e, a dala bws adre?

13: Y Mozart

R O'N I ANGEN cwrdd â Frank eto. Gyda'i brofiad o'r byd a'i gysylltiadau Thai, fe fyddai'r un i roi cyngor i fi ar yr *impasse* ymhlith staff y bwyty. Onid oedd ffrind i'w gariad, Kikki, yn gogyddes Thai yn nhafarn y Bay View? Dyna ddylsen i fod wedi gwneud o'r dechrau, wrth gwrs – cael cogyddes Thai mewn bwyty Thai, does dim angen Wittgenstein i weld y pwynt – gan gael gwared â'r twyll oedd yn llechu yn enaid yr Ardd Ddirgel.

Do'n i ddim wedi gweld Frank ers tro – rhaid nad oedd ein troeon i'r Queens wedi cyd-daro – ond awgrymodd e'r Mozart, os nad o'n i'n gwrthwynebu'r noson *open mic* yr oedd e'n mynd iddi weithiau ar nos Fercher i blesio Kikki. Ro'n i'n edrych ymlaen, ta beth, at gael profi'r bar hwyr enwog yma yn yr Uplands. Ac oni ddywedodd Frank iddo weld André yma rywdro?

Roedd 'na griw brith yr olwg yn eistedd mas wrth y byrddau pren o dan yr ymbrelos Stella Artois, yn lolian gyda'u caniau o Carlsberg Extra a'u sigarennau cartre gan edrych i lawr yn ddihid ar Walter Road, y stryd lydan sy'n rhedeg o'r Uplands i'r dre. Camais heibio iddyn nhw at y bar lle roedd pwmp mawr Beck's Vier. Ro'n i'n hapus i archebu'r cwrw Almaenaidd a setlais ar un o'r stolion uchel, nesaf at wraig eithaf hen mewn gwisg ddu urddasol, â thas o wallt gwyn. Edrychai fel rhyw *madame* Barisaidd ond doedd ganddi fawr o sgwrs ac wedi codi ail beint dihangais am fwgyn i'r meinciau tu fas.

Roedd un o'r byrddau'n wag, oni bai am un bachan yn ei bumdegau mewn hen siaced denim. Roedd yn canolbwyntio ar rolio papur Rizla a phrin y gallen i weld ei wyneb o dan ei fop o wallt du, cyrliog.

"Dod o ffor'ma, byt?" gofynnodd gan godi'i lygaid yn ddiog.

"Ydw. Clydach, lan y cwm."

"Chi ddim yn swnio fel *local*."

"Rwy wedi bod bant. Byw yn y Marina nawr."

"Neis iawn."

"Mae'n iawn, ond ddim yn nefoedd ar y ddaear."

"Dod i glywed y blŵs?"

"Ydw. Dishgwl 'mla'n."

"Chi'n lico blŵs? Chi'n edrych mwy fel teip jazz i fi."

"Lico pob miwsig byw," dywedais gan ddrachtio'r Beck's Vier.

Gwenodd wrtho'i hun a rhoi'r rholyn yn saff yn y tun er mwyn storio mwynhad i'r dyfodol. "*Rock and roll* oedd 'yn miwsig i. Glywoch chi am Tommy and the Dreamers? Ni'n mynd 'nôl i'r saithdegau nawr. Fi oedd Tommy, ond Phil yw'n enw iawn i. *Boy*, gethon ni *fuck* o amser da. Rheini oedd y dyddie, ond ddôn nhw byth yn ôl. *Youth is for the young. Never look back.*"

"Does dim sy'n fwy gwir."

"Glywoch chi amdanon ni? Neu falle o'n ni ar ôl eich amser chi?"

"Mae'r enw'n canu rhyw gloch."

"Oedden ni'n chware lot abiti'r dre, lan y Cwm, ac yn y Mwmbwls yn yr Antelope a'r Mermaid. Ond *fucking trendy restaurant* yw'r Mermaid nawr, llawn *fucking estate agents* ac *accountants* o Mayals a West Cross."

"Gormod o *fucking trendy restaurants* yn y Mwmbwls beth bynnag, on'd oes e?"

"Chi'n gweud 'tho fi. O'dd Dylan Thomas yn arfer yfed yn y Mermaid ond cethe fe *chuck out* o'r lle nawr," meddai gan orffen ei gwrw a gosod y gwydryn ar y bwrdd o'm blaen.

"Ga i godi un i chi?" gofynnais.

"Na, sai'n scrownjo gan neb, byt."

"Os chi'n canu nes 'mla'n, cymrwch e fel tâl."

"Iawn, diolch," meddai yn hapus gan ychwanegu "Iechyd da!" yn Gymraeg. Oedd e'n siarad Cymraeg, tybed? Ond fel'na mae hi yn Abertawe, unwaith chi'n dechrau sgwrs yn Saesneg, mae'n anodd newid 'nôl.

Pan ddes i'n ôl a pheint ffres o Stella iddo, gofynnais i Phil: "Pwy yw'r wraig mewn du wrth y bar?"

"O, y Queen Mother. Mae'n iawn. Mae'n mwynhau ei hun yn ei ffordd ei hun. Mae'n iawn i hen bobol fwynhau. *Live and let live*, dyna rwy'n ddweud."

"Pob math o bobol yn dod i'r bar 'ma, felly?"

"'Na be sy'n neis amdano fe: pob cenedl, pob lliw, pob tuedd, chi'n dyall?"

"Dwi'n cwrdd yn y munud â boi sy'n byw gyda merch Thai."

"Merched Thai? Maen nhw'n *bloody gorgeous*. Neisach na *scrubbers* Abertawe. *Sore point. Not my favourite subject at the moment…*"

"Phil," dywedais gan gofio pwynt Frank fod André'n mynychu'r lle. "Chi'n sôn am bobol bob lliw. Oes 'na – chi'n gwbod – Fwslemiaid yn dod i'r bar 'ma? 'Sdim pawb yn hoffi nhw yn Abertawe, o 'mhrofiad i."

"Mwslims?" meddai Phil, yn deffro. "Mae rhai o'n ffrindiau gorau'n Fwslims. Tawel, cofiwch, yn cadw atyn nhw eu hunain, ond parchus. Nhw a ni'r Cymry yn deall ein gilydd. Diawch, roedd 'na un boi, Ramzi oedd 'i enw e – chi wedi clywed amdano fe?"

"Na, ewch ymlaen…"

"Mae hyn flynydde 'nôl nawr. Bydde fe'n dod 'ma ryw unwaith yr wythnos am hanner neu ddau o lager tawel. Eistedd fel diacon yn y gornel mewn yn y ffenest, jyst fan'na. Oedd e'n studio peirianneg yn yr hen Tec, *mature student* fel mae lot ohonyn nhw... wel, chi'n gwbod am y job ar y World Trade Center yn '93? *Bloody amazing*!"

"Be, fe o'dd yr un chwythodd y tyrau lan?"

"Gyda chwpwl o fois eraill, wrth gwrs. Nath e ddim cweit llwyddo ond cafodd e *bloody good try*. Cafodd mil o bobol eu hanafu, a chwech eu lladd. A beth oedd yn ddoniol, fe ffoiodd e i'r Philippines cyn cael ei ddal, ac yn ei fflat e fan'na fe ffeindiodd yr heddlu lyfr gosod cemeg â stamp Llyfrgell Coleg Abertawe! *Bloody amazing. Truth is stranger than fiction*, byt."

"Ydi, mae honna'n stori a hanner, os yw'n wir."

"Wrth gwrs bod hi. Drychwch e lan ar Wikipedia: Ramzi Yousef. Ond chi'n deall, byt," aeth Phil ymlaen, "sai'n cymryd ochr. Iawn, laddodd Ramzi bobol. *Fair enough*. Ond y rhyfel yn Afghanistan. Beth *fuck* y'n ni'n gneud draw fan'na yn lladd pobol? Pam bo ni gorfod lladd pobol o hyd? Sai'n dyall e – y'ch chi?"

"Na, dwi ddim chwaith. Rwy'n cadw'n glir o wleidyddiaeth."

"Call iawn, pac o gelwyddau yw'r cyfan. Chi wedi gweld y posteri? Army Careers. *See exotic people and kill them*. Neu *get killed, more likely...*"

"Chi'n iawn, mae lot o Gymry ifanc wedi marw draw yn y gwledydd poeth 'na."

Wrth iddo godi ei beint i'w geg, roedd yna gryndod yn ei law ac fe gollodd rai diferion cyn mynd ymlaen: "Dim ots os chi'n Gymro neu Sais, yn Fwslim neu Gristion – a mae'r ddau o' nhw'n dod o *fucking* Abraham – lesbian neu *straight*, ifanc neu hen fel pechod fel honna wrth y bar, does neb yn gofyn cwestiyne yn y Mozart."

"Felly pawb at y peth y bo, 'na be chi'n gweud?"

Ond roedd Phil yn rhy brysur yn gwagio'i wydryn i ymhelaethu ar ei athroniaeth eangfrydig. Gan amau a oedd llawer mwy iddi, codais a dweud: "Rwy'n disgwyl rhyw foi. Frank. Y bachan soniais i amdano, yr un â'r cariad Thai."

"Ond base fe'n dod ffor' hyn, base fe ddim?" atebodd Phil ychydig yn flin.

"Rwy jyst angen ffag, i fod yn onest. Wela i chi yn yr *open mic*. Dal ati, gw'boi."

*   *   *

Wrth gwrs, gallen i fod wedi mwynhau'r mwgyn yng nghwmni Phil ond wedi pwff neu ddau yn y lôn sydd rownd y gornel, es i'n ôl i mewn trwy ddrws ochr y dafarn a thrwy'r cyntedd i'r bar cefn. Felly dyma leoliad y nosweithiau enwog, cyffuriol, pedwar o'r gloch y bore? Roedd 'na griw ifanc amryliw yn eistedd o dan y bar, un ferch mewn het *conductor* bws a sanau *fishnet*, un arall mewn siwmper wlân streipiog â logo CND – a welais i hi yn rhywle o'r blaen? – a nifer o fois tua'r hanner cant mewn *jeans* tyllog a tshaeniau am eu gyddfau, un ohonyn nhw'n hysbysebu'r Pink Floyd World Tour 1978.

Archwiliais y rhes o bympiau a safai fel milwyr ar y bar, a phan welais yr enw Staropramen, teimlwn yn gartrefol yn syth. Gallwn i fod 'nôl yn Warsaw yn disgwyl am Monika, nid Frank. Roedd 'na bethau eraill am y stafell oedd yn fy atgoffa o'r lle: y cymysgedd od o'r hen a'r newydd, y lluniau olew yn eu fframiau trymion, y cadeiriau meddal, rhacs, y piano yn y gornel a'r pen carw a syllai i lawr rhwng y ffenestri uchel, a'i geg wedi'i gwinio yn wên farw, barhaol. Â chwisgi yn fy llaw y tro hwn, setlais ym mhen draw'r stafell.

Ar bwys y piano roedd boi yn gosod lan y meics ac yn tapio *un-dau-tri*, *un-dau-tri* wrth chwarae â deialau'r amp. Cofiais am Phil a'i rwdlan ac am stori Ramzi. Roedd mor anhygoel, rhaid ei bod hi'n wir. Roedd yn gwneud synnwyr perffaith i eithafwr gadw'i ben i lawr mewn cilddwr fel Abertawe cyn gwneud job, yn arbennig os oedd yna hyfforddiant manwl ar gael mewn pwnc mor ymarferol â pheirianneg drydanol. Fel cemegydd fe wyddwn i am gyfuniadau digon ffrwydrol ond, heb y beirianneg, dim ond chwythu'ch hunan lan wnewch chi.

Oedd André yn un ohonyn nhw? Roedd yn eithafol o biwritanaidd ynglŷn â rhai pethau. Oedd e'n eithafwr mewn ffyrdd eraill? Roedd yn anodd gweithio'r peth mas, os lladdwyd ei rieni gan eithafwyr Mwslemaidd. Ond does dim rhaid bod yn eithafwr crefyddol i fod yn eithafwr gwleidyddol…

Â'r *open mic* ar fin dechrau, daeth Phil ei hun i mewn o'r diwedd gyda chwpwl o fois eraill, i gyd mewn carpiau denim – gweddillion y Dreamers, efallai – yn edrych fel petaen nhw newydd gerdded y Route 66 ar eu pengliniau. Daethant ymlaen a gafael yn gariadus yn eu gitarau, a chymryd sbel go hir i'w tiwnio. Â hynny wedi'i wneud, gadawon nhw eu hofferynnau i sefyll yn rhes barchus yn erbyn y wal a dod draw i feddiannu'r stolion o gwmpas fy mwrdd i, yr unig rai gwag erbyn hyn.

Do'n i ddim am bechu'r hen Tommy felly troais ato a dweud: "Yr hen ffefrynnau heno?"

"Debyg iawn. *If you can't beat 'em, join 'em.* Chi'n gweld y boi yna, ochr arall y stafell?"

Craffais a sylwi ar foi tua saith deg oed yn gosod rhes o organau ceg bychain, arian ar liain sidan ar y bwrdd o'i flaen.

"Max the Mouth," eglurodd Tommy. "Cancr arno fe. Dim tu mewn ar ôl 'da fe. Cymryd dôp i frecwast; wastad wedi, chi'n dyall. Ond angel ar yr organ geg…"

"O, felly."

"By'ch chi'n blydi falch bo chi wedi bod yma heno, byt."

"Jyst mynd i godi diod…" dywedais.

"*Brainwave,*" meddai Tommy gan daflu gweddill ei beint yn ôl ar ei ben ac estyn ei wydr i fi.

Es â'r ddau wydryn at y bar ond wrth i mi ddisgwyl am wasanaeth daeth Frank a Kikki i mewn, hithau'n cydio yn ei law. Cynigiais eu cynnwys yn y rownd.

"Diolch, Rhys, potel o Beck's a fodca a Coke. Ni mewn pryd am y sioe?"

"Amseru perffaith."

"They're so funny," giglodd Kikki gan gyfeirio at Tommy a'r criw, a gafael yn yr un pryd ym mraich Frank. Roedd Tommy'n iawn, mae'r merched dwyreiniol yma'n eithriadol o ddeniadol a hyfryd eu natur. Ro'n i'n wallgo i beidio cael un ohonyn nhw yn y Secret Garden. Iawn, roedd 'da fi Suzy ond doedd hi ddim yn Thai, nac yn ifanc.

Yn y man dechreuodd y sioe, gyda Tommy ar y gitâr flaen ac un o'i ffrindiau ar y bas, a Max the Mouth ar yr organ geg. Tommy gamodd ymlaen i wneud y cyflwyniad:

"Like, welcome friends. It's Wednesday again, greeaat. Time for a good time, like. And Max is with us, a musical giant, no less. Max, step on up, man. Three cheers for Max. An' we begin with an ole favourite, an' they're favourites for a reason. And that's cause they're good. So here goes.

An the stars in ddur skye done mean nothin to yewe...

Aye done wanner... tork abawt it

How yewe broke my haart

If I stay here jurst a liddul bit longer

If I stay here wont yewe lisurn to my haa... a... art

Oh, oh my haaart

Oh, oh my haaart

Mmy my haaart..."

Paratoais fy hun yn feddyliol ar gyfer mwynhau *repertoire* cerddorol Abertawe. Yr un caneuon glywch chi ym mhob tafarn: 'Stand By Me', 'You're Far Too Wonderful', 'Knockin' on Heaven's Door' ac yn y blaen. Ond roedd gwên lydan o glust i glust ar wyneb Kikki a gallwn weld ei phen bach du yn swingio 'nôl a 'mlaen i'r miwsig. Rhoddodd Frank ei law yn ysgafn ar ei hysgwydd a gofyn iddi ein hesgusodi tra byddem ein dau yn cael gair byr am fusnes yn y bar.

*   *   *

Ro'n i'n falch o ffoi o drasicomedi'r noson blŵs i lonyddwch y bar blaen. Roedd y *madame* Barisaidd yn dal i yfed ei Martini hir a lemwn ac roedd criw o fyfyrwyr lled dywyll eu crwyn yn sgwrsio'n ddeallus a sobr o gwmpas y bwrdd mawr.

"Cadw'n ffit?" meddai Frank gan bwyso'i fraich ar y bar a chymryd llwnc hamddenol o'i botel Beck's. Yn ei iwnifform o grys-T du, siaced wen a *jeans* tywyll, edrychai, fel bob amser, yn olygus a pheryglus gyda'i wyneb creithiog a'r llygaid laser glas yna oedd yn treiddio trwyddoch.

"Ti sy'n cadw'n ffit, nid fi," atebais. "Dal i hwylio?"

"Ydw, Kikki'n gneud yn siŵr o hynny."

"Felly busnes yn iawn?"

"Gweddol. Pethe'n dynn y dyddie hyn, tenantiaid yn araf yn talu. Ond y celfi a'r *antiques* yn dal i fynd: pobol ddim yn trysto arian fel roedden nhw. A sut mae'r bwyty? Prysur?"

Cymerais lymaid o'r chwisgi ar iâ. "Ti'n gwbod, Frank, ro'n i mas o 'mhen i ddechre'r blydi bwyty 'na. 'Sen i'n gwybod ynghynt beth 'wy'n gwybod nawr, basen i wedi dechre seilam yn lle. Achos bydden i man a man."

"Be sy, probleme staff?"

"Ie, mae fel y Somme 'na. Ti'n nabod André'r *chef*?"

"Ydw, weles i e fan hyn un noson. Wedi dod yma o'r West End, o'n i'n deall?"

"Ie, Algeriad. A Sheena wedyn. Ti wedi cwrdd â hi?"

"Do, *smart piece.* Clod i'r lle, wir."

"Falle, ond maen nhw fel *potassium chlorate* a siwgr. Cadw nhw ar wahân a 'da ti ddau gemegyn defnyddiol, ond rho nhw gyda'i gilydd a *whoosh!*"

"Y peth cynta raid i ti gofio yw, mae pawb yn *dispensable*. Mae pobol llawn cystal, neu well, ar gael mas 'na. Felly os nad y'n nhw'n gneud eu gwaith, cael gwared â nhw."

"Mae e 'bach mwy cymhleth na hynny. Mae Sheena'n byw 'da rhyw fastard caled, un o'r moch hiliol yna sy'n cefnogi'r Swans – ti'n gwbod, tatŵs Jack Army drosto fe – ac mae e wedi 'mygwth i… "

"*Cool head*, Rhys. Nawr, i ddechre, dyw'r diawled yna ddim mor galed â maen nhw'n dishgwl…"

"Ond lladdodd un ohonyn nhw Fwslim tu fas i'r Potter's Wheel, ti'n cofio?"

"Cachgwn, ti'n gweld, wnân nhw ddim ymladd…"

"Diawch, dyw hynny ddim cysur, ydi e?"

"Y peth pwysig yw: paid cael dy fwlio. Paid gadael i'r diawled effeithio ar dy fusnes."

Cymerais swil arall o'r chwisgi a dweud: "Y camsyniad wnes i oedd peidio cael *chef* Thai o'r dechre."

"Ond yn y gegin mae'r *chef*. Os yw'r bwyd yn iawn…"

"Ond dyw'r fformiwla ddim. Dyw'r lle ddim yn ddilys, fel mae e. Rwy angen rhywun o'r wlad ei hunan, merch…"

"Rhaid i ti benderfynu be ti moyn," meddai Frank gan ffocysu ei lygaid glas arnaf, " – *chef* neu ferch?"

"Ond mae gan Kikki ffrind sy'n gweithio fel cogydd Thai yn y dre 'ma?"

"Ydi, mae Malee'n gweithio yn y Bay View."

"Alle Kikki gael gair tawel 'da hi? Gweud bod 'na siawns o swydd yn y Secret Garden?"

"Sorta'r ddau yna allan gynta fase 'nghyngor i."

"Ond petasen i'n gwybod bod Malee ar gael…"

"O'r gore 'te, ga i air â Kikki," meddai Frank yn anfoddog, "ond dim mwy. Rwy'n nabod Chris y Bay yn dda a sai isie sarnu pethe rhyngon ni."

"Diolch, Frank, os gnei di hynny."

Aethon ni'n ôl i mewn i'r stafell gefn lle roedd yr hen rocars yn dal i ganu'r hen anthemau. Oedais wrth y drws. Gallwn weld Kikki'n sefyll ar bwys y bar, ei mop o wallt perffaith ddu yn bownsio i'r miwsig. Tra o'n i'n meddwl mor wych fase cael rhywun fel hi yn y bwyty, trodd hi rownd a rhoi gwên gynnes i fi. Gwenais yn ôl a chael gwên ysgafn, hefyd, gan y ferch yn y siwmper lac â'r logo CND oedd yn eistedd o dan y bar gyda'r lleill. Ond yna trodd ei hwyneb i ffwrdd, ei gwallt hir yn cau am ei hwyneb fel llen.

Yna cofiais pwy oedd hi. Hi oedd yn rali'r Peacekeepers. Hi wnaeth dynnu blydi llun ohono i gyda'i iPhone, ac roedd yr un iPhone yn gorwedd yn ddigywilydd ar y bwrdd o'i blaen. A'r un logo CND oedd hi'n wisgo. Roedd mor blydi amlwg. Aeth fy meddwl yn ôl at ddyddiau Caerdydd a phrotestiadau Cymdeithas yr Iaith. Roeddech chi'n gwybod yn iawn pwy oedd y sbeis a'r heddlu: y rhai oedd yng nghanol popeth, y rhai oedd yn gwisgo'r sloganau mwyaf eithafol.

Es draw ati a gofyn: "Wedi cael unrhyw shots da'n ddiweddar?"

Rhoddodd ysgytwad bach i'w phen cyn ateb – gan esgus bach nad oedd hi'n gwybod pwy o'n i: "*Oh,* mae rhai o' nhw'n *okay,* ond ddim cystal â chamera iawn, wrth gwrs."

"Mae'n dibynnu, mae'n debyg, ai artistig yw eich pwrpas chi."

"Yr achos sy'n bwysig," meddai, gan ailadrodd yr un celwydd ag o'r blaen. Yna trodd oddi wrthyf a symud ei cheg yn fecanyddol i'r geiriau am y *good old boys* oedd yn yfed *whiskey and rye* ac yn canu *this'll be the day that I die, this'll be the day that I die…*

Edrychais ar y pen carw oedd yn dal i wenu'n asynnaidd ar y cyfan o'i bwynt uchel ar y wal. Meddyliais am eiliad y gallai fod meic cudd yn ei geg ond ystyriais wedyn: pa heddlu cudd fase byth am recordio'r fath sbwriel â hyn?

14: Yr Afallon

RO'N I'N MEDDWL yn aml am y swper gawson ni yn Morgans, a beiddgarwch Lucy yn gofyn i fi am gael mordaith ar yr *Afallon*. A ddangosodd unrhyw ferch y fath frwdfrydedd, mor gynnar mewn perthynas? Eto, ro'n i'n cael pyliau o amau'r holl beth. Anaml roedd hi'n cysylltu, a ta beth, onid oedden ni'n rhy wahanol o ran oedran a phopeth arall? Ond yna, ryw noson – rwy'n credu mai nos Iau oedd hi – daeth y neges lan ar yr iPhone: *Hiya, I'm coming! Can u pick me up 9.30 Sunday, 24 Eaton Crescent, ring bottom bell. Love, Lucy.* Felly roedd hi'n dod! Am ddiwrnod cyfan, allan ar y môr, gyda fi. Be fwy allen i freuddwydio amdano?

Gwawriodd y bore'n gawodlyd ond ro'n i'n ddigon cyfarwydd â thywydd Abertawe i beidio poeni gormod am hynny. Pwniai fy nghalon wrth imi dynnu'r Audi lan o flaen y tŷ yn Eaton Crescent. Cerddais at y drws gan sylwi ar yr enwau o dan y botymau: B Colostow III, R Trainer, L Carter. Rhaid mai Rory oedd y Trainer yna, y bachan gwallt blond a gymerodd Lucy oddi wrthyf wedi'r pryd yn Morgans. Anodd credu bod wythnos oddi ar hynny. Roedd ei MG glas yn sgleinio yn y dreif, diferion y nos yn berlau bychain dros y boned a chlamp diogelwch am ei olwyn lywio. Allwn i ddim cystadlu â'r boi yna ond o leia roedd 'da fi *soft-top* agored i gludo Lucy i lawr i'r Marina.

Yn y man daeth Lucy i'r drws wedi'i sipio mewn *windcheater* pinc a choler uchel o ffwr ac yn cario bag mawr gwellt.

"Ydw i'n *okay*?" gofynnodd gan ledu'i breichiau'n ddeniadol. "Ydi hi am fod yn arw allan ar y môr mawr?"

"Dim cwestiwn bo chi'n *okay*, Lucy. Ond gallai'r tywydd

newid. Falle byddwch chi angen bicini, chi byth yn gwybod."

"Dwi'n gwisgo hwnnw'n barod!" meddai Lucy'n llon.

Strapiais Lucy'n gadarn i'r sedd isel wrth fy ochr a gyrru'r Audi trwy gilgant deiliog Eaton Crescent. Roedd llawer o'r tai yn fflatiau, y gerddi heb eu cadw â'r un gofal ag yr arferent ei gael gan y darlithwyr a'r cyfreithwyr a fyddai'n byw yma o'r blaen. Ond roedd rhai BMWs drud wedi'u parcio yng ngwaelod y stryd, yn brawf bod rhai o aelodau dosbarth uchaf Abertawe yn dal i fyw yn y tai mawr a edrychai i lawr dros y Bae.

Chwifiai'r awel trwy wallt Lucy wrth i ni yrru i lawr Bryn-y-môr ac i'r traeth, gan wneud i fi deimlo fel cynhyrchydd ffilm yn cludo actores i gyfarfod castio. Troais i'r dde heibio i bencadlys y Cyngor gan basio gwesty'r Marriott a glannau'r Marina a pharcio y tu ôl i'r fflat. Yna cerddon ni ymlaen yn llwythog dros y gât swing i'r doc pellaf. Ond arhosais am eiliad gan bwyntio'n ôl at y man lle boddodd John Harries.

"Dyna fe i chi," dywedais gan bwyntio'n ôl at y domen o dorchau coffa. "Gweddillion John Harries."

"*Yeah, sad business.* Buodd e'n anlwcus iawn."

"Allwch chi ddweud hwnna 'to."

"Wel, beth mwy sydd i'w ddweud?"

"Buodd e'n fwy nag anlwcus. Cafodd ei dreisio'n rhywiol a'i daflu i'r dŵr, dim ond i'r crwner ddweud mai damwain oedd e."

"Ond pa wahaniaeth fuasai dyfarniad gwahanol wedi'i neud?"

"Wel, falle basen nhw'n dechre chwilio am y llofruddion."

"Fuasai hynny ddim yn dod â John Harries yn ôl."

Cerddon ni ymlaen mewn tawelwch at y pontŵn lle'r angorwyd yr *Afallon*. Llifai'r enw mewn ysgrifen aur ar gorff sgleiniog, glas tywyll y Beneteau; codai ei drwyn yn haerllug o'r dŵr, ei reiliau *chrome* yn creu llinell hardd yn ôl i gefn y cwch.

"Lico fe?" gofynnais.

"*Wow – sexy beast*! Ond fasen i ddim yn disgwyl llai gennych chi."

Yn falch o'r sylw, cofiais am y senario ro'n i eisoes wedi'i redeg fel ffilm trwy fy mhen. Yn y glaw ysgafn, ac wedi'r geiriau am John Harries, doedd e ddim cweit 'run fath, ond dywedais er hynny: "Croeso i'r *Afallon*… ac i Afallon – efallai!"

"Lico'r syniad – ond 'bach yn uchelgeisiol, efallai?"

"*Ambition is critical*," dywedais. "Weloch chi'r slogan yng ngorsaf Abertawe?"

"Ydw, rwy wedi'i weld e…"

"Dewch i mewn ac fe ddangosa i fy nghynllun i chi."

Gafaelais yn llaw Lucy i'w helpu i groesi dros y dŵr, a'i gwahodd i eistedd ym mlaen y caban. Yno, dangosais iddi'r iPad oedd yn gweithredu fel system lywio. "Rwy wedi cysylltu'r cyfrifiadur â derbynnydd GPS ac mae'r siartiau *marine* hefyd yn y Mac."

"Dyna i gyd sydd angen?"

"Y *waypoint file* yw'r peth hollbwysig."

"A beth yw hynny'n hollol, Capten?"

"Dim ond rhes o bwyntiau GPS yn arwain at bwynt gwych, agored a dramatig, y tu draw i Benrhyn Gŵyr, i'r de o aber afon Llwchwr. Chi'n gallu gweld draw i Ddinbych-y-pysgod ac Ynys Bŷr."

Craffodd Lucy ar y sgrin. "A dyna Maenorbŷr, lle cafodd Gerallt Gymro ei eni."

"Yn hollol…"

"Chi ddim yn gwybod cymaint am eich hanes ag y basen i'n disgwyl, Rhys," meddai Lucy, heb ei thwyllo.

"Rwy'n gwybod un peth," atebais. "Mae gan yr MOD safle 'na – yr unig safle ym Mhrydain ar gyfer profi HVMs."

"HVMs – beth yw'r rheini?"

"*High velocity missiles*. Arfau *anti-aircraft*."

"Sut gwyddoch chi hynny?"

"Mae'r wybodaeth ar wefan y Peacekeepers, ac os chi'n aelod o Students for Peace dylech chi wybod hynny."

Taniais yr injan a galw'r system GPS i fyny ac yna'r siartiau morwrol, oedd fel celf seicedelig gyda'u siapiau a'u lliwiau yn dangos gwaelod y môr. Dangosais bwynt olaf y daith i Lucy, a bwysai ar fy ysgwydd, ac meddai: "*My God*, Rhys, mae hynna'n bell allan!"

"Ddim felly. Mae e tua hanner ffordd rhwng Rhosili a Dinbych-y-pysgod."

"Ond ydi e'n saff?"

"Rwy wedi gollwng angor yno o'r blaen ac rwy'n gwybod neith e gydio yn y clai… chi ar yr *Afallon*, Lucy. Os chi am badlo rownd y Bae, gallwch chi neidio i gwch o'r jeti ar bwys Verdi's."

"Rwy yn eich dwylo chi, Capten," meddai Lucy'n wan.

"Jyst ymlaciwch, Lucy."

*   *   *

Llaciais y rhaffau a llywio'r cwch yn araf allan o'r doc gan basio nifer o gychod mawr ag enwau fel *Jus' Chillin'* a *Cast No Shadow*. Yna sylwais ar yr enw *Valhalla* ar un ohonyn nhw, mewn llythrennau eglwysig. Ro'n i'n gyfarwydd â'r enw: dyna gwch y Sais denim-i-gyd yna gwrddais i yn Peppers, Jimmy, yntê? Ac yn wir, gwelwn ffigwr mewn anorac glas yn symud y tu mewn i'r cabin helaeth. Wnes i ddim codi llaw arno ond rhaid ei fod wedi adnabod yr *Afallon* oherwydd fe ddaeth allan i 'nghydnabod i.

Fe wnes innau'r un modd ac fe yrron ni ymlaen tuag at afon Tawe cyn troi i lawr am y môr wrth y bont grog lle taflodd y ferch ei hunan i'r afon. Edrychai'n rhyfedd o hardd yn yr haul, y rhaffau dur yn ymestyn fel hwyliau i ben y mast o goncrit gwyn.

"Drychwch, Lucy," dywedais. "Enghraifft o bensaernïaeth hardd yn Abertawe."

"Yeah, stunning."

"Ond lle hwylus i foddi'ch hun. Taflodd merch ifanc ei hun dros yr ochr ryw bythefnos yn ôl."

"Wyddwn i mo hynny," meddai Lucy, wedi dychryn. "Pwy oedd hi?"

"Merch o Townhill. Roedd hi'n disgwyl babi a HIV arno ers pum mis. Cafodd ei threisio gan Ianc roedd hi wedi'i gwrdd mewn clwb nos yn y ddinas."

"Ond sut y'ch chi'n gwybod mai Ianc oedd e?"

"Hi ddywedodd hynny mewn nodyn adawodd hi gyda'i rhieni cyn taflu'i hun dros y bont."

"Oedd e yn y papurau?"

"Oedd, a'r newyddion."

Fe yrron ni ymlaen mewn tawelwch gan droi i'r dde i lawr afon Tawe tuag at y fflodiart sy'n amddiffyn y Marina rhag y môr mawr. Ar y chwith, ychydig yn uwch i fyny'r afon, roedd glanfa yn cynnwys rhes o gychod drud.

"Cwch neis," dywedais wrth bwyntio at un ohonyn nhw, un brown ac aur â'r enw *Faatima*.

"Pwy bia fe? Rhyw oligarch Rwsiaidd?"

"Na, *oligarch* Mwslemaidd yn fwy tebyg."

"Sut chi'n dweud hynny?"

"Dyfalu ydw i. Weles i André, fy *chef*, ar ei ddec rai wythnosau'n ôl. Ro'n i wastad wedi meddwl amdano fel cymeriad unig, meudwyaidd, ond fan'na roedd e'n yfed coffi Twrcaidd gyda chriw o ddynion siwtiog, croen tywyll."

"Pwy oedden nhw, felly?"

"Sai'n gwybod, ond mae 'na Fwslemiaid yn Abertawe sy'n ddigon cyfoethog i brynu un o eglwysi mwya'r ddinas a'i throi'n fosg."

"Ond pam lai, os oedd e'n wag?"

"Yn union."

Buom yn disgwyl ein tro wrth y llifddor cyn cael disgyn, gyda rhai cychod eraill, o lefel y Marina i'r môr. Wedi hwylio 'mlaen am ychydig, llywiais y cwch heibio i'r goleudy bychan ar ben y morglawdd. Yna'n sydyn, wrth i fraich hir, dywodlyd y traeth bellhau y tu ôl i ni, fe ffeindion ni'n hunain allan yn y môr mawr. Roedd y glaw ysgafn wedi peidio a'r haul yn cryfhau, a syrthiodd rhyw heddwch sydyn drosom.

"Be chi'n feddwl?"

"Dyna sydd mor wych am hwylio. Chi'n sylweddoli mor ddibwys yw'r tir, mai dim ond atodiad i'r môr yw e... Mi a' i i ymlacio yn y cefn os ydi hynny'n *okay*."

"Ewch amdani. Mae'n bwysig manteisio ar yr haul."

Wedi canolbwyntio ar y llywio am ychydig, troais i weld sut roedd Lucy'n setlo yng nghefn y cwch. Roedd hi'n gorwedd yn ôl mewn bicini bychan *polka dot* pinc a gwyn ar dywel mawr Winnie the Pooh, un llaw yn cydio yn ei het wellt a'r llall mewn llyfr oedd yn pwyso ar ei chlun, ei choes yn driongl siapus a hapus.

"Lico'r olygfa?" gofynnais. "Mae hyd yn oed Abertawe'n hardd o fan hyn."

"Mae Abertawe'n arbennig o hardd o fan hyn."

"Chi'n gwbod, Lucy, bod Abertawe, fel Rhufain, wedi'i hadeiladu ar saith o fryniau? Yn anffodus, dyw'r bensaernïaeth ddim cystal." Pwyntiais at dŵr gwyn yn codi yr ochr draw i'r traeth. "Welwch chi'r Guildhall – dyna'r adeilad hardd ola i ddinas Abertawe ei adeiladu."

"A phryd oedd hynny?"

"'Nôl yn y tridegau."

Roedd Lucy wedi cau ei llygaid a throi at yr haul ond es ymlaen: "Y broblem 'da Abertawe yw bod hi'n trio bod yn rhywle arall o hyd. Pam 'se'r bastards yn gadael i Abertawe fod yn Abertawe?"

"A phwy ydi'r 'bastards' yma?"

"Y bygars arferol: datblygwyr barus, cynghorwyr twp â dim clem am hanes..."

Ond roedd Lucy am fwynhau'r haul a rhwygais fy sylw oddi

wrth ei ffigwr siapus tuag at y dasg o lywio'r cwch allan o'r Bae, tua goleudy'r Mwmbwls. A hithau'n fore Sul, roedd 'na gychod eraill allan hefyd, a badau pŵer yn sglefrio ar y dŵr rhyngom a Knab Rock. Y tu draw i'r lanfa, safai'r Secret Garden mewn rhesdai lliwgar, yn bictiwr o fuddsoddiad doeth a deniadol. A minnau'n hwylio heibio iddo mewn bad slic â merch mewn bicini yn y cefn, mae'n siŵr 'mod i, i rywun oedd yn gwylio o'r tir, yn ymddangos yn ddyn ffodus a llwyddiannus.

Dilynais fwa llydan i osgoi creigiau trwyn y Mwmbwls, a daeth traethau'r Gŵyr i'r golwg o dipyn i beth. Nawr roedd yn bosib gweld baeau Bracelet a Limeslade, yn lleiniau cul o dywod; wedyn Rotherslade a Langland, ei gabanau gwyrdd a gwyn yn ddim ond llinell frau yn y tarth ysgafn.

"Cofio Langland?" galwais ar Lucy i'r cefn.

Ond wnaeth hi mo 'nghlywed i. Roedd hi wrthi'n rhoi eli haul ar ei bronnau gan lithro'i dwylo o dan gwpanau ei bicini *polka dot*. Fe'm daliodd i'n edrych arni ac edrychodd yn ôl dros ei sbectol haul wen gan wenu'n euog a direidus. Yna tynnodd ei bicini yn ôl yn gyflym dros ei bronnau a throais innau fy llygaid i ffwrdd.

*   *   *

Byddai'r olwg ddifrifol o secsi yna'n fy aflonyddu am yr hanner awr nesaf, a'r corff siapus, brown, benywaidd. Triais ganolbwyntio ar y llywio. Allwn i ddim siarad â hi'n iawn, oherwydd y pellter rhwng y caban a'r cefn. Ro'n i'n cymryd ambell gip yn ôl ac yn sylwi ei bod hi'n dal i ddarllen, ac roedd hynny'n dod rhyngom hefyd.

Ond ychydig yn nes ymlaen sylwais fod ei llyfr â'i wyneb i lawr a'i bod hi'n eistedd i fyny ac yn chwarae â ffôn symudol yr oedd hi'n ei ddal rhwng ei dwylo.

Gan synnu braidd, dywedais: "Dim 3G mas fan hyn, Lucy."

"Dwi'n gweld hynny. Meddwl anfon neges o'n i."

"Mae'r tonfeddi *mobile* yn rhy uchel. Ond allwch chi ffonio trwy'r radio VHF."

"Dwi'n *okay*," meddai Lucy gan roi ei ffôn yn ôl yn ffwndrus. "Pa mor bell y'n ni nawr, *anyway*?"

"Tua ugain munud eto."

"Mae hyn yn *crazy*, Rhys."

"Dyna'r pwynt."

"Ond oes raid mynd mor bell mas? Chi jyst wedi cael syniad yn eich pen, dyna i gyd."

"Syniad yw Afallon i fod."

"Nage, profiad yw e."

"Ie, hynny hefyd."

"Chi ddim yn deall. Chewch chi mohono fe trwy chwilio, trwy gynllunio. Dyna'r camsyniad mae pawb yn 'i neud."

"O, Zen, ife?"

"Na, nid Zen. *You just don't get it*, Rhys."

Yna gafaelodd yn ei llyfr a gorwedd ar ei bol ar y tywel mawr Winnie the Pooh. Tynnodd ei het i lawr dros ei phen a dechrau darllen eto, ei gên yn ei dwylo a'i choesau'n swingio'n araf yn yr awyr. Codai ei chefn mewn llinell barabolaidd o'i thin yn ei gerpyn o gotwm pinc a gwyn ond doedd dim pwynt imi flysio amdani. Tynnais ar lifer y gêr a rhyddhau'r injan Volvo i lamu ymlaen dros y tonnau.

Ro'n i'n cadw llygad ar y nodwydd fach goch oedd yn dilyn y *wayfile*. Ond ar yr un pryd ro'n i'n gofyn: pam roedd hi mor styfnig? O'n i wedi colli cyfle? A ddôi'r cyfle'n ôl? Yna, o'r diwedd, daeth y côd GPS cywir i fyny a fflachiodd y neges optimistaidd, *Congratulations, you have arrived at your destination.*

Diolch, mêt, atebais, ond rwy'n credu 'mod i wedi pasio'r pwynt yna dro yn ôl…

Rifyrsiais ychydig, yna diffodd yr injan a dadweindio'r angor. Roedd Lucy'n dal i orwedd ar ei bol, ei phen yn dal yn y blydi llyfr. Mewn tawelwch, sieciais ddyfnder yr angor yn erbyn ffigwr y map morwrol. Â'r angor wedi cydio, es yn ôl i mewn i'r caban i wneud y tasgau ro'n i, ychydig yn ôl, wedi edrych ymlaen atyn nhw. Estynnais y gwin o'r ffridj a'r brechdanau corgimwch a chreision, a'u gosod ar y bwrdd yng nghefn y cwch, gyda'r platiau a'r cwpanau plastig.

Â'r wledd yn barod, eisteddais wrth y bwrdd bychan a chyhoeddi: "Ni yno, Lucy. Gwin?"

"Ie, plis," meddai Lucy gan roi ei llyfr i lawr a chodi ar ei heistedd.

"Gewürtztraminer o'r Almaen," dywedais wrth arllwys y gwin i'r cwpanau plastig. "Trwy garedigrwydd Tesco'r Marina."

Cymerodd Lucy'r cwpan ac un o'r brechdanau. Roedd yr haul yn grasboeth uwch ein pennau ond chwythai awel gref a thwyllodrus ar ein traws.

"Wel, be chi'n feddwl?" gofynnais.

Edrychodd Lucy ar ehangder y môr a'r awyr, a dweud: "Mae'n unig iawn yma, yn bell iawn o bobman."

"Ond ry'n ni yng nghanol pobman hefyd."

"Ond beth sydd i'w weld?"

"Drychwch yn ofalus. Dyna i chi Gefn Sidan a'r Llwchwr i'r gogledd, Rhosili a Gŵyr i'r dwyrain, bryniau Gwlad yr Haf i'r de ac Ynys Bŷr i'r gorllewin. A draw ffor'na, yn rhywle yn y niwl, mae Sir Benfro a mynyddoedd y Preseli, a Dyfed wrth gwrs."

"Gymera i'ch gair chi."

"Ta p'un, iechyd da, ac i arhosiad hir yng Nghymru."

"Cawn weld am hynny. Bydd e'n *short stay* os na cha i *funding*."

"Allech chi ffeindio gwaith?"

"Heb *visa*?"

Blasodd Lucy'r gwin a bwyta'r frechdan mewn tawelwch. Doedd y naws ddim yn joli, a phenderfynais drio miwsig. Beth oedd i'w golli? Pwyntiais yr iPhone at yr Airplay yn y caban.

Yn y man, dechreuodd un o draciau Jarman chwarae. Cymerais frechdan arall, a gorwedd yn ôl yn erbyn ochr y cwch.

"Reggae Cymraeg?" meddai Lucy o'r diwedd.

"Mae popeth ar gael yn Gymraeg."

"Dim ond Cymraeg sy 'da chi ar y system?"

"Na, 'bach o bopeth: jazz, stwff Brasilaidd, ambell *chanteuse* o'r Almaen sy'n siarad yn lle canu – rwy'n lico'r rheini – a rhai traciau o gyfnod coleg. Pan es i i Berlin, fe golles i gysylltiad â'r sîn Gymraeg. Ro'n i'n eu chware nhw i fy atgoffa am Gymru."

Llithrais fy mys dros y ddewislen iTunes a dewis dwy o hen ganeuon Hergest. Yn y man hwyliodd eu lleisiau mwyn, hiraethus draw o'r caban. Nhw oedd y Beach Boys Cymraeg, ond sut oedden nhw'n swnio i Lucy? Dywedais: "Nid y miwsig ei hun sy'n cyfri, wrth gwrs, ond y cyfnod, y cysylltiadau. 'Da chi draciau, rwy'n siŵr, sy'n mynd â chi 'nôl i ddyddiau coleg ac oes aur ieuenctid?"

"Oes aur?"

"Wel, chi'n gwybod be rwy'n feddwl, y dyddiau yna cyn priodi a chael swydd, cyn y dringo a'r dod ymlaen."

"Ond beth am y pyliau du o ansicrwydd? Gawsoch chi mo'r rheini?"

"Dim siawns, a Steff Daniels o gwmpas. Weloch chi fe, on'd do?"

"Do, y dyn yna sydd fel Berlusconi?"

Chwarddais. "Dyna fe. Roedd e'n fy nhynnu i ralïau a phrotestiadau, ac yn sôn am chwyldro o hyd. Ond fuodd 'na ddim chwyldro, wrth gwrs. Ni oedd y chwyldro, Steff a fi a'r lleill… chwerthinllyd, wir."

"Ond chi'n dal i wisgo T-grys Cymru, rwy'n sylwi."

"Mae Cymru'n wahanol…"

Â miwsig hafaidd Hergest yn chwarae yn y cefndir, pwysodd Lucy'n ôl yn erbyn cefn y cwch, gan ddal ei het wellt yn erbyn yr awel. Cymerais fwy o'r gwin ac arllwys mwy i Lucy. Dechreuodd y gwin fynd i 'mhen ac am eiliad ro'n i 'nôl yn y saithdegau. Craffais ar Lucy. Yn ei het wellt a'i sbectol *retro* a'i bicini *polka dot*, gallai fod wedi gwneud clawr perffaith i un o LPs y cyfnod.

Wedi cymryd dracht arall o'r gwin, dywedodd Lucy'n dawel: "Fe wnes i wrthryfela hefyd, yn fy ffordd fy hun, pan o'n i yn Boston."

"Sut hynny, felly?"

"Ces i blentyn pan o'n i yn y coleg. Ro'n i'n ddibriod. Fe rwystrodd hynny fi rhag cael gradd."

"Nawr rwy'n deall…"

"Dyna pam rwy'n 'studio am radd nawr, a Michael newydd ddechrau yn un o golegau Boston. Doedd e ddim yn bosib i mi tan nawr. Bues i'n cynnal fy hun mewn swyddi yn yr orielau a'r bwytai y soniais amdanyn nhw wrthych chi yn Morgans."

"Da iawn chi. Nid pawb fuasai wedi cael y plentyn."

"Doedd hynny ddim yn *option*. Ni'n ffrindiau agos, Michael a fi. Wrth gwrs, dyw hi ddim wedi bod yn hawdd. Dwi wedi cael fy *string of relationships*, a bu'n rhaid imi adael dyn ro'n i'n hoff ohono er mwyn dod i Gymru."

"Rwy'n gweld bo chi wedi wynebu eich cyfrifoldebau tra 'mod i wedi treulio 'mywyd yn ffoi oddi wrthyn nhw, gan adael llwybr o lanast ar fy ôl."

"Ond fe ddaethoch chi 'nôl at eich tad, on'd do?"

"Falle, ond mewn *debit* ydw i o hyd."

Meddai Lucy, ychydig wedyn: "Mae'n rhaid i mi gyfadde, Rhys, eich bod chi'n iawn am y llecyn yma. Mae'n *awesome*. Mae'n llonydd iawn, yn hudol, bron."

"Os ydych chi am fod yn farddonol, gallech chi ddweud ein bod ni yn rhywle rhwng Cymru, Lloegr a thragwyddoldeb."

"Ond a wyddoch chi bod 'na enw Cymraeg arno fe?"

"Ar be?"

"Fan hyn."

"Wel – Môr Hafren am wn i?"

"Na, mae'n enw llawer mwy rhamantus: Aber Henfelen."

"Wir?"

"Mae e i fod i gyfeiriad Dyfnaint. Y Mabinogion, chwedl Branwen."

"Wydden i ddim… ond rwy'n gwybod chwedl Pwyll. Po gyflyma roedd e'n rhedeg ar ôl Rhiannon, y pella oedd hi'n diflannu."

"Da iawn, Rhys. Dyna'r pwynt wnes i gynnau ynglŷn â pheidio chwilio. Nid Zen yw e o gwbl."

Syrthiodd rhyw dawelwch braf rhyngom. Symudais draw at Lucy a chyffwrdd yn ysgafn â'i chefn noeth, poeth, ond roedd hyn y tu hwnt i ryw. Llithrai cymylau pluog, tenau yn araf ar draws rhannau o'r ffurfafen, oedd fel cylch 360 gradd amdanom. Draw yn y pellter, i gyfeiriad Ynys Bŷr, roedd llongau bach yn ddotiau lliwgar yn dawnsio ar y dŵr.

"Chi'n gweld y llongau bach yna?" gofynnais gan bwyntio. "Draw ffor'na mae Afallon, yn y môr i'r de o Sir Benfro…"

"You're kidding, Rhys," meddai Lucy'n ysgafn.

"Rhaid i chi graffu. Ynys denau yw hi, rhyw lwyd golau neu liw arian. Chi'n weld e?"

"Alla i ddim dweud y galla i…"

"Mae'n mynd a dod, y niwl yna yw'r broblem…"

Roedd Lucy'n dal i graffu i'r pellter, ei llaw ar ei thalcen, ond yna symudodd tuag ata i a phwyso yn fy erbyn. "Dwi angen *field glasses*, Rhys."

"Wrth gwrs, a' i i'w nôl nhw nawr."

Es i'n ôl i mewn i'r caban i nôl y gwydrau Zeiss. Maen nhw'n wydrau da, meddyliais – ond ydyn nhw'n ddigon da i weld Afallon? Roedd popeth yn bosib nawr… ond do'n i ddim am i rywbeth twp chwalu'r rhamant oedd i ddod, a phenderfynais siecio cadernid yr angoriad – a gweld bod 'na neges wedi dod lan ar sgrin yr iPad – *ERROR: NO GPS SIGNAL.*

Roedd hwnna'n amhosib. Gollyngais y gwydrau a thanio'r

rhaglen *navigation* ond doedd dim newid. Aildaniais y cyfrifiadur er mwyn rhoi cyfle iddo ailffeindio'r signal. Ond wnaeth e ddim. Ai gyda'r derbynnydd oedd y broblem? Yn wyllt, sieciais fy iPhone – ond doedd dim signal GPS ar hwnnw chwaith.

"Lucy!" gwaeddais wrth ddychwelyd i'r cefn. "Mae hyn yn amhosib! Does dim signal GPS!"

"Be chi'n feddwl?"

"'Smo ni'n gwybod ble y'n ni!"

"Rwy'n gwybod hynny'n barod…"

"Ond alla i ddim rheoli'r cwch. Na neb arall. Mae pawb yn derbyn GPS oddi wrth y lloerenni yna sy'n troelli'r byd."

Roedd Lucy wedi gwelwi nawr. "Wedes i bo chi'n *bonkers* i ddod mor bell."

"Wel, falle fod gwareiddiad ei hun wedi bennu!" dywedais mewn ymgais i fod yn ysgafn. "Bod y sbwriel i gyd wedi dod i ben – fel roedd yn rhaid iddo, wrth gwrs, dim ond i chi feddwl am eiliad am y peth – a bod cymylau niwclear yn hofran dros Abertawe a bod yr adeiladau hyll yna i gyd wedi chwalu i ebargofiant…"

"Chi'n wallgo i jocio!" meddai Lucy gan godi. "Mae rhywun wedi jamio'r signal, on'd oes?"

"Pwy, felly?"

"Mae'n rhaid bod ni mewn *danger zone* milwrol."

"Danger zone?"

"Ie, ardal lle maen nhw'n profi taflegrau."

Saethodd iasau o ofn trwof – oedd y perygl mor real â hynny? – ond cyn i fi gael cyfle i ddod ataf fy hun, clywais sŵn dieithr yn dod o'r tu ôl i ni: rhyw bwmpio ysgafn, peiriannol. Troais. Draw yn y pellter, i gyfeiriad afon Llwchwr, roedd tarantwla tywyll yn codi a disgyn uwchben y môr ac yn graddol ddod aton ni â dyrnu cyson, cyllellog. Allwn i ddim credu fy llygaid. Hofrennydd oedd e, nawr tua hanner milltir i ffwrdd. Cydiais yn y gwydrau ond doedd mo'u hangen i ddarllen y llythrennau ar gorff *camouflage* yr anghenfil oedd nawr yn hongian fel hebog uwch ein pennau, ei lafnau anferth yn chwyrlïo: *USAF*.

Ar y gair dyma'r system radio tonfedd uchel iawn yn tanio a llais cras yn llanw'r caban: "Buddy, don't you know you're in a military danger zone?"

"Sorry, mate, no."

"You betta get the fuck outta here, buddy, or you'll get a missile up your arse."

"Got the message, raising anchor now…"

"And do it fast, you Welsh arsehole."

Yna daeth sŵn craclo ac wedi clic uchel fe ddiflannodd y llais mor sydyn ag y daeth, gan adael dim ond sŵn rhygnu'r hofrennydd uwchben, a lleisiau Hergest yn canu am yr haul yn machlud yn harbwr Aberteifi.

*   *   *

Â'r bwystfil llwyd yn dal i hofran uwch ein pennau, rhuthron ni allan o'r caban i weindio'r angor i fyny. Roedd Lucy wedi cynhyrfu ac yn fwy o rwystr nag o help. Taniais y modur o'r diwedd ond, â'r system lywio'n farw, roedd yn rhaid defnyddio cwmpawd. Ond roedd 'na smotyn bach llwyd ymhell i'r de, y gallen i ei weld â'm llygaid noeth. Ro'n i'n dyfalu mai ynys Lundy oedd e.

"Ro'n i'n gwybod base hi'n dod i hyn," meddai Lucy, yn tynnu siwmper i lawr dros ei bicini.

"Os o'ch chi'n gwybod, pam na wedoch chi?"

"Fe wnes i 'ngorau ond roeddech chi'n styfnig fel mul."

"Ga i'r gwydrau Zeiss 'na? Rwy'n anelu am y smotyn llwyd 'na gan weddïo y daw'r GPS 'nôl cyn i ni ei gyrraedd e."

Hyrddiodd yr *Afallon* ymlaen gan dorri cwys gadarn trwy'r aceri o fôr agored. Gwyliais nodwydd y *speedomete*r yn cyffwrdd 20 *knot*. Sblasiai'r ewyn yn ffyrnig dros ffenest y caban: roedd gwynt nawr wedi codi.

Meddai Lucy, oedd yn eistedd wrth fy ochr: "Mae'n

mindboggling nad y'ch chi, fel perchennog cwch, yn gwybod am y *zones* yma."

"Ond sut ydw i i fod i wybod?"

"Maen nhw ar bob map morwrol."

Ymbalfalais gyda'r iPad wrth ddal i gydio yn yr olwyn lywio, ac wedi chwyddo'r map i ran arbennig o'r arfordir, yn wir roedd yna lythrennau mân *Pembrey Sands Air Weapons Range* ar draws rhan o'r môr, o fewn llinell ddotiog.

"Un lan i chi, felly, Lucy: ond sut mae gwybod pryd mae'r bastards yn chware milwyr?"

"Mae'n siŵr ei fod e ar wefannau'r MOD a QinetiQ. Rhaid bod 'da nhw *feeds*. A beth am y papurau lleol? Chi'n gwybod, hysbysiadau *bye-laws*?"

"Felly rhaid i fi brynu'r *Evening Post* bob dydd? Iechyd, Lucy, os chi'n gwybod cymaint, chi ddylai fod yn hwylio'r blydi cwch yma, nid fi."

"Chi'n byw ar gwmwl, Rhys. Mae hynny'n glir o'r ffordd chi'n rhedeg y cwch, a'r bwyty."

"A sut y'ch chi'n byw? A'ch traed yn solet ar y ddaear?"

Gyrron ni ymlaen mewn tawelwch wrth i'r *Afallon* bwnio i mewn i'r tonnau. Ro'n i'n tapio'r sgrin yn gyson ond roedd y GPS yn dal yn farw. Roedd agwedd hunangyfiawn Lucy wedi 'ngwylltio a dywedais: "Pa hawl oedd gan y bastard Americanwr yna i 'ngalw i'n *Welsh arsehole*?"

"Doedd e'n neb, Rhys, jyst rhyw filwr."

"Na, peilot, rhywun â streips. Ond o leia roedd 'na rywun yn yr hofrennydd. Chi wedi clywed am y *drones* 'ma? Does neb yn y rheini. Maen nhw'n profi nhw ar draws de Cymru erbyn hyn."

"Am be chi'n sôn nawr?"

"*Drones*, Lucy, *predator drones*. Be mae'r Americans yn defnyddio yn Irac a phob gwlad arall lle maen nhw'n lladd pobol, sef beth mae Americans yn arbenigo ynddo."

"Does gan yr un wlad fonopoli ar ladd."

"Mae *drones* yn dewis pwy i ladd ac yn meddwl drostyn nhw eu hunain. Y syniad mawr newydd ydi dechrau rhyfeloedd trwy *stealth*, lladd ambell arweinydd i ddechrau – mae gan Obama ei *kill list,* on'd oes?"

"Ble chi wedi cael hyn i gyd? Chi wedi cael chwilen yn eich pen, dwi'n gweld," meddai Lucy gan helpu'i hun i'r Brecon Carreg.

"Falle 'mod i…" dywedais yn wannaidd gan sylweddoli mai gan y siaradwraig yn y rali y clywais i'r pethau yma, ond ro'n i'n synnu ataf fy hun 'mod i'n eu hailadrodd nhw.

Wrth deithio ymlaen, ro'n i'n dal i brofi'r GPS; yna'n sydyn, fe ddaeth y signal yn fyw. Taflais fy hun yn ôl mewn rhyddhad, a dangos y sgrin i Lucy. Roedd y byd yn normal eto, y ddau ddwsin o loerennau 'nôl yn hwylio rownd y ddaear, yn tracio bywydau pawb.

A'r cwch nawr yn troi'n araf tua'r de i Benrhyn Gŵyr, dywedais: "Twyll yw bywyd normal, yntê? Ni'n byw mewn celwydd. Mae'r fyddin tu ôl i bob cornel, ar y môr, ar y tir, ar yr hewlydd, yn yr awyr. Chi ddim yn sylwi, fel arfer. Ond weithiau, mae 'na grac yn y wal anweledig rhyngddon ni a nhw. Fel pnawn 'ma gyda'r *helicopter,* neu pan mae jîp yn torri lawr, a gang o filwyr yn cael eu gollwng yn rhydd ar y dre, ac yn mynd yn wyllt, ac yn ymladd ac yn ffwcio ac yn lladd…"

"Am be yn y byd y'ch chi'n sôn nawr?"

"John Harries wrth gwrs. Peidiwch actio mor ddiniwed. Weloch chi'r torchau bore 'ma. Cafodd e'i lofruddio ryw nos Sadwrn ar ôl ymweld â chlwb hoyw yn y Marina."

"Felly chi wedi dweud droeon."

"Ac fe welon ni'r bont y taflodd y ferch ei hun i afon Tawe oddi arni."

"Ond boddi oedd hynna, nid llofruddiaeth."

"Ie, ond fe gafodd hi ei threisio bum mis ynghynt gan Ianc. Dyna ddywedodd hi yn ei nodyn ola. Nhw wnaeth y ddwy job: yr Americans."

Roedd Lucy'n cnoi ar ryw *gum* wrth barhau i rythu trwy'r ffenest, ond gallwn weld ei bod wedi cynhyrfu, ac yn meddwl sut i ymateb. Roedd pen blaen y cwch yn dal i godi a disgyn wrth iddo dorri i mewn i'r tonnau. Ro'n i'n dal i graffu ar y GPS ond doedd dim angen: roedd y pwynt ro'n i'n anelu ato nawr yn ddigon amlwg i'r llygad, sef goleudy'r Mwmbwls. Os oedd yn ddigon da i forwyr y gorffennol, roedd yn ddigon da i fi nawr.

"Dwn i ddim am achos John Harries," meddai Lucy yn y man, "ond am y ferch 'na, mae'n swnio i fi fel *Saturday night screw*."

"Gan Ianc."

"*Come on*, Rhys, mae lot o ferched yn cael eu sgriwio nos Sadwrn yn Abertawe, a chyfran ohonyn nhw gan Iancs, mae'n siŵr."

"Ond tipyn o gyd-ddigwyddiad?"

"Ai ar nos Sadwrn y digwyddodd e? Y cyfan wyddoch chi yw ei bod hi'n disgwyl ers pum mis."

"A bod HIV ar y babi…"

"*Okay*, ond gallai'r tad fod yn unrhyw un, a'r un modd gyda'r rhai ymosododd ar John Harries."

"Roedd achos John Harries yn hollol wahanol: roedd yn achos o lofruddiaeth."

"Ond allwch chi ddim profi bod cysylltiad rhwng y ddau ddigwyddiad."

Cymerais swig arall o'r dŵr. A minnau wedi rhoi 'nghardiau ar y bwrdd, doedd dim pwynt imi beidio sôn wrth Lucy am dystiolaeth y ferch yn y garej yn Cross Hands, a hanes yr hofrennydd yn achub yr Humvee. Dyna wnes i, a dweud wedyn: "Felly chi'n gweld y senario? Criw o filwyr Americanaidd yn mynd yn wyllt yn y dre, pwmpio'u hunain â chyffuriau, ac os oedden nhw'n hoyw, chwilio am brae yn y *gay bar* agosa…"

"Ond theori yw e. Does 'da chi ddim tystiolaeth."

"Ond dyna sy mor ddiddorol am yr achos yma: fe

ddiflannodd y dystiolaeth. Doedd 'na ddim tystiolaeth CCTV. Roedd fel petai'r ddau foi yna erioed wedi bodoli. A diflannodd tystiolaeth arall hefyd, o adroddiadau'r cwest, yn dweud eu bod nhw'n gwisgo trowsusau *camouflage* a chrysau *Frankie Say Relax…*"

"Ond beth yw'r ots am hynny?"

"Rwy'n digwydd gwybod bo chi'n gallu prynu'r crysau yna, a hefyd y cyffur roddwyd yn niod John Harries – sef *temazepam* – yn yr un lle ag y prynais i'r brechdanau *prawns* 'na a'r gwin gawson ni heddiw: Tesco'r Marina."

"Mae'r crysau yna'n reit boblogaidd."

"Dewch o'na, Lucy! Rhaid bo chi'n ei weld e. Y jîp yn torri lawr – falle'n fwriadol – yna'r milwyr yn penderfynu bwrw'r dre, prynu'r cyffuriau a'r crysau-T, wedyn dympio'r siacedi *fatigue* mewn *wheely-bin* tu fas i Tesco, wedyn mynd am helfa, y rhai hoyw i'r Marina a'r lleill i'r Kingsway…"

Rhoddodd Lucy ei llaw ar fy mraich, a dweud: "*Lucy Say Relax,* Rhys. Chi wedi mynd yn reit *obsessive* am hyn."

"Rwy yn *relaxed,* Lucy. A dwi'n *relaxed* am gael y twlsyn yna 'nôl, yr un alwodd fi'n *Welsh arsehole…*"

"Tyfwch lan, wir. Nid chware cowbois ac Indians ydyn ni."

"Ond dyna'r gêm maen nhw'n chware – a ni ydi'r Indians."

Roedden ni'n dynesu at Fae Abertawe a theimlais don sydyn o ysgafnder a gollyngdod, heb ddeall pam. Gan dynnu'r lifer yn ôl, arafais y cwch gan adael i'r injan Volvo droi drosodd yn fodlon. Roedd bryniau isel Abertawe yn donnau ar y chwith i ni, a rhesi o oleuadau bychain yn pefrio'n wan trwy'r tarth, yn rhy niferus i'w cyfri.

Llywiais y cwch ymlaen mewn tawelwch tuag at y goleudy ar ben morglawdd y dociau, gan adael y Bae y tu ôl i ni, a throi i mewn i'r culfor artiffisial. Wedi pasio'r tyrbein gwynt a'i freichiau mawr, diog, daeth fferi Corc i'r golwg, fel ffantom gwyn neu stryd yn Efrog Newydd. Nawr arafais wrth y gatiau clo sy'n cau'r Marina rhag y môr mawr, gan ymuno ag un cwch arall. Hongiai'r ddwy gât hirgrwn uwch ein pennau fel waliau castell.

Pwysais yn ôl yn y sedd lywio a chymryd swig o ddŵr. Gwyddwn y gallai hyn gymryd amser. Taniais y system sain gan roi'r miwsig Cymraeg yn ôl ymlaen. Ro'n i'n mynd i 'mhlesio fy hun o hyn allan, penderfynais. Wedi cwpwl o draciau diog o'r saithdegau, daeth llais Lucy o rywle: "Rwy gyda chi, Rhys."

"Be chi'n feddwl?"

"Liciwn i eich helpu chi… i ffeindio mas be ddigwyddodd."

"Ond sut?"

"Gen i gysylltiadau yn y coleg. Alla i ddim dweud mwy am hynny nawr…" Cyffyrddodd â'm llaw a dweud: "Dim ond nawr rwy'n sylweddoli beth yw ystyr bod ar yr ochr arall, ochr y brodorion, ochr y rhai sydd wedi byw yma erioed. Dwi ddim am fod yn un o'r dieithriaid. Rwy am fod yn un ohonoch chi, y Cymry."

"Iawn, ond sai cweit yn deall. Pam y newid sydyn?"

"Peidiwch trio deall. Yr un un ydw i, Americanes sydd am droi'n Gymraes."

Triais osgoi ei llygaid, ac edrych tuag at y lampau melyn ar ben y morglawdd, gan deimlo'n fach o dan ei gysgod du. Yna teimlais law yn cyffwrdd yn fy mraich. Edrychais draw at Lucy, oedd yn plygu tuag ata i ac yn edrych i mewn i'm llygaid. Rhyddheais fy mraich, a'i thynnu ataf. Troais a rhoi cusan hir iddi ar ei gwefus ac ymatebodd hi â'i thafod, a thaflu ei braich am fy ngwddw. Crwydrodd fy nwylo dan ei siwmper, a chyffwrdd o'r diwedd ag ymyl ffrilog y bicini oedd wedi fy mhoenydio trwy'r dydd…

Agorodd gatiau'r fflodiart yn rhy fuan. Rhoddais fy llaw grynedig ar y llyw tra oedd Lucy'n tacluso'i hun. Nawr roedd angen i fi lywio'r *Afallon* i mewn i'r dyfroedd clo. Taniais yr injan a symud y cwch ymlaen yn araf, a'i diffodd eto. Nawr, a llaw Lucy ar fy ngwegil, teimlais y cwch yn codi fel y codai'r dŵr yn araf i fyny i lefel y Marina ac i ryw wastad braf nad o'n i wedi bod arno o'r blaen.

15: Pontardawe

S AI ERIOED WEDI deall y tri mwnci yna sy'n byw yn ffenest swyddfa Bryn ym Mhontardawe. Ydi cyfrifwyr yn gweld dim drwg, clywed dim drwg, dweud dim drwg? Ydyn nhw'n rhy onest i hynny, neu'n gwrthod gweld drwg, ac felly'n anonest? Yr olaf oedd yn wir am gyfrifwyr Sanotis. Byddai adrannau ariannol y cwmni'n doctora'r ffigyrau cyn iddyn nhw gyrraedd y cyfrifwyr fel y byddent yn cael eu pasio heb ormod o gwestiynau. Doedd y cyfrifwyr ddim am weld, clywed na dweud dim drwg wrth awdurdodau'r dreth incwm.

Fel sawl cwmni mawr arall, fe ffurfiodd Sanotis is-gwmnïau mewn gwledydd â thelerau trethu gwell na'r Almaen: Bermuda, Liechtenstein, Iwerddon. Wedi ffurfio'r cwmni papur Sanotis Pharmaceuticals (Eire) Ltd, fe ddechreuodd y cwmni Gwyddelig brynu nwyddau a gwasanaethau oddi wrth Sanotis Pharma International plc ar delerau bwriadol ddrud, gan leihau elw'r prif gwmni a chreu elw i'r is-gwmni.

Y broblem gyda hyn yw bod gormod o arian yn cronni, dros amser, yn yr is-gwmni – arian sy'n drethadwy. Sut mae datrys y broblem? Un ateb yw creu anfonebau (cywir) am wasanaethau (ffals) o fewn teulu hapus Sanotis, ac yna gymryd yr arian, â llaw, o'r banc. Tacteg yw hon sy'n deillio o'r oes electronig pan mae 'na gofnod o bob symudiad a rhech ariannol. Dyna, yn fyr, sut y ces i fy nenu ar benwythnos o Guinness gyda'r cyfarwyddwyr Gwyddelig er mwyn tynnu *cash bricks* allan o goffrau banc yr Anglo Irish a'u cludo mewn faniau Group 4 i Berlin. Fe ddôi'r penwythnos yna yn ôl i'm poeni eto. Mewn cymhariaeth, materion diniwed iawn oedd 'da fi i'w trafod â

Bryn pan ymwelais ag e un bore yn fuan wedi'r daith ar yr *Afallon*.

Wedi gadael yr Audi mewn stryd gefn, cerddais lan y brif stryd at swyddfa *Bryn Davies a'i Gwmni – Accountants/ Cyfrifwyr*. Arweiniodd Gwenda, ei ysgrifenyddes siaradus, fi lan stâr i swyddfa Bryn ei hun. Ac yntau nawr yn tynnu at ei chwedegau, roedd e, fel Hywel, yn un o'm cyd-ddisgyblion yn Ysgol Pontardawe slawer dydd. Ond tra oedd Hywel wedi gweithio'n galed i ddod ymlaen a symud i SA1 ac i Gaerdydd, roedd Bryn wedi dewis setlo i fywyd tawelach, a hapusach efallai, yn ei gynefin.

Croesawodd Bryn fi'n gynnes a'm gwahodd i eistedd yn ei swyddfa braf, oedd wedi'i phanelu â phren. Roedd yn amhosib peidio â sylwi ar y lluniau olew oedd yn rhes ar y wal y tu ôl i'w ddesg.

"Y celf yna'n codi yn ei bris bob tro rwy'n dod yma," dywedais.

"Saffach na'r farchnad stoc."

"Safbwynt od i gyfrifydd?"

"Ti'n gwpod fy safbwynt i, Rhys – yr un un â dy dad, a fy nhad i, sef sosialaidd hen ffasiwn. Nag'w i erioed wedi credu yn y *roulette* ariannol byd-eang sydd ohoni."

"Rwy'n cytuno, paid â phoeni. Fe weles i ormod ohono fe pan o'n i'n gweithio i Sanotis."

"A chofia, dim ond gwaith celf lleol rwy'n brynu."

"Egwyddor gyfleus iawn, Bryn. Rwy'n gwybod jyst digon am gelf i wybod mai'r rheini yw'r buddsoddiad gorau. Oes 'da ti Evan Walters neu Ceri Richards yn y casgliad?"

"Oes, Evan Walters yw'r portread yna ar y chwith."

Craffais ar wyneb budur yr hen löwr â'i lygaid gloyw ond trist. "Ydi, mae'n dda. Gwell buddsoddiad na bwyty yn y Mwmbwls?"

"Nage buddsoddiad yw swydd, ond beth ti'n dewis gwneud i fyw."

"Ond rhaid i'r ddau wneud arian."

"Nage colled, ta p'un – felly cystel i ni gael cip ar y cyfrifon 'na…"

Yn hamddenol, estynnodd Bryn sypyn o dudalennau o un o'r basgedi ar ei ddesg. Roedd ganddo steil roedd pobl yn ei drystio. Dyna sut y daeth yn un o bileri'r gymdeithas leol: yn drysorydd i'r côr meibion, yn is-lywydd y clwb golff ac yn aelod hefyd o'r Seiri Rhyddion – fel roedd pawb yn gwybod. Ro'n i'n edmygu'r boi ond wrth edrych arno ar draws y ddesg, y tu ôl i'w lamp banciwr werdd, ro'n i'n gweld drych o'n hunan fel y gallasen i fod petawn i wedi aros yn yr ardal a chael swydd fel athro Cemeg, efallai.

Tra o'n i'n llongyfarch fy hun yn dawel nad es i'r ffordd yna, roedd Bryn yn bwrw 'mlaen â'i ddadansoddiad o ffigyrau'r bwyty. "Mae cwplach o bethe'n fy ngofidio i, Rhys. Nid bo ti'n gneud colled – nid ti fydd y bwyty cyntaf i wneud 'ny yn y flwyddyn gyntaf – ond bo ti'n tynnu cyn lleied mas dy hun; hefyd nad oes 'na ddim asedau yn gefn i'r cwmni: dim ond y gegin a'r offer hyd y gwela i. Nago's cadernid 'na ac, yn fanwl gywir, rwyt ti'n masnachu'n anghyfreithlon."

"Am resymau amlwg, rhoies i'r adeilad yn y Mwmbwls yn enw'n hunan, nid y cwmni."

"Ond mae'r rhent mae'r cwmni yn dy dalu di am yr adeilad yn isel iawn, hefyd."

"Ydi, ond rwy'n derbyn rhent da am y ddau fflat uwchben. A ti'n gwybod am y buddsoddiadau eraill sy 'da fi, a'r fflat yn y Marina."

"A 'smo'r rheini'n perfformio'n wych, otyn nhw?"

"Ges i gyngor gwael gan ffrind yn Berlin, ond nid fe oedd yr unig un i fethu rhag-weld y chwalfa."

Cymerodd Bryn gleddyf bychan, aur i'w ddwylo a'i droi rhwng ei fysedd. "Nid amdanat ti rwy'n poeni, Rhys, ond am y cwmni, Secret Garden."

"Nid i wneud elw ddechreues i'r bwyty."

"Ond petai e'n methu, rwy'n cymryd na faset ti am gefnu ar dy gyfrifoldebau a chael y stigma o fod yn fethdalwr?"

"Felly be ti'n cynghori?"

Lloffodd Bryn trwy dudalennau'r bras gyfrifon. "Mae 'na rai costau allet ti chwynnu. Rwy'n gweld y taliadau i'r *chef* yn uchel, Rhys – yn hallt o uchel. Mae e'n gneud yn dda mas 'no ti."

"Mae'n fachan anodd ond dyw e ddim yn ddrwg fel *chef*. Fe ddenais i e o un o *restaurants* gorau'r West End," dywedais gan liwio ychydig bach ar y gwirionedd.

"Mae Bae Abertawe'n lle brafiach i weithio na Llundain, a ta beth, rhaid i unrhyw fusnes docio'i gostau yn ôl y brethyn. Sut mae pethe'n mynd eleni?"

"Pethe'n mynd yn iawn. Yn teimlo'n well na llynedd."

"Dyw hynny ddim gwerth i fi, Rhys. Os na fydd pethe'n gwella'n go glou, bydd yn rhaid i ni ystyried rhoi ased go iawn – falle dy fflat yn y Marina – yn enw'r cwmni, neu adeilad y bwyty ei hun."

"Arglwydd mawr, allen i ddim â gwneud hynny. Dyna'r holl bwynt o ddechrau cwmni cyfyngedig…"

"Ond rhaid i'r fantolen fod yn iawn."

"Felly be wnawn ni?"

"Fe adawa i ffigyrau'r flwyddyn gynta 'ma, ond os na fydd yr ail flwyddyn yn well, bydd yn rhaid i ni roi eiddo mewn…"

Wedi trafod dull o fonitro'r trosiant misol, daeth cyfle, o'r diwedd, i drafod y pwnc arall yr o'n i mor awyddus i'w drafod, ac a allai, wrth gwrs, roi hwb i fy iechyd ariannol.

"Bryn, fel ti'n gwybod, mae 'Nhad nawr mewn cartre henoed yn Cross Hands…"

"Otw, wrth gwrs," meddai, ei wyneb llydan yn difrifoli. "A, wir, rwy'n dy edmygu di am edrych ar ei ôl e fel ti'n gneud, a dod 'nôl o gyfandir Ewrop pan wnest ti. Sut mae e'n catw'r dyddie hyn?"

"Cystal â'r disgwyl. Mae'n eitha hen."

"Faint yw e nawr?"

"Wyth deg a naw. Ond dirywio mae e. Ti'n sylwi pan ti'n mynd ag e mas o'i gynefin. Es i ag e i Verdi's wythnos dwetha. Doedd e ddim yn hawdd."

"Henaint ni ddaw ei hunan, yntefe. Ni am gofio pobol ar eu gore. Roedd dy fam yn wraig arbennig, hefyd, a wnath gymaint dros gapel Calfaria fel organyddes. Roedd ei cholli hi'n ergyd drom i'r ardal i gyd…"

Torrais ar ei draws: "Bryn: mae un mater arall. Atgoffodd fy nhad fi amdano'n ddiweddar. Yn sgil bod bant yn Berlin, falle, ro'n i wedi anghofio ein bod ni'n derbyn rhywfaint o rent o dir Gelli Deg, hen gartre'r teulu."

"Ti'n iawn. Mae'r rhent yna wedi'i dalu mewn i gyfri banc dy dad bob tri mis ers blynydde maith."

"Ydi e'n bosib i fi gael copi o'r cytundeb rhentu? Rwy'n cymryd bod manylion llawn y tenant yn y cytundeb. A chopi o gyfrifon banc diweddara 'Nhad. A'r *charge* presennol ar y tŷ, hefyd, os yn bosib."

"Nawr, base'r *charge* yn fater rhwng y cyngor a'r cartre ac mae e gyda dy gyfreithiwr, siŵr o fod – ife Hywel?"

"Ie, Hywel Ashley."

"Ond fe drefna i bod Gwenda'n gneud copïau o'r gweddill cyn i ti adael. Mae'n gwpod yn gwmws ble mae popeth, chware teg iddi."

"A base gweithredoedd y tir ddim yma, fasen nhw?"

"Na, base'r rheini hefyd 'da Hywel."

"Ond wrth gwrs," dywedais, heb neidio at y syniad o gwrdd ag e eto.

Wrth i ni ddisgwyl am y dogfennau, cododd Bryn y ffôn ar un o'i gynorthwywyr ac archebu bob i goffi i ni'n dau. Pan gyrhaeddodd y paneidiau, eisteddodd yn ôl yn ei sedd dro ledr, a dweud: "Y'n ni'n dau'n mynd 'nôl yn bell, Rhys, a sai am i ti gymryd unrhyw beth 'wy'n gweud am y bwyty yn bersonol."

"Dim peryg o hynny. Dyna pam rwy'n dy dalu di."

"Ond mae'n syniad da, serch 'ny, i ddishgwl weithie ar y pictiwr mawr… y cwestiwn yw, sut wyt ti'n gweld dy sefyllfa bersonol yn y blynyddoedd nesa 'ma?"

"Ie: yn ymladd tân, neu'n mwynhau fy hun?"

"Yn gwmws, Rhys. 'Smo un ohonon ni'n mynd yn iau. Meddylia 'mla'n. Paid gatel i unrhyw golled sarnu unrhyw gynlluniau ar gyfer y dyfodol…"

"Yn arbennig gan nad oes cymaint â hynny ohono ar ôl?"

"Fel ti'n gwpod, mae rhai o'n hen ffrindiau ishws wedi croesi'r Iorddonen – ond eraill, weti'ny, yn dal i wneud yn dda iawn drostyn nhw eu hunain…"

Wrth drafod hynt a helynt ambell hen gydnabod, a gweld pa mor gysurus roedd Bryn yn troi yn ei gylchoedd cymdeithasol a phroffesiynol, meddyliais yn sydyn: a oedd 'da fe gysylltiadau â'r heddlu?

"Bryn," dywedais wrth orffen y baned, "'da fi un peth rhyfedd braidd i ofyn i ti."

"Cei di ofyn unrhyw beth i fi, Rhys."

"Peth bach yw e, mater o chwilfrydedd yn unig. Fel ti'n gwybod, rwy'n byw yn y Marina ar y funud…"

"Lle dicon braf i fyw, allen i feddwl."

"Mater o farn, falle… ond i dorri stori hir yn fyr, fe ddigwyddodd peth digon arswydus ddim yn bell o fy fflat i. Fe foddodd rhyw foi, 'nôl ym mis Ionawr, ac fe ddigwyddais i weld dau ddyn yn rhedeg bant ar yr union adeg. Falle i ti ddarllen am yr hanes yn y papur. Buodd 'na gwest wedyn ond doedd neb ddim callach."

"Otw, rwy'n cofio'n iawn amdano fe achos roedd y teulu'n dod o lan y cwm. Busnes od iawn."

"Llofruddiaeth oedd e, ac un o'r pethau odiaf oedd nad oedd 'na ddim cofnod CCTV o'r ddau ymosodwr…"

"Ond doedd dim bai ar yr heddlu?"

"Rwy'n cymryd hynny'n ganiataol, ond dyfarniad agored roddodd y crwner yn y cwest, ac mae'r mater, felly, wedi cau. Dim ond chwilfrydedd personol yw hyn nawr… ti ddim yn digwydd nabod unrhyw un yn yr heddlu fase'n gwybod rhywbeth am sut mae CCTV yn gweithio yn Abertawe?"

Pwysodd Bryn yn ôl yn ei gadair. "Diawch, Rhys, ti'n mynd i'r afael â mater go drwm man hyn."

"Sai'n gweithredu ar ran neb, ti'n dyall. 'Da fi ryw chwiw yn 'y mhen, dyna i gyd. A ta beth fydd y canlyniad, fydd dim byd pellach yn digwydd."

Craffodd Bryn arna i'n amheus. "Pam ti'n neud e, felly?"

"Sai'n gwybod yn iawn. Mae'r holl achos yn drewi braidd, lot o bethe'n cael eu sgubo dan y carped."

"Rhys bach, mae digon o faw dan garpedi'r byd 'ma i adeiladu dinas o faint Llunden."

"Gad e i fod, 'te," dywedais gan baratoi i godi. "Dyw e ddim o dragwyddol bwys."

Ond yna, wedi'i droi am ychydig rhwng ei fysedd, rhoddodd Bryn y cleddyf aur ar wyneb y ddesg a dweud: "Ond fe wna i dy helpu di, Rhys, fel hen ffrind. Fel mae'n digwydd, rwy'n gwpod yn gwmws pwy i ofyn wrtho. Wrth gwrs, a fydd e'n cytuno, alla i ddim â gweud. Ond rwy'n ei nabod e'n dda. Ddylen i allu dod 'nôl atat ti mewn ychydig ddyddie."

"Diolch, Bryn. Ond paid mynd i drafferth."

"Dim ond mater o godi'r ffôn – ond bydde rhaid i hyn fod yn gyfrinachol, wrth gwrs. Ti'n dyall na fydde'r heddlu am i unrhyw gymwynas fel hyn ddod mas yn gyhoeddus."

"Cei di 'ngair i ar hynny, rwy'n addo."

Yn y man fe ganodd y ffôn mewnol ac wedi ysgwyd llaw'n gynnes â Bryn, fe es i lawr y grisiau i gasglu'r dogfennau roedd Gwenda wedi eu copïo, ac allan i awyr iach y stryd.

* * *

Ro'n i wedi penderfynu y basen i, wedi'r cyfarfod â Bryn, yn mynd am siwrne sentimental i'r Milk Bar, lle gwastraffais gannoedd o brynhawniau flynyddoedd yn ôl yn yfed miloedd o baneidiau o goffi llaethog ar ôl ysgol, yn cwrdd â ffrindiau ac, yn nes ymlaen, â Cathy Davies, fy nghariad cyntaf, fy nuwies bymtheg oed.

Gyda dogfennau'r tir yn ddiogel yn fy nghas Samsonite, agorais ddrws y caffe'n nerfus ond, a hithau'n ganol pnawn, roedd y lle'n wag ar wahân i ambell bensiynwr. Doedd 'na ddim Wagon Wheels na Bounty ar y silff y tu ôl i'r cownter ac roedd y blwch jiwc wedi diflannu hefyd. Ac wrth gwrs, nid bar llaeth oedd e nawr ond *bistro* oedd yn trio'n galed i fod yn drendi, ond yn methu'n llwyr, yn y ffordd annwyl sy gyda nhw yng Nghymoedd y De.

O barch i'r oruchwyliaeth newydd, fe archebais baned o *latté* a mynd i eistedd yn fy hoff sedd ar bwys y drws. Daeth hynny â thon o atgofion chwerwfelys am Cathy Davies. Ro'n i wedi colli 'mhen amdani ac yn meddwl amdani o hyd. O'r diwedd fe'i perswadiais i ddod gyda fi am dro i lawr i'r gamlas ac yno ces fy nghusan gyntaf, ar un o'r meinciau gwlyb, yng nghanol dail yr hydref. Ond trodd yr ecstasi'n *agony* pan adawodd hi nodyn ar fy nesg, rai misoedd wedyn, yn dweud ei bod hi'n gorffen â fi 'terminally' ac yn mynd mas â'r bastard Rod Fuller.

Wrth yfed y coffi *latté* cofiais am y nosweithiau Sadwrn llawn poen a rhamant yn Neuadd y Bont, gyda Jerry and the Diamonds, Danny – neu Tommy, tybed? – and the Dreamers a'r grwpiau amaturaidd, chweched dosbarth: roedd pawb eisiau chwarae *rock and roll*. Cofiais amdanom yn smygu y tu ôl i'r neuadd, yn chwibanu *wolf whistles* ar y merched, yn sleifio am beint i'r Butchers yn Allt-wen – cyn i ni dyfu'n fechgyn mawr a dala'r bws i Abertawe i neuaddau dawns y Kingsway...

Ond Lucy Carter, nid Cathy Davies, oedd wedi mynd â 'mryd i nawr. Agorais y cas Samsonite, ac roedd popeth ro'n i angen o'm blaen: enw a chyfeiriad tenant tir Gelli Deg, a'r cyfrifon banc yn dangos y rhent pitw a dalai i mewn i gyfri banc 'Nhad. Do'n i ddim yn disgwyl gwyrthiau wrth ddelio â thenant oedd yn eistedd ar ei dir ers cyhyd, a wyddwn i ddim am Ben Harrington, ond roedd yn werth ei drio, am sawl rheswm. Ac un ohonyn nhw oedd y cyfle i ddangos Sir Benfro i Lucy.

Wedi mordaith yr *Afallon* a'i diwedd addawol, roedd y penderfyniad wedi'i wneud drosof: nid â 'Nhad y basen i'n gwneud y siwrne i Gelli Deg, ond â Lucy. Allai 'Nhad ddim dal y siwrne, ta beth. Ond gyda Lucy, gallen i aros yn rhywle dros nos. Cofiais am y caru ar y cwch, a'r gusan hir a nwydus o flaen ei fflat. Yn amlwg, roedd ein perthynas wedi cymryd tro di-droi'n-ôl. Oedd 'na wely a brecwast yng Nghwm Hir? Na, byddai Trefdraeth yn well, ar yr arfordir…

Do'n i ddim yn edrych 'mlaen at dorri'r newyddion i 'Nhad. Gallai fod yn un o'i hwyliau niwlog a chymysglyd, ond gallai'r geiriau 'Gelli Deg' fod yn ddigon i'w danio i'w hen siarprwydd. Byddai'n rhaid i fi roi sbin mor bositif â phosib ar y bwriad. Fe fyddwn yn mynd i Sir Benfro i weld Gelli Deg a'r tir, ac yn adrodd yn ôl iddo. Fe ddylai fod yn hapus â 'niddordeb newydd mewn materion teuluol. Ond a fyddai e? Hyd yn oed yn ei wendid, un anodd i'w dwyllo oedd fy nhad.

Talais am y coffi a chamu allan i'r stryd ac i'r unfed ganrif ar hugain. Yno, ar y palmant, tynnais yr iPhone o 'mhoced a galw Lucy, ond ches i ddim ateb. Gallai fod mewn darlith neu gyfarfod, wrth gwrs. Yna tapiais neges destun ar y sgrin: *Hi Lucy, got to go to Pembrokeshire on family business. Do you fancy a trip to Dyfed, the land of the Mabinogion? Rhys.*

Rhoddais y ffôn yn ôl yn ei waled a chamu'n ôl at yr Audi a sylweddoli bod y neges yn hollol ddibwrpas. Roedd yn rhaid i ni siarad, ac am sawl dydd o'n i'n mynd i ddisgwyl iddi hi fy ffonio i? Beth oedd wedi newid ers dyddiau Cathy Davies?

16: Ice House

G AN DDILYN HEN arfer ers dyddiau Sanotis, fe gyrhaeddais
yr Ice House yn gynnar ar gyfer fy nghyfarfod â Malee, y
ferch oedd eisoes yn gogydd Thai yn y Bay View ac a oedd, ar
fwrdd gwyddbwyll fy meddwl, mewn safle cryf i ddisodli André.
Hi awgrymodd y bwyty a'r oriel newydd ar ochr SA1 i'r afon. Ro'n
i wedi bod yno gwpwl o weithiau ar bnawn Sul yn mwynhau'r
awyrgylch ymlaciol, a byddai'r lle'n addas gan nad o'n i am i'n
cyfarfod fod yn gyfweliad ffurfiol.

Frank oedd wedi dweud wrthi am gysylltu. Pan ffoniodd fi,
fe fynegodd yr un amheuon ag y gwnaeth yn y Mozart: "Base
fe'n haws i bawb petaet ti'n setlo pethe rhwng dy staff gynta, a
wedyn hysbysebu'r swydd. Yn haws i Malee, yn haws i ti, yn haws
i fi hefyd…"

"Ond ti ddim yn deall, Frank, dyma'r norm mewn busnes.
Headhunting maen nhw'n 'i alw e."

"Falle," chwarddodd Frank, "ond ti ddim yn Big Pharma
nawr. A gwna'n siŵr nad yw Chris y Bay yn clywed."

"Paid â phoeni, bydd y cyfan yn hysh-hysh."

"Ti'n gneud pethe yn y drefn anghywir, Rhys. Dyna dy
broblem di."

Yn gynnar bnawn Sul, felly, ro'n i'n mwynhau paned o goffi
wrth un o'r byrddau yn ffenest lydan yr Ice House gan wylio
pobl yn cerdded yn hamddenol o'r bont grog yr ochr draw.
Roedd dau foi yn chwarae miwsig sipsiwn ysgafn ar eu gitarau
y tu ôl i fi. Ond wrth gofio fy sgwrs gyda Frank, meddyliais y
buasai'n ddoethach bachu bwrdd mwy preifat yn yr oriel ei hun,
os oedd un yn rhydd.

Llwyddais i ffeindio bwrdd gwag ac eisteddais yno gyda fy mhaned gan feddwl am y cyfarfod oedd i ddod. Roedd pwynt Frank yn deg, ond ar y llaw arall, ro'n i'n teimlo 'mod i'n ddoeth i gadw fy newisiadau yn agored. Roedd André wedi gwella'n arwynebol yn ei ymddygiad tuag at Sheena – tybed oedd e'n poeni am ei swydd? – ond roedd hi yr un mor ddi-hid ag erioed. Roedd hi'n dal yn rhyfel oer yn y bwyty ac ro'n i'n gwastraffu gormod o fy amser yn trio'i rwystro rhag troi'n niwclear.

Tra o'n i'n disgwyl am Malee, penderfynais fynd am dro o gwmpas yr oriel braf, wydrog. Roedd 'na banel neu ddau, wrth y drws, o dirluniau braidd yn draddodiadol gan arlunwyr lleol, ond stwff tramor oedd y gweddill, yn rhad a masnachol yr olwg rywsut, a'r rhan fwyaf yn brintiau.

Safais am eiliad o flaen llun brown tywyll o ddyn a merch noeth yn ymafael â'i gilydd mewn golau dramatig ac annaturiol. *Barcelona Bodies* meddai'r teitl. Y pris, am brint rhif 266, oedd £450. Roedd y llun yn eithaf rhywiol ond ro'n i'n trio peidio gadael i hynny effeithio ar fy ngwerthfawrogiad o'r gelfyddyd. Yna sylwais fod rhywun yn sefyll wrth fy ochr, efallai'n pendroni yn yr un ffordd. Edrychais draw. Merch dal, ganol oed oedd hi, mewn gwisg ddu a gwallt hir, blond wedi'i dorri'n llinell syth ar draws ei chefn. Cyfarfu ein llygaid am eiliad.

"Chocolate boxy?" meddai wrthyf gan wenu'n ysgafn.

"Dyna beth o'n i'n feddwl. Mae e rywsut yn debyg i lun sydd yn y cartre hen bobol lle mae 'Nhad."

"Pa fath o lun yw hwnnw?"

"Merch Sbaenaidd â deigryn mawr yn llithro lawr ei grudd. Chi wedi'u gweld nhw. Ond mae hwn 'bach mwy *sexy*, rwy'n cyfadde."

"Mae'r pris yn *sexy* hefyd," meddai'r ferch mewn acen hynod Seisnig a chrachaidd. "Does gen i ddim byd mawr yn erbyn *soft porn* ond basech chi'n disgwyl iddyn nhw flaenoriaethu ein hartistiaid ni ein hunain mewn lle fel hyn. Gallwch chi weld stwff fel hyn mewn unrhyw oriel o'r Cotswolds i Tenerife."

"Chi'n iawn. Dyw e ddim yn arbennig."

"Gwaelod y farchnad, rwtsh rhyngwladol."

"Chi'n delio mewn celf eich hun?"

"Dwi'n nabod ambell artist, ac yn trio'u helpu nhw. Mae 'na rai da iawn yng Nghymru y dyddiau hyn, wyddoch chi."

Ces i'r teimlad cryf y byddai wedi derbyn gwahoddiad i barhau'r drafodaeth dros baned, ond â Malee ar fin cyrraedd, roedd yn rhaid i fi dorri'r sgwrs yn ei blas. Wrth i fi ffarwelio â hi, gwenodd yn oeraidd a symud i ran arall o'r oriel.

Ro'n i'n dal i deimlo'n chwithig am hyn pan ddaliais Malee yn dod i mewn trwy'r drysau gwydr. Allen i ddim camgymryd y ferch fer, Thai gyda'i gwallt mawr, du. Roedd hi wedi paratoi'n fanwl ar gyfer ein cyfarfod, gan wisgo siwt *charcoal* a sgarff liwgar.

"Chi'n chwilio am swydd, felly, Malee?" gofynnais wedi i ni setlo wrth y bwrdd â dwy baned newydd.

"Rhag i chi gamddeall," meddai Malee, "dwi'n gwerthfawrogi'r swydd sy gen i, ond dwi'n ifanc a dwi am symud ymlaen a gwella fy hun."

"Mae hynny'n hollol naturiol. Nawr, pa fath o swydd y'ch chi'n chwilio amdani, un weini neu un goginio?"

Edrychodd Malee arnaf mewn syndod. "Swydd *chef* wrth gwrs. Dwi wedi bod yn coginio yn y Bay View ers tair blynedd. Chi'n gwybod eich hun am yr enw da sydd gan y lle. Mae gen i dipyn o brofiad erbyn hyn."

"Nawr, gawn ni edrych ar fwydlen y Secret Garden? Pa mor hyderus fasech chi'n taclo'r amrywiaeth yma o fwydydd?"

Cymerodd Malee y fwydlen sgleiniog o'm llaw gyda'i symbolau *chilli* a'r llun o Wlad Thai ar y clawr. Roedd rhywbeth pendant am Malee, ac er nad oedd hi mor bert â Kikki, roedd ganddi'r un cwrteisi benywaidd. Dychmygais y chwyldro o'i chael hi yn y bwyty, a'r pleser o'i hwynebu bob nos, yn lle wyneb hir, angladdol André.

"Rwy'n eitha siŵr," meddai gan roi'r fwydlen ar y bwrdd, "y gallwn i handlo hyn i chi."

"Dim ond un *sous* sydd 'da ni'n cynorthwyo."

"Dim ond un dda dwi angen," meddai, "ac mi alla i weithio chwe diwrnod yr wythnos."

"Ardderchog – a'r cyflog wedyn… faint fasech chi'n disgwyl?"

Enwodd Malee swm oedd dipyn yn is na'r hyn roedd André'n ennill, a dweud: "Gobeithio nad ydw i'n disgwyl gormod?"

"Na, rwy'n credu y gallwn ni stretsho i hwnna."

Edrychodd arnaf â llygaid gloyw. "Braint i mi fuasai cael gweithio i chi. Dwi'n addo dim llai na fy ymroddiad llwyr. Fe wna i 'ngorau i chi bob amser."

"Diolch yn fawr, Malee… nawr, i ni gael deall ein gilydd, dim ond swydd goginio allwch chi ystyried? Mae swydd weini allan o'r cwestiwn?"

"Am symud lan ydw i, nid lawr," atebodd yn siarp.

Tra o'n i'n ystyried sut i ddod â'r sgwrs i ben, gallwn weld bod y ferch dal â'r wisg ddu nawr wedi eistedd ym mhen draw'r caffe dan y ffenest. Roedd hi yn yr haul, oedd yn dal ymylon ei gwallt gwyn. Cyfarfu ein llygaid am eiliad ond yna gafaelodd mewn cylchgrawn. Wrth gwrs, doedd dim modd iddi wybod am natur fy nghyfarfod â'r ferch Thai.

Troais yn ôl at Malee: "Buasech yn addurn i'r lle, Malee, ac yn *chef* penigamp, rwy'n siŵr… ond fel y'ch chi wedi synhwyro, efallai, sai wedi penderfynu eto sut i symud."

"Rhaid i chi ddeall 'mod i hefyd yn ystyried posibiliadau eraill ac y bydda i'n derbyn y cynnig da cynta ga i."

"Mae hynny'n synhwyrol iawn…"

Yna cododd o'i sedd gan wenu'n gwrtais, os yn ffurfiol, cystal â dweud nad oedd am wastraffu mwy o'i hamser ar sgwrs ddiganlyniad. Codais i'w hebrwng trwy'r oriel at y drws a'i gwylio'n cerdded yn benderfynol tua'r bont grog, yn ffigwr bach twt ond balch o dan ei mop mawr o wallt du.

Talais y bil wrth y bar gan oedi ychydig gyda'r miwsig sipsiwn tawel, hiraethus. A minnau'n teimlo rhywfaint o wewyr wedi colli Malee braidd yn sydyn, ac yn ansicr o'n i wedi handlo'r sefyllfa'n iawn, cerddais tua'r drws a throi i'r dde i ymuno â'r bobl oedd yn croesi'r bont tua'r Tŷ Llên a chanol y ddinas.

Sylwais eto ar y torchau a'r blodau a'r negeseuon coffa i Kylie Marshall oedd yn gorwedd yn bentwr anniben wrth droed yr hwylbren, yn gorniwcopia o alar. Roedd rhai o'r blodau wedi'u chwalu gan y gwynt ac roedd rhywbeth anaddas am y lliwiau ysgafn, pastel a ddisgleiriai yn yr haul trwy'r amlenni polythîn. Edrychais ar rai o'r negeseuon dagreuol ond doedd dim allen i wneud drosti nac i ddial ar yr Americanwr dienw yna oedd, ro'n i'n siŵr, wedi achosi'r drasiedi.

Fel ro'n i ar fin symud ymlaen, sylwais fod y *stunner* â'r gwallt blond a'r wisg ddu wedi dod i sefyll wrth fy ochr, ei *briefcase* bychan yn ei llaw. Rhaid 'mod i mewn breuddwyd: am ba hyd oedd hi wedi bod yna?

"Trist iawn, yntê?" meddai.

"Ydi, mae."

"Yn arbennig pan mae rhywun ifanc, a phopeth o'i blaen, yn gweld dim pwrpas i fywyd."

Cytunais. "Ond gwyddoch i hon gael ei threisio, a'i bod hi'n disgwyl babi â HIV – ac i'r babi foddi gyda hi."

Cafodd y ferch sioc amlwg, a dweud: "Mae hynny'n hollol ofnadwy... ond ddylai neb anobeithio, hyd yn oed wedyn."

"Yn union. Dwi'n digwydd bod yn gemegydd ac rwy'n gwybod bod 'na ffyrdd o ddelio â rhai o'r problemau yma..."

"Wyddoch chi, dwi'n falch nad ydw i'n ifanc heddiw."

Do'n i ddim yn siŵr beth i'w ddweud wrth i ni barhau i oedi o flaen y torchau a bwa uchel yr hwylbont a saethai i fyny i'r awyr las, fel petaen ni wedi ein glynu i'r tarmac o dan ein traed.

"Oeddech chi'n nabod y ferch hon?" gofynnodd hi yn y man.

"Na, dim o gwbwl."

"Rwy'n gweld."

"Mae mwy nag un wedi boddi yn ardal y Marina'n ddiweddar. Rwy'n byw yno fy hun. Dyw e ddim yn deimlad hollol gysurus."

"Ie, *Swansea bodies*. Gwell gen i *Barcelona Bodies* o gryn dipyn." Yna craffodd arna i am eiliad neu ddau, efallai heb ddeall, fwy na fi fy hun, fy niddordeb yn y drychineb yma – neu oedd yna fwy na chwilfrydedd yn ei llygaid? Yna, heb yngan gair, brysiodd ymlaen dros y bont ac i lawr tua'r Tŷ Llên.

Am ryw reswm, arhosais lle ro'n i a gwylio ei ffigwr urddasol yn cerdded tua'r maes parcio. Yna gyrrodd i ffwrdd mewn car bach coch a diflannu i lawr y stryd tua'r Amgueddfa. Heb ddeall pam, cydiais yn un o'r blodau rhydd wrth draed tomen Kylie, ei daflu dros ymyl y bont i'r afon a'i wylio'n hedfan yn eratig i lawr i afon Tawe ac yn nofio ar y llif cyn diflannu, fel cyfle a gollwyd, o 'ngolwg am byth.

17: The Den

R O'N I'N SEFYLL yn y *checkout* yn Wilkinson y pnawn Llun wedyn, bin plastig yn fy llaw, ynghyd â bwndel o dywelion papur ar gyfer y bwyty, pan ganodd y ffôn. Do'n i ddim yn nabod y rhif ond fe wnes i nabod y llais pan ddywedodd, "Ist das Rhys John?"

"Aber Rocco!" atebais. "Bist du es?"

"Aber natürlich!"

"Warte mal, ich bin im Supermarkt…"

Mae'n rhaid, felly, ei fod e wedi derbyn y neges destun halais i ato. Gan synhwyro y gallai'r alwad fod yn un hir, fe gariais i 'mlaen i siarad tra oeddwn i'n llusgo fy magiau o'r *checkout* i gaffe elusennol rownd y gornel o'r enw The Den, lle llwyddais i archebu mŵg o goffi gan lanc tal, tatŵog.

"Dwed ble rwyt ti'r diawl."

"Harbwr Mykonos. Dwi'n ffonio o gwch Berndt ac yn defnyddio'i *Handy*. Ti'n cofio Berndt o'r Seglerhaus?"

"Ydw, y boi tal, tawel yna oedd wedi ymddeol o'r Commerzbank?"

"Ie, roedd 'da fe gwch yn Mykonos."

Cofiais nawr ei fod e'n treulio chwe mis o'r flwyddyn ar ynysoedd Groeg: bachan hamddenol iawn, wedi gwneud ei ffortiwn ac wedi ysgaru. "Ond dwed y stori. Sut dest ti mas o grafangau Sanotis?"

Dywedodd yn Saesneg: "I just told them to fuck off."

"Mor rhwydd â hynny?"

"Na, ddim yn hollol. Fe ddaeth y bastard Lukas 'na lawr o Frankfurt, y boi 'na sy wastad yn gwenu ond sy'n fastard."

"Ydw, rwy'n cofio Lukas. Bachan clyfar."

"Ydi, yn ei feddwl ei hun. Ond o'n i'n synnu iddyn nhw fynd i'r drafferth. Wnaeth e drio'i orau i droi 'mraich i. Ti'n gwbod y *spiel:* eu bod nhw'n cadw'u *options* ar agor, y gallen nhw ryddhau'r cyffur rywbryd eto, ac yn y blaen."

"Ti'n sôn am Eczosin nawr, wrth gwrs."

"Ydw, ond ro'n i wedi clywed o le da y gallai'r holl *shoot* gau, nid dim ond Rudow, ond Wedding hefyd; eu bod nhw'n symud y rhan fwyaf o'r cynhyrchu i Wlad Pwyl, i'r ffatri wnest ti helpu i'w chodi, a'u bod nhw hefyd yn ystyried prynu mewn eu holl R&D."

"Iechyd. Be wedodd Lukas am hynny?"

"Gwadu, a chadw 'mlaen i wenu fel cath ar heroin."

"Ond does dim perygl i'r palas yn Potsdamer Platz?"

"Dim o gwbwl, mae'r cathod tew yn cael cadw'u swyddi, fel erioed."

"Ond gest ti arian 'da nhw?"

"Ges i ddim llawer, ond dwi'n iawn. Mae'n eitha rhad i fyw yma…"

Wrth i ni siarad, sylweddolais fod 'na ryw bedair blynedd ers i ni wahanu. Roedd ei lais yn swnio'n wahanol i'r arfer, ac ychydig yn arafach, oherwydd pellter yr alwad efallai.

"Ond pam Mykonos? Roeddet ti weithiau'n sôn am Venezuela."

"Dwi'n dechrau fy chwyldro fy hun fan hyn. Ges i fflat yn yr harbwr, dwi'n gweld yr haul yn machlud bob nos a dwi'n mynd am bryd i un o'r tafernas ac wedyn i Zorbas neu i'r Piano Bar neu lawr i Little Venice. Felly, dwed wrtha i, sut mae *Vales*?"

"Mae'n iawn…"

"Hapus i fod 'nôl yng ngwlad dy dadau?"

"Ydw, am wn i."

"Ti ddim yn swnio'n hollol siŵr."

"Wnath e ddim troi mas fel ro'n i'n disgwyl. Fel tithe, ges i fflat braf, prynes i gwch, ond, wel, ro'n i 'bach yn *bored*. Faint o bethe ti'n gallu gneud â chwch? Felly dechreues i fusnes bach, bwyty Thai…"

"Dy gamsyniad mawr di oedd peidio cael cwch hwylio, fel wedes i wrthot ti. Ond y bwyty, da iawn ti. Rwy'n gwybod bo ti'n hoff o fwyta mas – ond sai'n dy gofio di'n coginio erioed."

"Ges i *chef* i wneud hynny, Algeriad…"

"Be, nid rhywun Thai?"

"Na, ond mae'r bwyd yn ocê."

"Felly ble rwyt ti? Rhyw ran drendi o'r ddinas?"

"Mewn ffordd. Rwy yn y Mwmbwls, hen bentre pysgota ar un pen i'r bae, lle eitha twristaidd."

"A ti'n gneud arian?"

"Dim dime hyd yma."

"Pam ti'n neud e, felly?"

"'Sda fi ddim syniad."

"Ond o leia ti ddim yn *bored*?"

"Na, ond rwy'n dechre meddwl fod pethe gwaeth na hynny…"

"Ond dwi wedi clywed pethau eraill amdanat ti."

"Paid manylu…"

"Pethau da."

"Anodd 'da fi gredu. Rwy jyst yn mynd lawr rhiw yn gyffredinol."

"Mae Tante Gertrud wedi sôn wrtha i am dy ddiddordebau gwleidyddol newydd."

"Am ei diddordebau gwleidyddol newydd *hi*, ti'n feddwl. Ti'n gwybod fel mae hi."

"Ydw – ond cadw'n glir."

"Pam ti'n dweud hynny?"

Oedodd. "Mae'n od. Roedd Tante Gertrud yn arfer byw yn y Dwyrain ac yn gyfarwydd â'r Stasi a hynny i gyd. Ond dyw hi ddim yn sylweddoli fod yr heddlu cudd yn dal yn fywiog iawn a bod y dechnoleg newydd mae hi mor hoff o ddefnyddio yn gwneud eu gwaith nhw'n hawdd iawn. Hyd yn oed nawr, yn ei henaint, mae'n hwylio'n reit agos i'r ffin…"

"Ydi, mae hi'n rebel i'r carn, chware teg iddi. Fe wnes i'r camsyniad o sôn wrthi am ryw fusnes ddigwyddodd yma'n ddiweddar…"

"Y digwyddiadau yn yr harbwr lle rwyt ti'n byw?"

"Ie. Mae'n siŵr ei bod hi wedi troi'r cyfan yn felodrama fawr…"

"Nawr, Rhys, dwi ddim mwy gwleidyddol na ti. Twll eu tinau nhw i gyd, a rhwng Tante Gertrud a'i phethau. Dwi'n perthyn i genhedlaeth fwy sgeptig. Felly do'n i ddim yn canolbwyntio pan ddechreuodd Gertrud fynd trwy'r stori. Ond cododd fy nghlustiau pan glywais i bod gan y CIA fys yn y brywes…"

"Hi ddywedodd hynny. Mae hi'n chwythu pethe lan. Does dim sicrwydd o'r peth."

"Mwya'r rheswm i gadw'n glir o'r busnes, a'r Americans yn gyffredinol."

"Paid â phoeni, dyna rwy'n gneud – ar wahân i un Americanes arbennig…"

"Rwy'n gweld… felly ti wedi anghofio am Monika o'r diwedd?"

"Mae'n ddyddiau cynnar eto. Digwydd cwrdd ar ryw draeth wnethon ni."

"Digwydd cwrdd?"

"Wel, mae pobol yn digwydd cwrdd, on'd y'n nhw?"

"Ydi hi'n *sexy*?"

"Am ei hoed, ydi…"

"*Mein Gott*, Rhys, cymer ofal. Cofia, nhw sy'n rhedeg y siop, a does dim byd y tu hwnt iddyn nhw."

"Felly ti'n dal mewn cysylltiad â Tante Gertrud?"

"Yn fwy nag arfer, falle am fy mod i mor bell. Ond ti'n deall nawr pam rwy wedi dy ffonio. Cadw'n glir o'r stwff yna i gyd, stwff Tante Gertrud. Rwy am i ni gwrdd eto: jyst sticia at fwynhau dy hun."

Llyncais fwy o'r coffi gwael gan ystyried neges Rocco ac edrych ar yr un pryd ar y lluniau graffitaidd ar waliau moelion y caffe, a'u hymdrech fawr mewn hunanfynegiant. Ond â Rocco, mor wyrthiol, ar ben arall y ffôn, do'n i ddim gwaeth o godi un pwynt bach oedd wedi bod yn fy mhoeni.

"Gawn ni un gair ola am y digwyddiadau 'ma?"

"Os ti'n mynnu."

"Ti'n gwybod am y boi yna foddodd ar ôl bod mewn clwb hoyw yn y Marina?"

"Ydw, rwy'n cofio."

"Wel, gallai'r ymosodiad fod wedi digwydd y tu ôl i'r bloc o fflatiau lle rwy'n byw. Wyt ti'n gwybod sut mae'r clybiau 'ma'n gweithio? Allai'r ymosodiad fod wedi digwydd tu mewn y clwb? Oes 'na gabanau yn y clybiau 'ma?"

"Weithiau. Mae 'na *saunas* a *jacuzzis* mewn rhai. Sai'n deall be sy 'da ti."

"Meddwl o'n i tybed fydde gan y clwb ei hun dystiolaeth o be ddigwyddodd."

"Ond pam ti'n gofyn? Ti'n chwilio am swydd gyda'r heddlu neu beth?"

"Ti'n iawn…" dywedais, yn ymlacio o'r diwedd. "Felly, be ti'n gneud trwy'r dydd? Ti ddim yn *bored* yng nghanol yr holl dwristiaid?"

"Hwylio, beth arall, beth well? A beth amdanat ti, ti wedi dal rhywbeth yn y tegan bach Beneteau yna eto?"

"Naddo, dim un pysgodyn."

"Ond rhywbeth arall?"

"Dales i rywbeth ryw wythnos yn ôl – yr Americanes yna – ond sai wedi byta hi eto."

"Tafla honna dros yr ochr, Rhys."

"Felly, ti'n hapus draw 'na?"

"Hapus? Be ti'n feddwl?"

"Ti'n mwynhau yn Zorbas a'r Piano Bar?"

"Dwi'n cael digon o gwmni yn y llefydd yna. Ond rwy'n mynd i far arall weithiau. Mae e mewn pentre tu fas. Mae'n fwy fel sied, â naw neu ddeg o gathod, mae'n drewi o biso ac maen nhw'n arllwys y gwin coch mas o fwced blastig oedd yn dal *engine oil.*"

"Ydi Berndt yn dod 'da ti?"

"Na, dwi'n mynd yno fy hun. Dwi angen ffoi, weithiau."

"Yn ôl y doi di, yn hwyr neu'n hwyrach."

"Na, mae Groeg yn iawn."

"A beth am y fflat mawr gwyn oedd 'da ti yn Prenz'berg? Ti wedi cadw hwnna?"

"Dwi'n ei rentu e mas. Mae fy lluniau i a 'mhethau i yn saff 'da Tante Gertrud yn Brandenburg."

"Dyna fe, ti'n gweld! Ti heb dorri'r cysylltiad."

"Gad y dyfodol i fod, Rhys – a'r Americans hefyd!"

*   *   *

Diffoddais y ffôn ac eistedd yn ôl yn y gadair blastig felen, a grensiodd o dan fy mhwysau. Llyncais weddill y coffi tywodlyd a rhoi'r mŵg ar y bwrdd. Felly roedd y diawl yn Mykonos. Ro'n i'n gwybod hynny eisoes, wrth gwrs; nawr roedd e'n real. Rhyfedd meddwl am Rocco mewn pot mêl twristaidd fel'na, ond dewis iawn i ddyn hoyw, mae'n debyg, ac i hwyliwr ffanatig.

Cofiais am y pythefnos ges i ac Ursula yno flynyddoedd lawer yn ôl. Buon ni mewn mwy nag un *piano bar* o gwmpas yr harbwr a'r traethau lle roedd y dynion ifainc athletig yn chwarae pêl yn eu thongs. Roedd y prydferthwch yn chwythu'ch pen chi, ond dechreuais 'laru arno erbyn yr ail wythnos. Roedd popeth yn wyn a glas ac yn berffaith ac fel set ar gyfer rhyw sioe gerdd Americanaidd. Ro'n i'n siŵr bod 'na dylwyth teg yn dod mas yn y nos i ailbeintio'r cyfan. Erbyn diwedd y gwyliau ro'n i'n gweddïo y byddai 'na *tsunami* yn dod i chwythu'r cyfan dros y dibyn i'r môr glas, glas yna…

Yna cofiais am rybudd Rocco ynglŷn ag e-byst Gertrud. Ond os oedden nhw eisoes wedi'u hanfon, onid oedd y drwg wedi'i wneud? Estynnais am yr iPhone eto. Ac yn wir, fel ro'n i wedi meddwl, roedd 'na un neges gan Gertrud Gottlieb. Yn ôl y ffôn, ro'n i wedi'i darllen hi, ond do'n i ddim yn cofio gwneud. Rhaid 'mod i, fel arfer, wedi sgimio drosti.

Fel ro'n i'n ofni, roedd hi'n sôn am wleidyddiaeth. Tua'r canol, meddai hi: *Dwi o'r farn bod y milwyr yma'n diodde o PTSD, ar ben unrhyw gyffuriau gymeron nhw ar y noson. Mae'r cyfan ar y we:* post-traumatic stress disorder. *Mae traean o'r milwyr yn Irac ac Afghanistan yn diodde ohono fe. Mae'n gyflwr llawer mwy dychrynllyd nag mae neb yn sylweddoli. Mae'n dod o ladd pobl eraill, a gweld eich ffrindiau'n cael eu lladd. Yn fwy ofnadwy byth, mae e'n drosglwyddadwy o genhedlaeth i genhedlaeth, fel cosb o ddyddiau'r Beibl…*

Meddai, yn nes ymlaen: *Barn Ilse ydi bod 'na resymau cudd am y* cover-up. *Pam mynd i'r holl drafferth dim ond i amddiffyn dau filwr mas o reolaeth? Oes 'na fwy i'r stori? Neu ydyn nhw'n ofni y bydd y stori'n tynnu sylw at bethau eraill, mwy sinistr? Er enghraifft, ydyn nhw am symud eu sybs niwclear o'r Alban i lawr i borthladd yn ne-orllewin Cymru? Mae'n ymddangos bod Cymru eisoes yn wlad bwysig i'r Americaniaid, o safbwynt milwrol…*

Darllenais i'r diwedd, rhag iddi fy nghyhuddo eto o anwybyddu ei negeseuon. Nid ei syniadau eithafol oedd yn fy mhoeni, ond y ffaith fod y cyfan – a'r holl negeseuon eraill fu rhyngom – yn agored i'r byd i'w gweld. A'r negeseuon rhwng Gertrud a'r fenyw Haagenveld yna o Greenpeace. Duw a ŵyr beth oedd yn y rheini.

O'n i'n gorymateb i rybuddion Rocco? Na, penderfynais: roedd e'n iawn, daeth ei alwad jyst mewn pryd. Nawr oedd yr amser i fi roi'r cyfan y tu ôl i fi, a throi dalen newydd. Ro'n i'n dal i ddisgwyl clywed gan Lucy: doedden ni ddim wedi cwrdd ers y fordaith ar yr *Afallon*. Yn bendant, fe fyddwn yn cyfyngu agenda ein cyfarfod nesaf i ramant. Ac fe ffoniwn Bryn, hefyd, i ganslo'r cyfarfod â'r heddwas yna roedd e'n ei nabod. Yn wir, wrth eistedd yn y caffe gwag gyda'r boi tal yn chwarae â'i ffôn y tu ôl i'r cownter, ro'n i'n methu credu 'mod i wedi mynd mor bell â threfnu i gwrdd ag aelod o'r heddlu i drafod recordiadau CCTV dinas Abertawe.

18: Noah's

D O'N I'N DAL ddim yn siŵr: oedd hon yn *affaire*, neu beidio? Beth oedd o'i le? Ond eto, sut gallen i amau'r peth, wedi'r diwedd poeth i'r fordaith? Buon ni'n cyfnewid e-byst yn ystod yr wythnos wedyn; yna, o'r diwedd, ffoniodd hi fi. Llithrais fy mawd yn awchus ar draws y sgrin pan welais ei henw'n dod lan. "Haia Rhys!" meddai'n gynnes, fel petai dim amser wedi pasio. "Sorri am beidio dod 'nôl ynghynt ond chi'n gwybod fel mae. Bywyd myfyriwr – mae'n grêt ond yn *hectic* – traethodau'n hongian uwch fy mhen, a dwi'n dipyn o *scatterbrain* ar y gorau."

"Rwy'n amau hynny – ond braf clywed eich llais chi."

"Popeth yn iawn 'da chi?"

"Ydi, digon i'w wneud."

"Felly pryd gwrddwn ni?"

"Ro'n i'n meddwl mynd i Gaerdydd dros y penwythnos. Allwn ni gwrdd cyn hynny? Lecen i drafod Sir Benfro. 'Da fi ychydig o fusnes draw 'na, ond gallen ni droi e mewn i drip."

"*Yeah, why not.* Ond base nos Lun yn haws i fi. Mae 'na grŵp jazz *groovy* yn chware yn Noah's. Wedoch chi bo chi'n lico jazz?"

"Ydw, ond ble mae Noah's?"

"Ar sgwâr yr Uplands, drws nesa i'r Uplands Hotel lle roedd Dylan Thomas yn arfer yfed."

"Gallen ni gael peint fan'na i ddechre, er cof."

"Na, gwrddwn ni yn Noah's; dwi ddim am golli'r miwsig."

Os oedd y lle yn rhyw fath o *local* i Lucy, byddai gan hynny ei fanteision. Byddai'n bosib parhau'r noson – yn ei fflat efallai, petai'r arwyddion yn ffafriol. Wedi cyfnewid rhai eitemau o newyddion dibwys, rhoddais y ffôn i lawr a nodi wyth o'r gloch nos Lun – yn hollol ddibwrpas – ar galendr fy iPhone. Do'n i ddim yn mynd i anghofio'r apwyntiad yna, o'n i?

Wedi penwythnos yng Nghaerdydd gyda Lois a'i chariad, daeth nos Lun yn gyflymach na'r disgwyl ac yno ro'n i, ychydig yn gynnar, yn cario fy hanner peint o Peroni mas i'r patio blaen. Sylwais fod 'na biano a dryms eisoes wedi'u gosod y tu mewn i'r ffenest. Parciais fy hun mewn llecyn heulog gan wylio'r myfyrwyr ffasiynol o anffurfiol yn sgwrsio o gwmpas y byrddau.

Roedd criw mwy cymysg yn smygu ac yn yfed peintiau gonest wrth fyrddau picnic yr Uplands Hotel drws nesaf. Roedd rhai'n ymlacio wedi diwrnod caled o waith, ac eraill a golwg wedi bod wrthi trwy'r pnawn arnyn nhw. Cymerais ddracht o fy lager drud, Eidalaidd, yn ansicr pa ochr i'r ffens ro'n i wir am fod. Yna daeth cysgod dyn a merch tuag ataf, yn erbyn yr haul, yn siarad yn fywiog â'i gilydd. Lucy oedd yno, a rhyw fachan tal.

"Haia Rhys, dyma Brian," meddai Lucy. Roedd mewn du i gyd, ei ben wedi'i eillio, ac yn edrych rywsut fel y boi yna oedd yn arfer rhedeg cwmni Afal. "Mae Brian yn gweithio gyda Rory yn Materials Engineering, a ni'n rhannu'r un tŷ."

"Falch i gwrdd â chi," meddai Brian gan ysgwyd fy llaw â'i law feddal. "Rwy'n clywed bo chi bia *Mumbles restaurant, no less.*"

"Mae hwnna'n swnio braidd yn well nag yw e."

"Ond rhaid eich bod chi'n gneud ffortiwn ganol haf fel hyn?"

"Mae'n brysur ond sai'n gwneud ffortiwn, a fasen i ddim yn argymell y *lifestyle* i neb."

"Peidiwch meddwl ein bod ni academwyr yn lolian trwy'r dydd, chwaith. Mae'r adeg hon o'r flwyddyn yn eitha *stressful* gyda'r sgrambl mawr am *funding* – er cethon ni achos dathlu nos Sadwrn, on'd do Lucy?"

"Do, cethon ni barti bach yn y tŷ."

"Beth oedd yr achlysur?"

"Newyddion da o'r SRC, ond yr Adran sy'n cael yr arian, nid

ni, wrth gwrs. Mae e jyst yn golygu y byddwn ni i gyd yn gorfod gweithio'n galetach."

"Ond yr SRC – pwy y'n nhw?"

Ysgydwodd ei ysgwyddau'n ddi-hid. "O, y Strategic Research Council, rhyw gorff bach o'r ochr draw i'r Pond."

"A chi yn yr adran Materials Engineering?"

"Dyna ni. Cethon ni barti bach adran nos Sadwrn ond, diolch i Lucy, fe lwyddon ni i godi rhai o'r academwyr oddi ar eu tinau."

"Da iawn hi."

"*Oh, she can boogie all right,* ond rwy'n siŵr bod chi'n gwybod hynny'n barod," meddai Brian.

"Peidiwch gwrando arno fe," meddai Lucy gan droi ataf. "Ro'n i wedi cael diferyn yn ormod, dyna i gyd!"

"Felly beth y'ch chi'n gneud, yn academaidd?" gofynnais.

"Mae'n *tweeny bit geeky:* dyfeisio systemau ar gyfer profi metelau newydd."

"Ond metelau ar gyfer beth?"

"Unrhyw bwrpas: diwydiannol, meddygol, milwrol – *whatever…*"

"Milwrol?"

"Rhaid i chi ddeall nad ni sy'n penderfynu ar gyfer beth mae'r metelau'n cael eu defnyddio."

"Ond os ydi'r Strategic Research Council yn eich noddi chi…"

"Jyst academydd tlawd ydw i, mêt, yn gweithio i bwy bynnag sy'n talu 'nghyflog i – ond dwi'n mynd mewn am y jazz achos dwi'n gwybod bod *you folks* am gael sgwrs breifat heno." Yna trodd ei law mewn ystum fymryn yn blentynnaidd, a diflannu i'r bar.

Teimlwn yn anghysurus fod y sgwrs ro'n i wedi edrych ymlaen cymaint ati fel petai'n digwydd gyda sêl ei fendith ef. Codais *spritzer* gwin a thonic i Lucy ac aethon ni i eistedd mewn cadeiriau oedd newydd eu gwagio gan fyfyrwyr oedd wedi mynd i mewn am y gerddoriaeth.

"*Fabulous* i weld chi eto, Rhys," meddai Lucy gan ymlacio yn ei sedd a rhoi ei diod ar y bwrdd. "Mae Brian yn *okay,* gyda llaw, os 'bach yn *nosey.* Mae e a Rory wedi bod yn gefn mawr i mi."

"Sut daethoch chi i gysylltiad, felly?"

"Wnes i gysylltu â'r Albright Foundation – rhyw gorff ariannu yn y States – a dweud 'mod i eisiau gwneud ymchwil yng Nghymru ac fe arweiniodd un peth at y llall."

"Tipyn o lwc, felly?"

"Newch chi ddim byd hebddo fe, yn anffodus. Ond sut alla i gwyno?" meddai gan godi ei dwylo. "Dyma fi yng Nghymru, yn Abertawe ac yn yr Uplands yng nghanol *buzz* y myfyrwyr yma i gyd, yn cael esgus 'mod i'n ifanc eto. Mae lot o bethau'n well yr ail dro rownd!"

"Rwy'n aros am y trydydd tro, fy hun!"

Chwarddodd Lucy. "Y peryg yw bo ni ddim yn dysgu o'n camsyniadau. Dwi am gadw fy rhyddid ond dwi ddim yn trystio'n hun yn llwyr, chwaith, petai yna *tall, dark stranger* yn cerdded mewn i 'mywyd i – Cymro wrth gwrs..." meddai Lucy'n hapus, heb sylweddoli'r dryswch roedd y gosodiad yna yn ei greu ynof i. Yna cododd ei llaw ar rai o'r myfyrwyr wrth iddyn nhw basio heibio i ni tua'r bar. Edrychai Lucy'n dda yn ei *jeans* croendynn, ei siaced lac a'r sbectol haul wen yna oedd yn hongian fel eicon o'i gwddw.

Roedd y band wedi dechrau chwarae yr ochr draw i'r ffenest ac wrth i'r nodau nofio allan i'r stryd dechreuais ymlacio. Gallwn weld y myfyrwyr y tu mewn yn mwynhau ac roedd ambell bâr hŷn yno hefyd yn lolian ar y soffas. Trwy'r ffenest gallwn weld ffigwr du, mynachaidd Brian yn pwyso'n ddiog ar y bar yn diddanu dwy ferch ifanc oedd yn hongian wrth ei eiriau.

Gan weld y byddai'r jazz yn debyg o ddwyn yr awr neu ddwy

nesaf oddi arnom, gofynnais i Lucy: "Chi'n cofio'r daith ar y cwch?"

"Sut gallwn i anghofio, Rhys?"

"Wrth gwrdd â Brian nawr, ro'n i'n meddwl… wnaethoch chi sôn wrth unrhyw un am beth drafodon ni ar y fordaith?"

"Chi ddim yn dal i boeni am y stwff yna, ydych chi, Rhys?"

"Na, rwy wedi penderfynu cadw'n hollol glir," dywedais gan gofio cyngor Rocco.

"Call iawn. Dwi'n deall y gallai'r milwyr yna fod yn gontractwyr preifat, beth bynnag. Taurus neu Blackwater, er enghraifft."

"O, rwy'n gweld…"

"Dy'n nhw ddim yn gaeth i reolau'r fyddin, na deddf gwlad hyd yn oed, ac mae'r cwmnïau yma'n delio â bygythiadau yn eu ffordd eu hunain – os chi'n deall. Dy'n nhw ddim yn bobl i fela â nhw."

"Felly chi wedi bod yn trafod hyn gyda rhywrai?"

"Do, yn fyr."

"Diawch, mae'r busnes yma'n mynd yn odiach o hyd. Felly, chi'n dweud bod 'na gontractwyr preifat yn cael eu cario yn jîps y fyddin Americanaidd?"

"Peidiwch gofyn i fi, wir, Rhys. Dwi jyst yn dweud ei fod yn bosib."

"Ond fe sonioch chi am roi ryw help, rhyw wybodaeth i fi?"

"Ond chi newydd ddweud eich bod chi am gadw'n glir o'r holl beth."

"Ydw, dyna rwy'n neud," dywedais gan drio edrych i mewn i wyneb Lucy, oedd yn eistedd rhyngof a'r haul, oedd yn euro ymylon ei gwallt golau gan greu cylch llachar o olau. Cyffyrddodd Lucy â'm llaw ar draws y bwrdd, a dweud: "Cool down, Rhys."

Cymerais swig araf o'r Peroni drud gan wylio'r goleuadau traffig yn newid lliw a myfyrwyr o bob lliw a llun yn croesi'n ôl ac ymlaen. Roedd arwydd y siop pizza'n fflachio'n goch a glas i gyfeiliant y miwsig jazz oedd yn dod o'r bar. Roedd Lucy'n iawn: roedd angen i fi ymlacio, mwynhau.

"Awn ni mewn," meddai Lucy, gan gydio yn fy llaw. "Chi fel rhyw Don Quixote, Rhys, yn chwilio am achosion o gyfiawnder o hyd, am felinau gwynt i'w bwrw lawr!"

"I'r gwrthwyneb," dywedais wrth godi. "Rwy wedi treulio 'mywyd yn chwilio am achosion i'w hosgoi."

Chwarddodd Lucy a'm tynnu ar ei hôl i mewn i'r jazz. Ro'n i'n hapus i ddilyn ei ffigwr siapus i mewn i'r bar, yn hapus o fod yng nghwmni merch hardd a hyderus – fel ro'n i, flynyddoedd yn ôl yn Berlin, yn y cyfnod byr, braf yna rywle rhwng gorffen ag Eira a dechrau 'da Ursula: yr unig dro, ers dyddiau coleg, pan fues i'n hollol rydd.

*   *   *

Fe safon ni yn y drws am ychydig tra oedd y pedwarawd yn chwarae 'It's Only a Paper Moon'. Roedd Lucy'n iawn: mae'r lle 'ma'n dda, a'r miwsig hefyd. Ond mor ifanc oedd y band. Roedd gan y pianydd das o wallt blond a llygaid glas, direidus oedd yn dawnsio lan a lawr gyda'i ddwylo – ond oedd e'n bymtheg oed? A rhaid mai ei frawd, â'r un wyneb ifanc, angylaidd, oedd ar y gitâr fas. Roedd y sacsoffonydd ychydig yn hŷn, mewn sbectol Buddy Holly a throwsus *drainpipe* a sgidiau melyn, a gyrrai'r gerddoriaeth ymlaen ag wmff caled, gwrywaidd.

"Maen nhw'n dda," dywedais. "Lico'r bar, hefyd."

"Roedd *joints* fel hyn yn Allston, ardal y myfyrwyr yn Boston. Celf *quirky* ar y waliau, soffas ail-law a'r gist yna i ddal y diodydd – *studenty* ond *trendy*…"

"Fel hyn roedd Kreuzberg, hefyd, yn yr hen ddyddiau. Bues i yno'n ddigon hir i weld y lle'n tyfu o fod yn ardal rad a garw i fod yn *quartier* trendi yn llawn pobl ifanc ag Apple Macs."

Llifodd yr atgofion pan sylwais ar y llun mawr, doniol o ddyn bach *clockwork* ar y wal, a rubanau coch, glas a melyn yn chwifio mas o'i gefn. Cofiais am fflat hollwyn Rocco yn Prenzlauer Berg, a'r posteri mawr, graffig yna a safai'n ofalus o gam ar y llawr, yn disgwyl am byth i gael eu rhoi lan. Mae Berlinwyr yn arbenigo yn y bwriadol anfwriadol ac roedd cerdded i mewn i fflat Rocco fel glanio mewn gwlad ifanc – yn y Baltig efallai – lle mae popeth yn newydd ac ar fin digwydd…

Gadewais i nodau'r sacs olchi drosof gan dwyllo fy hun 'mod i 'nôl mewn degawd gwahanol. Pan ddaeth y gân i ben, codais *spritzer* arall i Lucy a pheint i fi fy hun, ac aethon ni i eistedd i'r cefn gyda rhes o fyfyrwyr pert iawn o Tsieina. Roedd hi'n dynn ar y fainc ond do'n i ddim yn meindio teimlo corff Lucy'n gwasgu yn fy erbyn wrth iddi symud i'r gerddoriaeth. Saethodd ias o flys trwof. Pryd gawn i brofi'r corff yna'n llawn? A fyddai hi'n dod gyda fi i Sir Benfro – am y penwythnos?

Yna daeth canwr ymlaen – crwt ifanc sarrug ond golygus – i ganu hen gân Americanaidd, un o'r rhai cyfarwydd yna sy'n llawn *double entendres.* Ymgollais yn ei naws lac, blesergar, yn benderfynol o fynd â'm perthynas â Lucy gam ymhellach wedi gadael y bar. O'r diwedd, wedi ail *encore*, llywiais Lucy trwy'r dyrfa o fyfyrwyr ac allan i sgwâr prysur yr Uplands.

Yn rhywle rhwng y ddau giw – yr un o flaen y siop *chips* a'r un o flaen y *cashpoint* – gofynnais i Lucy: "Chi'n cofio fi'n sôn am Sir Benfro?"

"Ydw, Rhys. *So what's the plan?*"

"Rwy angen mynd i gwrdd â thenant ar dir sy'n perthyn i 'Nhad. Ond byddai'n esgus i fynd am dro bach. Rwy'n gwybod nad oes angen i fi ddadlau achos Sir Benfro a Dyfed…"

"*Yeah, let's go!* Basen i'n hoffi gweld y Preseli hefyd, a'r cromlechi.*"

"Felly pryd? Ydi'r penwythnos ar ôl nesa'n bosib?"

"Ydw, dwi'n rhydd y dydd Sadwrn yna."

"Ond beth am y nos Sadwrn?"

"Ydw, nos Sadwrn hefyd yn iawn."

Ond gwelwn nad oedd hi wedi deall. Dywedais: "Aros nos Sadwrn o'n i'n feddwl, dros nos. Hynny'n iawn 'da chi?"

Yna safodd Lucy wrth y gât sydd ar dro cilgant Eaton Crescent, a dweud mewn llais gwahanol: "Okay, Rhys, so we're gonna have sex?"

"Wel, chi wedi cael e o'r blaen?"

Dywedodd gan wenu: *"Yeah, I guess so.* Ond chi ddim yn cael *sex* jyst am bo chi'n ffrindiau â rhywun."

Cymerodd hi fy llaw wrth inni rowndio'r tro, yn amlwg eisiau osgoi ffrwgwd.

"Falle 'mod i dan gamargraff," dywedais. "Ar ddiwedd y daith yn yr *Afallon*…"

"*Yeah,* dwi'n gwybod…"

"Be, chi'n teimlo'n wahanol nawr?"

Dywedodd: "Roedd y daith yna'n reit *turbulent,* rhwng popeth… Dwi'n licio chi, Rhys, ond dwi ddim yn chwilio am *relationship* jyst nawr…"

Am ryw reswm, mae'r gair yna wastad yn gyrru fy nghalon i'm sgidiau, ac ro'n i'n paratoi fy hun ar gyfer anerchiad ar y pwnc, pan ddywedodd Lucy: "Roeddech chi'n sôn am weld rhywun ar fusnes. Faint fuasai hynny'n gymryd?"

"Rwy'n derbyn: esgus oedd hwnna. Gallen i weld y dyn yna ar wahân, wrth gwrs. Ond allwch chi ddim profi Sir Benfro jyst trwy yrru mewn a mas, fel twrist. Chi'n mynd 'nôl mewn hanes: mae'n brofiad ysbrydol, mae 'na hen bentrefi bach yna lle maen nhw'n dal i siarad Cymraeg, a byddai'n rhaid galw yn nhafarn Bessie yng Nghwm Gwaun ar y ffordd."

"Hynna'n swnio'n *cute*…"

"Felly awn ni?"

Arhosodd Lucy, ac edrych arna i. "Chi wedi bod o gwmpas, hefyd, Rhys, on'd do? Chi'n gwybod fel mae â *relationships*. Maen nhw'n waith caled, yn llyncu mil o amser, a phan maen nhw'n bennu mae'r byd i gyd yn bennu… dwi am symud ymlaen o hynna i gyd."

"Felly be chi'n neud? Cadw eich hun yn bur?"

"Rhys, petaen ni jyst eisie *sex*, base fe'n symlach mynd lan i'r fflat nawr."

"Yn hollol… beth yw'r broblem?"

Cyffyrddodd yn fy llaw, i'm cysuro eto, fel pe na bawn i'n ddyn normal ond yn rhyw fath o lanc oedd heb ddysgu ffeithiau bywyd yn iawn.

Roedd y tymheredd nawr wedi syrthio i dan *zero* a finnau'n teimlo nid fel dyn ar drothwy *affaire* ramantus, ond fel rhyw hen *roué* o diwtor yn cael trafodaeth na ddylai ag un o'i fyfyrwyr. Dyma ni eto, meddyliais. Be sy wedi newid oddi ar Fae Langland? Rwy'n dal yn hen ffŵl gwirion, yn dal ym myd y tylwyth teg, yn dal i freuddwydio am ffantasi erotig rownd y gornel. Yna stopiodd Lucy'n stond ar y palmant, ac edrych arna i, a dweud: "Ga i roi gwybod i chi?"

"Iawn…"

"Dwi angen gweld lle dwi arni o ran gwaith, hefyd."

"Yn naturiol," dywedais, ychydig yn sarcastig.

"Dyw'r pethau 'ma ddim mor syml â chi'n meddwl, Rhys."

Cerddon ni ymlaen yn dawel a di-sgwrs ac yn y man roedden ni wrth y tŷ, yn sefyll fel dau fyfyriwr deunaw oed ar y pafin. Roedd MG glas Rory wedi'i barcio ar yr heol, ac yn sgleinio dan ganghennau un o'r coed. Goleuodd ffenest yn y tŷ. Tra o'n i'n meddwl sut i gloi'r noson – neu hyd yn oed y garwriaeth ei hun – pasiodd Brian heibio i ni'n sydyn, fel cysgod, a dweud, "Hiya Luce. Coffee later, alligator?"

"Yeah, keep it brewing for me. Won't be long."

Hynny oedd y gwelltyn olaf. Dywedais: "Lucy, rwy wedi cael digon ar gael fy nhrin fel rhyw *teenager* pimplog. Chi'n sôn am 'berthynas' o hyd. Petai'n 'perthynas' ni o fewn can milltir i fod yn un normal, gyda fi nid gyda fe fyddech chi'n cael paned nawr. Mae hynna'n swnio'n hollol bathetig, rwy'n gwybod, ond dyna fe, mae'n siŵr 'mod i yn bathetig. Wela i chi o gwmpas, Lucy."

"Peidiwch, Rhys," meddai gan afael yn fy mraich fel ro'n i'n troi i ffwrdd. "Peidiwch mynd jyst fel'na. Os yw rhywun yn bwysig i chi, chi ddim yn chware o gwmpas 'da nhw, chi ddim am eu camarwain nhw. Chi'n deall, Rhys? Petawn i'n ymestyn y noson gyda chi, buasai'n gam pwysig, ond gyda Brian, dyw e'n golygu dim."

"Lucy, oes raid i bopeth fod yn *big deal*? Chi'n ddeugain, dwi dipyn hŷn ond dyma fi'n gorfod disgwyl am ateb 'da chi ynglŷn â Sir Benfro fel troseddwr yn disgwyl dyfarniad y barnwr…"

Chwarddodd Lucy a thaflu'i breichiau amdanaf a'm cusanu ar fy ngwefus ac yna â'i thafod. Plygodd ei chorff ataf wrth imi gydio yn ei gwasg a gwthiais fy nwylo sychedig lan ei chefn at ei bra a rownd wedyn i'w cynnwys meddal, meddwol. Gwelais hi'n cau ei llygaid mewn mwynhad a buom yn cusanu fan'na, ar ein traed, ein dwylo'n crafangu cyrff ein gilydd. Ond yna'n sydyn, tynnodd Lucy'i hun oddi wrthyf a sefyll o'm blaen gan dacluso'i gwallt a sychu'i cheg â chefn ei llaw.

"Fe rodda i ganiad i chi, Rhys? *Okay*?"

"Iawn, Lucy."

Yna diflannodd trwy'r drws cilagored, ond cyn ei gau, trodd ei phen yn sydyn, ei gwallt golau, tonnog yn bownsio ar ei hysgwydd, a rhoi'r un wên ddireidus i fi â phan ddiflannodd lan y rhiw yna, fis yn ôl, yn Langland.

19: Stadiwm y Liberty

R O'N I'N BENDERFYNOL na fyddai Lewsyn byth eto'n gallu dweud fy mod i, fel y Swans, yn siarad gêm dda ond byth yn sgorio. Mae gwastad yn gas 'da fi dorri addewidion. Sai'n siŵr o ble ges i'r agwedd yna, ai o ddegawdau o ddisgyblaeth fusnes neu, yn fwy tebygol, gan fy nhad. Ac roedd yr hen foi yn rhan o'r pecyn hefyd – sef mynd i Stadiwm y Liberty i weld y gêm fawr rhwng Abertawe a'r hen elyn, Caerdydd.

Fe es i swyddfa docynnau'r stadiwm yn ddigon cynnar i gael tocynnau arbennig a oedd, fel mae'n digwydd, mewn safle gwych yn y stadiwm newydd, gydag un i fi, hefyd, fel gofalwr. Wedyn, trafnidiaeth. Fe roddodd staff y cartre henoed fi mewn cysylltiad â gwasanaeth ambiwlans St John ac, yn wir, fe gyrhaeddodd y dyn a'i gerbyd faes parcio'r Wide Horizons tua un o'r gloch ar bnawn Sadwrn y gêm.

Roedd gan Lewsyn hen gopi o'r *Evening Post* yn ei boced ac roedd fy nhad, ro'n i'n siŵr, yn edrych ymlaen at y gêm ond yn gwisgo'i wyneb negyddol, beirniadol, arferol: diawl fel'na yw e. Bu staff y cartre yn eu gwisgo megis ar gyfer cyrddau mawr ond a bob i Dai cap ar eu pennau. Cropiodd y ddau'n araf i gefn yr ambiwlans, a minnau ar eu holau, yn meddwl tybed a o'n i wedi ymrwymo i gontract mwy nag o'n i'n gallu'i handlo.

Roedd y traffig yn drwm yn ardal yr Hafod, ond gallodd yr ambiwlans barcio wrth un o fynedfeydd y stadiwm. Yna fe gyfeiriodd y dyn ni'n tri trwy'r glwyd arbennig a lan y ramp i'r seddau gan basio'r torfeydd oedd yn ciwio i ddod i mewn ac i gael diod wrth y bar. Wrth sylwi ar hyn, meddai Lewsyn: "Howld on, base peint bach yn nêt!"

"Nola i unrhyw beth chi angen wedyn," dywedais, yn benderfynol o gadw popeth dan reolaeth.

Roedd llygaid Lewsyn yn dal i edrych yn ôl yn eiddigeddus ar y ciw sychedig tra oedd fy nhad yn amlwg yn anghysurus o gael ei wthio 'da fi, fel plentyn, mewn cadair olwyn. Ffarweliais â dyn yr ambiwlans gan drefnu i gwrdd yn yr un lle wedi'r gêm. Gyda sedd mor dda fel gofalwr, ro'n i nawr yn edrych ymlaen at gael mwynhau'r gêm mewn mwy o gysur nag arfer. Roedd dyn camera teledu Sky ar bedestal nesaf aton ni, yn yr un gornel.

Roedd sŵn y dorf yn fyddarol, a miwsig pop yn sgrechian o'r cyrn siarad. Roedd yn anodd peidio mwynhau awyrgylch arbennig yr achlysur sydd, i'r cefnogwyr, fel Barcelona yn erbyn Real Madrid neu Celtic yn erbyn Rangers. Prynais raglenni i'r ddau – a sgarffiau hefyd, penderfynais – yn siop y stadiwm. Cadw'r ddau hen gono'n hapus oedd fy nod heddiw ac ro'n i'n methu peidio meddwl mai hon, efallai, fyddai eu gêm olaf.

Gwthiais fy ffordd yn erbyn y torfeydd oedd yn dal i ddod lan i'r eisteddle ac, o'r diwedd, dychwelais â'r nwyddau. Cymerodd Lewsyn y sgarff a'i rholio'n seremonïol am ei wddw, a dweud, mewn llais main ond pendant: "Gyma i hanner o Worthington's, os ca i. Hanner bach esmwth, ddim rhy gryf, dicon i dorri syched."

"Chymra i ddim cwrw fy hun," meddai 'Nhad, "ond ga i far o Twix – mwy o faeth ar gyfer gêm fowr fel hon."

"Iawn," dywedais, "ond weloch chi'r ciws am y bar? Gallen i fod yn hir. Mae hon yn gêm fawr."

"Ni'n dyall 'ny'n burion," meddai Lewsyn. "Galle'r gêm benderfynu oti'r Swans yn dal yn y chwech ucha ar gyfer y Premier League. A chweched y'n nhw nawr, wrth gwrs, fel y'n ni'n gwbod yn dda."

Erbyn i fi ddod 'nôl o'r bar gyda'r siocled a chwpan blastig â hanner o gwrw gwelw – rhoddodd un o'r stiwardiaid winc i fi pan ddeallodd mai i un o'r hen fois oedd e – roedd y gêm ar fin dechrau, a'r sŵn yn waeth nag erioed. Yn y stand ar y chwith i ni roedd ffans Caerdydd yn cael eu gwarchod fel anifeiliaid mewn mart gan resi o heddlu mewn siacedi melyn. Roedden nhw'n canu "Blue Army, Blue Army" tra oedd y dorf odanom yn ateb gyda "Jack Army, Jack Army" a "Fuck off, Cardiff homo wankers".

"Mae'n braf 'ma, wir," meddai 'Nhad. "A pheth arall wi'n lico abiti'r lle yw, mae e mor dawel."

Edrychodd Lewsyn draw arno'n amheus wedi iddo fwynhau ei lowciad cyntaf o'r cwrw dyfrllyd, y cyntaf ers misoedd, mae'n siŵr.

"Wi'n cretu," aeth fy nhad ymlaen, "y base fe'n beth eitha doeth i fi gael gollwng deigryn bach ar y pwynt yma, cyn i'r gêm ddechre."

"Na, bydd e'n dipyn haws wedyn," dywedais, "pan fydd pawb yn eu seddau."

"Hollol gywir," cytunodd, gan gydnabod, am unwaith, 'mod i'n iawn.

Fe fyrstiodd y chwaraewyr yr olaf o'r balŵns oren oedd yn dal i lifo i'r maes, a dechreuodd y gêm. Ymhen rhyw dri munud, rhuodd bloedd trwy'r stadiwm mewn protest yn erbyn rhyw drosedd ddibwys gan un o chwaraewyr Caerdydd, na welodd y reff mohoni. Dechreuodd rhai fangio'r seddau tra codai eraill eu dwylo naill ai â'r arwydd bys canol i fyny, neu arwydd haliwr. Yn amlwg roedd gwareiddiad wedi symud ymlaen oddi ar ddyddiau diniwed yr arwydd dau fys.

Wedi i fi lywio fy nhad i lawr i'r tŷ bach ac yn ôl, cyhoeddodd Lewsyn fod arno yntau angen yr un gwasanaeth, yn ogystal â hanner arall o Worthington's – "'Bach yn wan mae e, ond dicon derbyniol serch 'ny." Yn anfodlon, cytunais i godi un gwydraid olaf iddo, ar y ffordd yn ôl o'r tŷ bach, ac yn anochel, erbyn i ni ddychwelyd, roedd Caerdydd wedi sgorio yn erbyn llif y chwarae, ac awyrgylch blin ac angladdol yn teyrnasu dros y stadiwm – ac eithrio yn stand Caerdydd, lle roedd pawb yn neidio lan a lawr fel wiwerod ar dân.

Roedd y dyn camera yn ei got anorac yn dal i swingio'i gamera at y chwarae, nad oedd yn dasg rhy anodd gan fod y rhan fwyaf ohono'n digwydd ym mhen pella'r maes, sef ochr Caerdydd. Am ryw reswm cymerodd fy nhad – oedd gwastad â rhyw chwilfrydedd gwyddonol – ddiddordeb arbennig yn y gweithgarwch yma ac, yn wir, ro'n i'n amau ei fod e'n gwylio'r boi yn amlach na'r chwaraewyr ar y maes. Bu'n tynnu lluniau ei hun flynyddoedd yn ôl, ac meddai o'r diwedd: "Rhys, nei di ofyn i'r dyn yna sut mae'r camera'n gweithio? Odi e'n ffocysu ei hunan?"

"Ond diawch, mae'r boi ar ganol ffilmo i Sky!"

"Pa fath o ddyn wyt ti, Rhys? Chwannen fuest ti erio'd, dyna'r gwir."

Ddaeth dim newid i'r sgôr cyn hanner amser, pan lifodd llawer o'r dyrfa o'u seddau i'r cyfleusterau a'r bariau islaw. Penderfynais ymestyn fy nghoesau ac oedais wrth y grisiau gan fwynhau gwylio'r wynebau garw, hwyliog, Abertawaidd a chlywed eu sylwadau sarcastig am berfformiad y tîm cartre. Roedd 'na ambell wyneb lled gyfarwydd yn eu plith ond yna gwelais wyneb tipyn mwy adnabyddus yn cerdded i lawr y grisiau – un neb llai na Hywel Ashley.

"Rhys, bachan," meddai gan oedi yn ei sgarff ddu a gwyn a'i got swêd dri-chwarter. "Wydden i ddim bo ti'n ffan o'r Elyrch!"

"Wastad wedi bod. Ond i'r Vetch o'n i'n dod yn yr hen ddyddie, wrth gwrs."

"'Wy'n cyfadde taw ffan mwy diweddar ydw i. Mwynhau'r gêm?"

"Be sy wedi newid? Chware'n bert, gadael i'r lleill sgorio."

"Yn gwmws. 'Da ti sedd dda?"

"Un o'r rhai gorau yn y stadiwm: un anabl. Wedi dod lawr â 'Nhad a bachan arall o'r cartre."

"Whare teg i ti wir. Rwyt ti i dy ganmol. Tipyn o ymgymeriad, fasen i'n meddwl."

"Ydi, Ambiwlans St John, y *works* i gyd…"

Yn awr difrifolodd Hywel. "Rhys, 'wy'n falch 'mod i wedi dy weld ti. Falle 'mod i 'bach yn siort y nosweth o'r bla'n, ond ti'n gwybod fel mae mewn bar fel'na ar nos Sadwrn, a'r chwisgi'n llifo. Os ti angen unrhyw help, rho wybod, cofia."

"Wel, mae 'na un peth bach. Ydi gweithredoedd tir fy nhad yn Cwm Hir 'da ti? Base un llinell ar e-bost yn ddigon. Rwy wedi rhoi lan y syniade eraill, wrth gwrs."

"Ond mae'n werth ystyried popeth, cofia. Dim iws gadael i'r dreth incwm fynd â'r cwbwl… ond gwell i fi fynd 'nôl, Rhys. Fe withes i gwpwl o seddau tymor a ni'n defnyddio nhw i gadw cleientiaid yn hapus. Ti'n dyall sut mae byd busnes yn troi."

"Ydw, yn rhy dda…"

"A phob llwyddiant, yntefe, gyta'r fenter fawr yn y Mwmbwls."

Rhaid ei fod e wedi dweud hynny wrtha i ddwsin o weithiau o'r blaen: yn y bôn, cleient yw pawb i Hywel. Ar yr un pryd, efallai 'mod i wedi camfarnu'r boi – roedd e'n fwy o bôr nag o fastard. Yna cofiais nad o'n i wedi mynd 'nôl at Elin, ei wraig, fel ro'n i wedi addo. Hi ganslodd ein cyfarfod am fod rhywbeth ymlaen 'da'i merch, ac roedd hi'n disgwyl i fi ei ffonio'n ôl. A fuase hynny'n hollol ddoeth? Ond wedyn, oedd 'da fi reswm da dros beidio â chadw at fy ngair?

Erbyn i fi ddychwelyd i seddau'r anabl, roedd Lewsyn yn cysgu, y gwydryn plastig yn wag ac yn rholio ar ei ochr ar lawr, a 'Nhad yn edrych yn flin a chynhyrfus.

"Ble ti wedi bod?" cyfarthodd. "Elli di ddim gweld 'i gyflwr e? Mae e wedi meddwi'n dwll ar y cwrw ffiaidd 'na fynnest ti brynu iddo fe. Ti'n hollol anghyfrifol! Ond dy broblem di fydd ei gael e o'ma nawr. Diolch byth taw ambiwlans sy'n mynd â ni 'nôl!"

"Cysgu mae e, dyna i gyd. Fe ddeffra i e pan fydd yr ail hanner yn dechre." Ond ro'n i wedi sylwi ynghynt nad oedd Lewsyn mor siarp ag oedd e a'i fod e'n cael pyliau o syrthni: roedd y Wide Horizons, o'r diwedd, wedi dechrau cael at ei ymennydd.

"A be chi'n feddwl o'r gêm?" gofynnais.

"'Sdim byd yn bod ar y gêm, dim ond bod e i gyd yn dicwdd yr ochr draw i'r cae."

"Ddyle pethe newid yn yr ail hanner os bydd y Swans yn parhau i ymosod. Falle welwn ni gôl hyd yn oed!"

"Wel, os bydd 'na gôl, un peth sy'n siŵr, welith e mohono fe," meddai 'Nhad gan gyfeirio at Lewsyn yn ei drymgwsg.

Dechreuodd yr ail hanner, ond, yn unol â Deddf Murphy, Caerdydd oedd yn ymosod am y cyfnod nesaf ac felly doedd y chwarae ddim agosach aton ni. Ond yna, wedi hanner awr o floeddio a rhegi gwangalon, fe sgoriodd Abertawe yn sydyn ac yn annisgwyl. Â dim ond deg munud i fynd, roedd y sgôr yn gyfartal.

Cododd y dorf odanom fel un gŵr gan lafarganu'n amrwd a chwifio'u breichiau yn yr awyr tuag at stand Caerdydd, a gwneud arwyddion aflednais. Roedd rhesi o blismyn nawr yn trotian rownd y cae a chyhoeddiadau'n dod o'r cyrn siarad ynglŷn â'r sybs oedd i ddod ymlaen ar gyfer y deng munud olaf tyngedfennol.

Wrth ddisgwyl i'r gêm ailddechrau, edrychais eto mewn rhyfeddod ar y dorf o'm cwmpas yn eu casineb torfol. Yna sylwais ar Union Jack anferth yn hongian yng nghefn y stand a'r geiriau *Jack Army* arni, a rhes o ddynion penfoel yn sefyll o'i blaen yn codi'u dyrnau i'r awyr. Oedd Darren, partner Sheena, yn eu plith, tybed, yn paratoi ar gyfer noson fawr arall a fyddai'n cawlio fy nhrefniadau staff?

O'r diwedd, gorffennodd y gêm a dechreuodd y stadiwm wagio. Roedd Lewsyn wedi deffro ar gyfer y chwarter awr olaf – doedd dim posib i neb gysgu trwy'r fath ddwndwr – ac meddai: "Wel dyna'r Swans i chi: yr un hen stori, popeth ond sgori."

"Ond sgorion nhw," mynnodd fy nhad, yn glynu at y ffeithiau fel arfer.

"Ond i ddim pwrpas," atebodd Lewsyn.

"Ond roedd hi'n gêm gyfartal."

"Roedd angen *win* i aros yn y chwech ucha."

"Nonsens yw'r cyfan," meddai 'Nhad. "Gwell o lawer iddyn nhw aros man lle ma'n nhw."

Doedd gadael ddim mor hawdd ac er bod ein llwybr ni i lawr y rampiau yn glir, roedd yr heddlu wedi ffurfio wal ddynol y tu fas i'r stadiwm er mwyn gwahanu'r ffans oedd yn dal i weiddi "Cardiff wankers, fuck yourselves." Yng nghanol y swn llwyddodd y dyn ambiwlans a fi i arwain fy nhad a Lewsyn tua'r cerbyd ac am unwaith ro'n i'n ddiolchgar am fyddardod fy nhad.

Plygodd y dyn y gadair olwyn i'w lle ar y llawr, a strapio fy nhad a Lewsyn i'w seddau – y ddau'n dal yn eu sgarffiau du a gwyn – tra o'n i, gyferbyn â nhw, yn gorfod hanner gorwedd ar fatres galed yng nghanol yr offer achub bywyd. O'r diwedd llwyddodd y dyn i adael y traffig a'r torfeydd o'i ôl a gyrru trwy Fforest-fach at yr M4. Roedd Lewsyn yn cysgu, ei ben yn y sgarff, ond roedd fy nhad yn hollol effro.

"Roedd Lewsyn yn iawn," dywedodd. "Dyna beth oedd gêm ddibwrpas. Awn nhw byth lan i'r Premier League."

"Llawn cystal hynny," atebais. "Y perygl yw mai lawr yr ân nhw wedyn."

"Dyna 'mhwynt i'n gwmws, Rhys," meddai 'Nhad. "Ti'n berffeth iawn am unwaith. Mae'r cyfan yn wast o amser. Nawr paid â chamddyall – rwy'n gwerthfawrogi'r gwaith ti wedi gneud droson ni pnawn 'ma, ond base'n llawn cystal 'da fi fod wedi mynd i Gelli Deg."

Ochneidiais a chau fy llygaid am eiliad.

"Nawr gawn ni ddyall ein gilydd, Rhys? A wedest ti dy fod ti am fynd yno hebdda i?"

"Rwy am gael sgwrs â'r tenant. Taith fusnes fydd hi, dyna i

gyd. I fod yn onest, sai'n credu allech chi ddala'r daith."

"Sai'n dy ddeall di o gwbl. Pam wyt ti mor benderfynol o fynd hebdda i? Beth yw'r broblem? Ydw i'n rhy hen i ti, neu beth?"

"Na, nid hynny."

"A fi yw dy dad di, cofia."

"Meddwl amdanoch chi ydw i. Chi ddim wedi teithio ers ache. Beth petaen ni'n gyrru am ddwyawr, a chithe ddim yn teimlo'n dda, a gorfod troi 'nôl heb weld y lle…"

"Os galla i eistedd am ddwyawr yn y sedd galed yna yn y stadiwm, fentra i y gallen i eistedd am ddwyawr mewn Audi TT!"

Gallwn weld bod y tro i'r gêm wedi gwneud lles iddo – felly fe wnes i hynny, o leia, yn iawn – ond do'n i ddim am ddadlau mwy am Sir Benfro. Dywedais yn flinedig: "Gawn ni adael hwnna i fod? Gawn ni jyst mwynhau heddi?"

"Ond mae heddi wedi mynd, on'd yw e? 'Sdim pwynt siarad am heddi rhagor."

"Rwy'n gweld hynny'n berffaith," atebais gan orwedd i lawr ar y matres a rhoi fy mreichiau dan fy mhen. Digwyddais sylwi ar raglenni gêm y pnawn – y *Jack Magazine* – yn llithro'n ôl a 'mlaen dros lawr yr ambiwlans. Prin oedden nhw wedi'u hagor ac roedd ymylon y tudalennau wedi'u staenio gan gwrw neu biso. Edrychais draw at Lewsyn, oedd wedi'i strapio i mewn fel doli glwt yn y sedd arall, ond roedd e'n cysgu'n drwm ac yn chwyrnu, wedi'i drechu a'i dawelu o'r diwedd.

O leia fe roies i bnawn iddo fe yn y Liberty.

20: Swyddfa'r Heddlu

*R*EES, CAN U *ring me? Gotta talk soonest, Sheena*, meddai'r neges ar fy iPhone. Er nad oedd yr un rheg ynddi – neu, yn hytrach, gan nad oedd yna reg ynddi – doedd hi ddim yn neges addawol. Byddai'r cyfarfod yn fwy na sesiwn o fflamio a bygwth. Meddyliais: oedd hi wedi cael cynnig swydd arall?

Roedd hi'n fore Llun ac ro'n i yn y dre beth bynnag, felly ffoniais hi'n ôl yn awgrymu cwrdd nes 'mlaen ym mar La Prensa, ar waelod Wind Street. Mae 'na ardd yna lle gallen ni gael sgwrs breifat, ymhell, gobeithio, o Darren a'i debyg. Mewn rhyw ffordd od, ro'n i'n edrych ymlaen at y cyfarfod. Byddai'n debyg o fod yn ddifyrrach na'r cyfarfod arall ro'n i wedi'i drefnu ar gyfer chwech o'r gloch gyda'r Uwch-arolygydd Gareth Jones yn y Swyddfa Heddlu Ganolog.

Tra oeddwn yn oedi dros ginio ysgafn yng nghanol y dre, gofynnais eto sut ddiawl y ffeindiais i fy hun ar fin mynd i gyfarfod cyfrinachol â swyddog uchel o'r heddlu i drafod systemau CCTV dinas Abertawe, a hynny wedi fy holl addunedau personol i gadw'n glir o achos John Harries.

Bore Gwener y ffoniodd Bryn fi. "Rhys," meddai mewn llais *sotto voce*, "popeth wedi'i drefnu ar dy gyfer di, 'wy'n falch i weud."

"Sorri – am beth ni'n sôn nawr?"

"Y cyfarfod gyta Gareth, yr Uwch-arolygydd Gareth Jones, yr un ofynnaist ti amdano."

"Diolch, Bryn, ond ro'n i wedi bwriadu canslo'r cyfarfod. Wnes i ddim meddwl y baset ti'n ei drefnu e mor glou."

"Diawch o'r nef, ti ddim yn gweud bo ti ddim am 'i weld e, ar ôl i fi fynd i'r holl drafferth?"

"Mae pethe wedi newid, yn anffodus…"

"Ond 'smo i'n dyall. Bydde'r cyfarfod yn hollol gyfrinachol, a fel wedest ti dy hunan, fydd 'na ddim oblygiade. Mae Gareth yn fachan elli di drysto. Mae e'n barod i dy weld ti am chwech nos Lun."

"Mor fuan â hynny?"

"Mae'n ddyn bishi a ti'n lwcus iawn bod e'n gallu gwneud y ffafr yma â ti," meddai Bryn yn siarp.

"Wel, does dim i'w golli, 'sbo."

"Cofia, doedd e'n addo dim, achos nace'r heddlu sy'n rheoli'r camerâu 'ma. Ond neith e esbonio'r cyfan i ti. Jyst gofyn amdano fe wrth y cownter yn y dderbynfa yn y swyddfa ganolog."

"Rhaid i fi gyfadde, Bryn, wnes i erioed feddwl baset ti'n gallu mynd â fi at wraidd y mater yma mor rhwydd."

"Dyna lle mae cysylltiade'n handi. Fel'na mae'r byd 'ma'n troi, yntefe."

"Ie, wrth gwrs, a diolch."

Rhoddais y ffôn yn ôl yn fy mhoced gan deimlo'n rhyfedd yn diolch am rywbeth nad o'n i moyn. Yr un oedd fy nheimlad wrth gymryd diferyn o win gwyn sur ganol dydd Llun yn y Pizza Express. Wrth edrych mas trwy'r ffenest ar y siopwyr oedd yn pasio heibio o flaen gerddi'r castell, gofynnais i fi fy hun, wrth feddwl am y ddau gyfarfod oedd o 'mlaen i: pam 'mod i wastad yn mynd i gyfarfodydd nad o'n i eisiau bod ynddyn nhw, ac mor anaml yn cyfarfod â phobl rydw i wir yn eu ffansïo – er enghraifft, y flonden enigmatig a oedodd, mewn ffordd mor amlwg, wrth y bont grog…

Neu hyd yn oed Elin Ashley. Pam nad o'n i wedi'i ffonio hi'n ôl? Beth bynnag am y flonden, roedd un peth yn siŵr am Elin: byddai'n neidio at unrhyw wahoddiad mas.

Croesais o'r Kingsway tua'r groesfan ar waelod Constitution Hill. Yna, gan deimlo fel ymhonnwr o ryw fath, canais y gloch ar gownter gwag y Swyddfa Heddlu Ganolog. Daeth swyddog ataf trwy ddrws ochr, a phan ddywedais wrtho fod yr Uwch-arolygydd Gareth Jones yn fy nisgwyl, fe ddaeth Gareth ei hun i fyny a'm tywys i lawr i'w swyddfa fach ym mherfeddion yr adeilad.

Roedd Gareth yn ddyn tal, tenau yn ei ddeugeiniau â llygaid craff a thrwyn mawr o'ch chi'n methu peidio â sylwi arno. Eisteddais gyferbyn â'i ddesg fetel yn y stafell rhy olau. Roedd bys tenau cloc analog yn tician ar un o'r waliau. Heb ragymadroddi, meddai'r Uwch-arolygydd: "Rhaid i chi ddeall bod CCTV yn dipyn o gors. Yn weinyddol, mae'n hunlle gan taw Cyngor Abertawe sy'n darparu'r camerâu a'r stafelloedd monitro. Ry'n ni'n darparu rhai o'r staff, a chwmnïau preifat wedyn yn gofalu am y systemau ac yn eistedd ar ein pwyllgorau…"

"Felly, nid chi sy'n gyfrifol am y camerâu o gwmpas y Marina a Wind Street?"

"Na, Cyngor Abertawe."

"Ond beth os oes 'na drosedd?"

"Yn naturiol, ry'n ni wedyn yn gofyn i'r Cyngor am y recordiadau perthnasol."

"A beth wedyn?"

"Ry'n ni'n trin y dystiolaeth fel unrhyw dystiolaeth arall dderbyniwn ni ynglŷn â throsedd."

"Ga i roi 'nghardiau ar y bwrdd?" gofynnais gan drio ymlacio yn fy sedd. "Falle byddwch chi'n meddwl 'mod i braidd yn wallgo…"

"'Chydig iawn o bethe sy'n rhoi sioc i mi bellach."

Yna soniais yn fyr am farwolaeth John Harries ac am

ddiflaniad anesboniadwy y ddau ddyn a welais â'm llygaid fy hun.

"Rwy'n gwybod am yr achos yn iawn," meddai'r Uwch-arolygydd. "Fi dderbyniodd gais y crwner am dystiolaeth CCTV ac fe basiais i e 'mlaen i'r Cyngor."

"A be ddigwyddodd?"

"Dim byd. Fe ddywedon nhw bod y recordiadau wedi'u dileu yn ddamweiniol."

"Beth? Ar gyfer Abertawe gyfan?"

"Na, y recordiadau ar gyfer y rhan yna o'r Marina am y noson honno, nos Sadwrn ola mis Ionawr, rwy'n weddol siŵr."

"Ond beth am, ddywedwn ni, Heol Ystumllwynarth neu lan i'r M4?"

"Wnes i ddim cais ar y pryd ac maen nhw wedi'u dileu erbyn hyn. Dim ond am fis mae'n rhaid cadw recordiadau, oni bai ein bod ni'n gofyn am estyniad."

"Wir? Felly fydde dim gobaith gan neb i weld unrhyw recordiadau, erbyn hyn, ar gyfer unrhyw ran o Abertawe yn mynd 'nôl dros fis?"

"Na, tenau fyddai'r siawns o hynny."

"Fe ddigwyddodd rhai pethau rhyfedd yn y Kingsway hefyd y noson honno, a allai fod yn gysylltiedig â'r boddi yn y Marina."

"Am beth yn hollol y'ch chi'n chwilio, o ran diddordeb?"

Soniais am y ddamcaniaeth fod yna filwyr Americanaidd wedi mynd yn wyllt yn y ddinas y nos Sadwrn yna, mewn gwisg fyddai'n hawdd ei hadnabod.

"Ond sai'n deall eich diddordeb," meddai'r Uwch-arolygydd.

"Na fi, yn hollol. Dim ond chwilfrydedd yw e. Ond y mwya rwy'n ymchwilio i'r busnes, y mwya o dystiolaeth sydd 'na fod rhywrai'n cuddio pethau'n fwriadol."

"Alla i gydymdeimlo â chi," meddai'r Uwch-arolygydd gan rolio ei feiro rhwng ei fysedd. "Rwy'n teimlo'n rhwystredig yn aml gyda'r broses cyfiawnder. Ond yn yr achos yma, mae'n eitha posib bod y Cyngor yn dweud y gwir."

"Felly does dim siawns i'r recordiadau gael eu dileu'n fwriadol, ar gais rhywun allanol efallai?"

"Na," meddai, yn rhy bendant efallai. "Base hynny'n drosedd ddifrifol."

"Rwy'n gweld hynny."

"Mae camsyniadau'n digwydd yn aml, gwaetha'r modd. Mae'r dechnoleg yn gawl potsh. Mae'r cwmnïau preifat – yr arbenigwyr, i fod – yn mynnu ein bod ni'n cael yr offer digidol diweddara. *Toys for the boys.* Ond mae 'na lot o gamerâu sy'n dal i recordio i dâp VHS a dyw'r systemau newydd ddim yn gallu delio â hynny. Mae wastad mwy o arian ar gyfer offer na systemau. Welwch chi'r drws yna?" meddai gan bwyntio at ddrws â ffenest o wydr tew wedi'i ridyllu â mesh o fetel. "Mae'r stafell yna yn llawn bocsys cardbord sy heb eu hagor – ond falle 'mod i'n dweud gormod."

"Ond ydi CCTV yn gweithio, ar y cyfan, yn eich barn chi?"

Rhoddodd Gareth ei feiro i lawr, ac edrych arna i. "Ga i roi e fel hyn? Edrychwch o gwmpas y stafell 'ma. Be welwch chi?"

"Dim byd arbennig."

"Yn gwmws. Mae e'n un o'r stafelloedd mwya diflas a digymeriad weloch chi yn eich bywyd erioed. Dim ond waliau plaen, cloc, cwpwl o gypyrddau ffeilio. Dim cyfrifiadur hyd yn oed."

"Dylech chi roi llun o'r Mwmbwls ar ryw wal, fel sy ym mhob tŷ arall yn Abertawe."

Ond wnaeth yr Uwch-arolygydd ddim ymateb i fy jôc wan. "Ond nid yw'r stafell yn hollol fel mae'n ymddangos. Y tu ôl i un o'r teils plastig yna mae 'na gamera CCTV sy'n recordio pob gair o'r sgwrs yma, ac mae hynny'n wir am bob swyddfa arall yn y lle 'ma."

"Ond pam tynnu fy sylw at hynny?"

"I wneud pwynt arbennig."

"Sai'n deall…"

"Oni bai bo chi nawr yn tynnu cyllell neu wn mas o'ch poced, does neb yn mynd i wylio'r tâp yna – hyd yn oed petai'r tâp wedi'i safio a'i ffeilio'n gywir. Ry'n ni'n brin o staff yma. Ac mae'r un peth yn wir am CCTV yn gyffredinol. Gyda rhai eithriadau, base'n well petai'r arian yn cael ei wario ar heddlua cyffredin. Dyna fase'n gwneud canol ein dinasoedd yn saff. A mynd o ddrwg i waeth mae pethau."

"Sut hynny?"

"CCTV o awyrennau dibeilot bia'r dyfodol, camerâu wedi'u gosod ar *drones*. Yn mynd i unrhyw le chi moyn, ac ar uchder mawr, a bron yn anweladwy, ond yn gallu adnabod wynebau. Mae 'na lot o arian yn cael ei daflu at y dechnoleg y dyddie 'ma."

"Ond *drones*: ro'n i'n meddwl mai at bwrpasau milwrol roedd y rheini."

"Peidiwch bod mor naïf, gyfaill. Mewn cyfnod o aflonyddwch dinesig, mae pobl gyffredin yn dargedau yr un mor bwysig â milwyr. Dim ond yn ei blentyndod mae'r diwydiant *drones*."

"Rwy'n synnu braidd atoch chi'n dweud hyn i gyd, a chithau'n Uwch-arolygydd yn yr heddlu. Chi'n paentio darlun digon du o'r dyfodol."

"Anaml iawn rwy'n cael y cyfle i ddweud dim o fy marn fy hun, ond rwy'n gweld eich bod chi'n ddyn deallus."

"Diolch," dywedais gan synhwyro bod rhyw rwystredigaeth ddofn yn llechu yng nghalon Gareth Jones. "Ond gan ein bod ni'n agored â'n gilydd, tybed ga i ofyn un cwestiwn ola?"

"Ar bob cyfri."

"Ry'n ni wedi bod yn trafod recordiadau CCTV ar gyfer y nos Sadwrn arbennig yna yn Ionawr. Tybed oes 'na gofnodion gwahanol, symlach ar gael? Hynny ydi, oes 'na ryw fath o lyfr lòg – ar bapur neu ar gyfrifiadur – yn cofnodi'r troseddau a ddigwyddodd yn Abertawe y noson arbennig yna?"

Gwenodd Gareth arnaf. "Mae hynna'n gwestiwn da iawn, Rhys. Mae gan bob swyddfa heddlu ffordd o gofnodi troseddau sy'n cael eu riportio. Fel arfer byddech chi'n gallu gweld y cofnodion wedi ichi lanw ffurflen arbennig."

"Allech chi neud eithriad ohono i? Fydden i ddim am ddilyn unrhyw gofnod ymhellach."

"Mae'n dda hynny, achos mae 'na broblemau ynglŷn â chofnodion wythnos olaf mis Ionawr."

"Pa fath o broblemau?"

"Problemau yn codi eto o ddiffyg staff technegol yn y swyddfa 'ma."

"Ond mae hyn yn ddifrifol iawn, ac yn effeithio ar weinyddiaeth cyfiawnder."

"Wrth gwrs ei fod yn ddifrifol."

"Felly be chi'n gneud ynglŷn ag e?"

"Ry'n ni wedi galw arbenigwr mewn i weld a oes modd adfer y wybodaeth. Arbenigwr IT sy'n gweithio i'r heddlu yn Llundain."

Edrychais i lygaid yr Uwch-arolygydd, heb guddio fy nirmyg.

"Dyna maen nhw'n ddweud wrtha i," ychwanegodd, ei lygaid meddal, Cymreig nawr yn galed fel gwenithfaen.

"Ond ry'ch chi'n deall y dechnoleg, mae'n ymddangos i fi. Allwch chi ddim siecio'r cofnodion eich hun?"

"Uwch-arolygydd ydw i, nid swyddog IT. A ga i ychwanegu 'mod i'n dweud hyn wrthoch chi er mwyn eich helpu chi, rhag i chi wastio'ch amser. Gallen i fod wedi bod yn llai gonest, a rhoi'r ffurflen i chi ei llanw, ond i ddim pwrpas wrth gwrs," meddai gan sticio gwên ffals ar ei wyneb.

"Diolch… rwy'n gobeithio nad ydw i wedi wastio'ch amser chi."

"Rwy'n falch o gael helpu ffrind i Bryn," meddai gan godi

o'r tu ôl i'r ddesg a rhoi ei law oer i fi. "Ry'n ni yma i helpu'n gilydd."

"Wrth gwrs."

A'i eiriau diystyr yn adlais yn fy mhen, cerddais trwy'r drws ac i fyny'r stâr, wedi fy sobreiddio. Allwn i ddim credu nad oedd modd cael gafael hyd yn oed ar gofnodion cyffredin yr heddlu ar gyfer y noson yna. Y ddau beth gyda'i gilydd oedd yn anghredadwy: dim recordiadau CCTV na chofnodion heddlu. Roedd yn pwyntio tuag at gynllwyn, ac yn cadarnhau holl amheuon Tante Gertrud.

Allan ar y stryd, meddyliais eto am fater y cofnodion. Doedd neb yn mynd i rasio i'r swyddfa heddlu agosaf i adrodd be ddigwyddodd i John Harries, ac, wrth gwrs, roedd yn amherthnasol i gyfarfyddiad Kylie Marshall â'r Ianc yna, mewn clwb nos efallai. Roedd yn codi'r cwestiwn: a ddigwyddodd rhywbeth arall eto, y noson honno, yr oedd yr Americans am ei guddio?

Yn sydyn cofiais am be ddywedodd y ferch yn y garej. Oni soniodd hi am ambiwlans yn cyrraedd y jîp, gyda cheir yr heddlu? At ba bwrpas roedd hynny, a phwy oedd ynddo fe? Aelodau eraill o'r fyddin Americanaidd? Os felly, be arall fuon nhw'n neud nos Sadwrn olaf Ionawr?

21: La Prensa

CERDDAIS I LAWR tua'r Kingsway yn meddwl: os oedd 'na CCTV mewnol yn gwylio'r Uwch-arolygydd a fi, doedd 'na ddim siawns y byddai'r boi yn dweud unrhyw beth oddi ar y record. Digon hawdd iddo ddweud nad oedden nhw'n arfer siecio'u recordiadau CCTV, oni bai fod rheswm da dros wneud hynny. A allai fy ymweliad i fod yn rheswm da? A wedes i unrhyw beth o'i le? Neu o'n i'n gorbryderu? Roedd yr Uwch-arolygydd a Bryn yn gyd-Fasiyniaid, siŵr o fod. Fe fuasai yn erbyn eu côd i'm gadael i yn y cach, yn byddai?

Cerddais heibio i'r siopau gweigion ac i lawr heibio'r castell i Wind Street a bariau y Walkabout a'r Square a Revolution lle roedd y Jacs – hyd yn oed am hanner awr wedi saith ar nos Lun – yn taflu 'nôl eu peintiau o lager yn eu crysau diwrnod cneifio. Teimlwn ychydig yn well o weld hynny. Un peth oedd yn siŵr: roedd pob drws wedi'i gau ar unrhyw ymchwil bellach, amaturaidd i ddigwyddiadau nos Sadwrn, 29 Ionawr yn Abertawe.

Gallwn wneud â diod fy hun ac ro'n i nawr yn edrych ymlaen mewn ffordd od at y cyfarfod â Sheena, er fy mod yn siŵr mai newyddion drwg oedd ganddi. Byddai'n haws na rhai mathau o gyfarfod. Cerddais heibio i'r bownsars yn nrws La Prensa a thalu chwephunt am lasied o win coch. Roedd y lle'n brysur, a bwndel o ferched cnawdol, deugain-plys, yn cynnig oriel o fronnau a choesau i fi ar y soffa. Roedden nhw'n benderfynol o gael amser da, ac yn weddol siŵr o'i gael.

Gan deimlo cymysgedd o flys ac eiddigedd, cerddais trwy'r bar â'r gwydryn mawr crwn yn fy llaw. Yna eisteddais o dan un o'r lampau nwy pwerus sy'n effeithio mor wael ar yr amgylchfyd yn sgil y gwaharddiad smygu. Gyda chydwybod clir a minnau'n gwneud cyn lleied o niwed fy hun, dadbiliais Dannemann yn araf a gofalus o'i fys plastig.

Gyferbyn â fi, ar draws y ffordd ddeuol brysur, roedd Morgans a bar Charlies. Cofiais am Elin, a'r sgwrs gawson ni yno. Do'n i byth wedi'i ffonio'n ôl, o'n i? Wedi'r cyfarfod yn swyddfa'r heddlu, roedd yr awyr wedi clirio, y drysau wedi'u cau'n derfynol. Eto, buasai'n ddiddorol cael ei barn. Ond ai ei barn hi o'n i angen, neu ei chwmni?

Ro'n i'n edrych tua drws y bar bob hyn a hyn, yn barnu bod Sheena'n ddigon cyfarwydd â'r lle i ddyfalu y gallen i fod yn yr ardd. Ac ro'n i'n iawn. Fe ymddangosodd yn y man yn ffrâm y drws fel brenhines Sheba mewn gwisg goch â V dwfn a chadwyn aur am ei gwddw, i dynnu mwy o sylw. Â diod yn ei llaw, swingiodd ei chorff tuag ataf a dweud: "Do'n i ddim am ofyn i chi brynu hwn i mi, Rhys, achos newyddion gwael sy gen i."

"Rwy'n gwybod," dywedais. "Steddwch."

"Ond 'sdim posib bo chi'n gwybod. Dwi ddim wedi dweud wrth neb ond Darren." Nawr plygodd un hirgoes dros y llall gan falansio'r gwydraid o win coch ar ei phenelin, ei gochni tryloyw'n lluosi lliw fflamgoch ei gwisg.

"Ond mae'r peth yn amlwg," dywedais. "Dim un *eff* yn y neges ffôn. Mae rhywbeth wedi digwydd, a rhaid mai penderfynu gadael yw hynny. Chi wedi derbyn cynnig gwell, rwy'n siŵr."

Edrychodd Sheena arna i'n euog. "Ydw, dwi'n rhoi fy notis i mewn. Do'n i ddim yn gweld llawer yn digwydd, Rhys, o ran sortio problemau'r bwyty. Roedd y mwynhad wedi mynd, a dwi wedi derbyn cynnig gan y Marriott, lle rwy'n gweithio'n barod, fel chi'n gwybod."

"Felly gofynnoch chi iddyn nhw am job?"

"Do. Fe ofynnais iddyn nhw allen nhw roi cynnig i mi."

"Mor syml," dywedais gan deimlo'r brad.

"Oedd, *I suppose.* Ac rwy wedi cytuno i ddechrau wythnos i heddiw."

"Ond allwch chi ddim gwneud hynny i fi!"

"Doedd gen i ddim dewis. *Sorry*, Rhys."

"Ond beth am y cytundeb gwaith?"

"Oes 'da chi gopi?"

"Oes," atebais yn gas, "rwy'n ei gadw e yn fy mhoced lle bynnag rwy'n mynd."

Pwysodd Sheena ymlaen, gan wneud sioe o'i bronnau llawn i fi ac i'r byd. "Sorri, Rhys, ond dyna sut mae'r cwci wedi crymblo y tro 'ma. Fel chi'n gwybod, ro'n i'n arfer mwynhau gweithio yn y Secret Garden ond sbwyliodd André'r cyfan."

"Sai'n credu hwnna'n hollol."

"Peidiwch 'te."

"Beth am y cyflog?"

"Tua'r un fath."

"Ond mae hon yn swydd amser llawn?"

"Ydi. Bydd yn fwy sicr i mi."

"Sut felly'n hollol?"

Cymerodd Sheena becyn Marlboro o'i bag a thanio un ohonyn nhw. Yna eisteddodd yn ôl gan sgwintio arna i â chymysgedd o hoffter a thosturi. "Dyw'r Marriott ddim yn mynd i fynd yn *bust*, ydi e?"

"Ond rydw i?"

"Chi ddywedodd hwnna."

"Nage, chi, Sheena... ry'n ni'n gwneud yn eitha da, o ystyried mai dim ond ein hail haf ni yw hwn."

"I ddechre, Rhys," meddai Sheena gan chwythu mwg tuag ata i, "chi ddim yn gallu coginio. Ry'ch chi hefyd yn rhy feddal â'r staff a chi'n gadael iddyn nhw ddwyn..."

"Chi wedi dweud hwnna o'r blaen ac mae'n nonsens."

"*Okay*, ond chi'n osgoi gwneud penderfyniadau, a dwi ddim yn siŵr sut mae pethe rhyngoch chi a *bogeyman* y Cyngor."

"Rwy'n cyfadde, newch chi ddim curo'r bygars yna."

Ffurfiodd gwefusau cochion Sheena wên amheus y tu ôl i'r sigarét a ddaliai o'i blaen mewn *pose* Hollywoodaidd.

"Mae'n ddiawl o ddirgelwch, Sheena, sut ddaethoch chi ata i i weithio o gwbl, os ydw i mor anobeithiol â chi'n ddweud."

"Ond chi'n dda 'da cwsmeriaid. Maen nhw'n lico chi'n well na Suzy…"

"Mae hi'n gwneud ei gorau, chware teg iddi."

"Ydi, mae'n pasio fel Thai ond dyw hi ddim yn gallu rhedeg y lle. A chi'n rhy hen i wneud hynny eich hunan."

"Rwy'n credu bo fi'n dal yn ddigon abal."

"Dwi ddim yn amau hynny. Chi'n rhy hen i fod *eisiau* rhedeg y lle, a dyna pam, os na fyddwch chi'n ofalus, gallech chi fynd yn *bust*."

"Diolch yn fawr, Sheena," dywedais, yn trio peidio sylwi gormod ar y *bust* oedd o'm blaen. "Ond gan eich bod chi wedi llwyddo i daflu un compliment, ga i roi un i chi. Roeddech chi'n dda, hefyd, gyda phobol, yn dda iawn. Byddwch chi'n wastio'ch talent yn cuddio tu ôl i ddesg."

"Ond chi'n cwrdd â phobol tu ôl i ddesg, hefyd – lot ohonyn nhw."

Yn awr fe wnaeth y realiti fy nharo: y bwyty heb Sheena. Byddai'r lle fel blydi mynwent, heb ei hegni a'i siarprwydd secsi a'r ffordd yna oedd ganddi o herian dynion. Hebddi hi, dim ond André fyddai yno'n teyrnasu y tu ôl i'r llenni fel rhyw ysbryd o'r coed…

Roedd yr haul wedi diflannu a dim ond y lampau nwy melynwyrdd nawr yn goleuo'r byrddau a'r llwyni bach artiffisial a addurnai'r ardd goncrit. Dôi pobl i mewn ac allan, wedi'u gwisgo ar gyfer y nos, a sylwais fod ambell bâr tebyg o'n cwmpas ni hefyd, dyn hŷn a phishyn ifanc. Yr ochr draw i'r clawdd, pasiai criwiau llawen heibio ar eu ffordd i noson o rafio yn neuaddau yfed Wind Street.

Yna'n annisgwyl, gafaelodd Sheena yn fy llaw. "Dyw'r byd ddim ar ben, Rhys. Dewch o'na, dyw e ddim fel petai eich bywoliaeth yn dibynnu ar y bwyty. Allech chi roi e lan, a basech chi'n rhydd eto."

"Yn rhydd i beth?" dywedais, dan ddylanwad fy ail wydraid mawr o win coch.

"Be chi'n feddwl?"

"Wel, be fasen i'n gneud â'n hunan?"

Edrychodd Sheena arna i'n anghrediniol. "Rwy wedi'ch colli chi nawr, sorri."

"Mae'r bwyty'n her. Ac yn ddiawl o anodd, weithiau, ydi. Ond gwell 'da fi drio a methu, na pheidio trio."

"Chi'n swnio fel awdur rhyw lyfr *self-help*. Mae'n well peidio methu, ac yn lle trio – mwynhau eich hun."

"Chi'n gwneud iddo fe swnio'n rhwydd," dywedais gan swilio'r gwin yn y gwydryn.

"Y broblem â chi ddynion yw bo chi'n falch, a ddim yn gallu godde methiant. Ond weithie, mae'n well *jump ship*."

"Falle mai dyna be wna i, os bydd y llong hebddoch chi, Sheena."

"Chi wir yn *softie*, Rhys!" meddai hi gan wenu'n llachar arna i, yna pwyso'n ôl am eiliad yn erbyn cefn ei chadair, a chwifio'i sigarét, ei llygaid ynghau am eiliad, ei gwddw V yn dangos popeth. Roedd hi'n gwybod ei bod hi'n ddeniadol ac ro'n i'n sylwi bod 'na ddyn yn ei bumdegau yn sefyll wrth un o'r lampau nwy ac yn edrych draw ati weithiau. Yna'n sydyn cododd ei law a'i sigarét ar Sheena ac fe wenodd hi'n ôl arno fel seren ffilmiau – am eiliad fer. Gallai fod yn ffrind, gallai fod yn fwy na ffrind, doedd e ddim busnes i fi.

"Rydw i'n codi'r nesa. Be chi'n yfed, Sheena?"

"*Vodka martini*, plis."

"Ond mae hyn fel petaen ni'n dathlu bo chi'n gadael."

"Chi gynigiodd y ddiod, Rhys."

Tra o'n i'n ciwio wrth y bar, ro'n i'n gofyn be ddiawl oedd yn mynd ymlaen yma. Roedd y ferch hon wedi fy ngadael mewn cachu dwfn gan beryglu dyfodol y bwyty, ond nawr ro'n i'n ysu am ei chwmni. Pan es i'n ôl at y bwrdd, fe drodd y sgwrs yn fwy personol ac fe ofynnodd hi rai cwestiynau am fy mhriodasau. Atebais trwy ofyn cwestiynau tebyg yn ôl. Yna plygodd ymlaen a dweud yn fy nghlust: "Dwi wedi gweud 'tho chi o'r blaen, Rhys, chi'n ddyn neis…"

"Ond yn fos *crap*…"

"Mae'n rhaid bo chi, os chi wedi llwyddo i'w gadw e a 'ngholli i!"

"André chi'n feddwl? Ydi, mae hynny'n profi'r pwynt yn derfynol."

"Ond nid fel ffrind, gobeithio."

"Be chi'n feddwl?"

"'Y ngholli i…"

"Sheena, mae'n amhosib i unrhyw ddyn normal fod yn ddim ond ffrind i chi."

"Wel, mae e lan i chi," meddai Sheena wrth osod ei gên yn ddeniadol dros ben ei choctel.

Dywedais, gan ildio i lacrwydd y sgwrs: "Un ffordd neu'r llall, fydden i ddim am groesi Darren."

"Darren?" meddai Sheena wedyn, â ffug syndod yn ei llygaid mawr. "Pwy yw e?"

"Sheena, oes 'na rywbeth fan hyn dwi ddim yn deall?"

Atebodd Sheena yn ddi-hid: "Gallen ni gwrdd yn y Marriott, gan y bydda i'n gweithio 'na…"

"Ond *gweithio* fyddwch chi 'na…"

Gwrthododd Sheena ddweud mwy, dim ond pwyso'n ôl yn enigmatig yn ei chadair.

Gorffennais y gwin coch oedd nawr yn mynd i 'mhen. Codais yn ansicr o'r gadair a ffarwelio'n gariadus â Sheena. Arhosodd hi yno i orffen ei *vodka martini*. Yn nrws y bar, codais fy llaw arni gan sylwi bod y smygwr yna yn ei bumdegau eisoes yn symud tuag at y bwrdd lle roedd hi'n eistedd. Ond roedd fy meddwl ar yr alwad ro'n i wedi'i haddo i Elin. Daeth hynny, yn sydyn, yn hollbwysig. Ro'n i nawr yn ysu am ei chwmni ac yn methu deall pam ro'n i mor anaml yn dilyn fy ngreddf.

22: Tŵr y Meridian

SIECIAIS FY HUN yn y drych yn fy nghrys hufen, siaced ddu a *jeans* tywyll. Roedd y gwallt wedi'i oelio'n ôl: dwtsh yn hir, efallai. Ro'n i'n barnu 'mod i'n dal i edrych flwyddyn neu ddwy yn iau na fy oedran, ond pwy fase'n sylwi, o ystyried beth oedd yr oedran yna? Gorffennais y job â rhai diferion o Hugo Boss. Nawr ro'n i'n barod i wynebu Elin Ashley. Neu o'n i?

Daliais fws o waelod y dre i Walter Road. Fel y trefnon ni'n wreiddiol, bydden ni'n cwrdd yn y Brunswick. Gyda'i nenfwd isel a'i lwyfan ar gyfer gigs a'i gasgenni o Gwrw Iawn, dyw e mo'r math o le i apelio at gyfreithwyr a chyfrifwyr y stryd fawr. Ro'n i'n gobeithio na fyddai fy newis o fwyty – llawr uchaf tŵr y Meridian – yn apelio atyn nhw chwaith. Fe syrthiodd ei nenfwd ar ben y *chefs* un noson ac mae'r lle'n dal i drio adfer ei enw da.

Codais beint pwerus o'r Abbot Cask a disgwyl am Elin wrth fwrdd nid yn rhy amlwg. Yn y man ymddangosodd yn nerfus yn y drws mewn gwisg ag ymyl goch a cholur gwelw – ac, fe sylwais, pâr o glustdlysau trionglog, braidd yn od. Gan wenu'n gynllwyngar, daeth ata i at y bwrdd. Yna eisteddodd ac edrych o gwmpas a dweud:

"Mae 'na gymeriad i'r lle 'ma, yn does?"

"Ti heb fod 'ma o'r blaen?"

"Pa siawns fasa gen i?"

"Ti ddim wedi colli llawer. Mae'r gigs acwstig yn gallu bod yn dda – ac yn wael, hefyd…"

"A dwi'n ymddiheuro am y gohirio, gyda llaw. Nia'r ferch, 'sti, gorod gweld *Mamma Mia* efo'i ffrindia. Fedra i'm aros tan yr adag y bydd hi'n pasio'i phrawf gyrru."

"Hynny'n gallu bod yn amser peryglus, hefyd…"

"Efo merch yn ei harddega, mae pob dydd yn beryg."

"Ond rwy'n eiddigeddus braidd. Collais i'r profiad yna gyda fy merched i, oherwydd fy ffolinebau."

"Ond gest ti brofiada erill, gwahanol, dwi'n siŵr."

"Ond mae 'na rai ti byth yn gallu cael yn ôl… nawr 'te, diod i ddechre. Be ti'n gael?"

"Sudd oren, dwi'n meddwl. Dwi'n gyrru."

"Ond Elin, 'sdim raid i ti sticio at y lliw swyddogol – does neb o Plaid o gwmpas 'ma heno."

Ymlaciodd, a chwerthin. "OK, gymra i win, 'ta, un coch, bach!"

"Gyda llaw, ydi Hywel yn aelod?"

"Na, ti'n nabod Hywal: neith o ddim ymuno â'r un blaid, ddim hyd yn oed y Toris."

"Call iawn, fel arfer."

Eglurais drefniadau'r noson a'r bwriad i fwyta yn y Meridian yn y Marina – a oedd, fe gytunodd, yn ddewis addas ar gyfer ein trafodaethau – a mynd at y bar i godi ein diodydd. Wrth wneud hynny, sylwais ar griw bach o fohemiaid canol oed yn eistedd wrth un o'r byrddau, un a het ledr ddu am ei ben, un arall yn gwisgo crys o binc budur. Ro'n i wedi eu gweld nhw o'r blaen, ond ble?

"*Hey, butt*," meddai un ohonyn nhw wrthyf wrth i fi basio'u bwrdd nhw gyda'r gwydrau, "o'ch chi ddim yn yr *open mic*? *Load of cobblers*, o'ch chi ddim yn meddwl?"

"Roedd yr hen foi 'na'n trio'i orau ar yr organ geg."

"Hy, bydd e byw nes bydd e'n gant, cewch chi weld!"

"Ac yn dal i ganu'r un hen diwn!" ychwanegodd un o'r lleill.

Wrth imi eistedd gydag Elin gallwn weld eu cegau'n troi. Fel ym mhob tre arall, cylchoedd o fewn cylchoedd sydd yma'n Abertawe, ond do'n i'n gwneud dim o'i le. Gafaelais yn fy mheint newydd a gofyn i Elin: "Ti'n gwybod bod 'na fis cyfan wedi pasio ers i fi dy ffonio? Sut aeth e i ti?"

"Prysur iawn, ond eto *boring.* Rhyfadd yndê?"

"Ti'n gneud yn dda, rwy'n siŵr. Ti oedd yr un glyfar 'nôl yn nyddiau Caerdydd, y ferch yn y Swyddfa Gymreig oedd wedi'i chymryd – er siom i ni gyd!"

"Dylsach chi fod wedi trio'n galetach!" meddai Elin gan wenu.

"Ond ti'n gneud be ti'n hoffi gneud, ac yn cael dy dalu am hynny. Dyna'r gamp, yntefe?"

"Mae'n wir 'mod i'n gallu dewis fy ngwaith. Ond hyd yn oed wedyn, ti gorod gneud rhai jobsys pig i gadw cwsmar yn hapus."

"Fel i Plaid?"

"Dwi'm yn cwyno am hynny, ond dwi'm yn cael yr adrenalin mae rhywun fel chdi yn gael o redag busnas go iawn."

"Adrenalin? Ar *valium* ydw i nawr. Rwy wedi colli'r weinyddes orau sy 'da fi, mae'r *chef* yn aelod o al-Qaeda, mae'r rheolwraig yn methu rheoli ac mae'r Cyngor am 'y ngwaed i…"

"Ond 'dach chi'n gneud yn iawn."

"Sai'n siŵr am hynny, hyd yn oed."

Cymerodd Elin lwnc o'r gwin a dweud: "Rŵan, dwi'n ama'n gry a alla i dy helpu di efo dirgelwch y Marina. Sut ma petha'n sefyll?"

"Sai'n siŵr yn hunan. Rwy'n cael pyliau o feddwl ei fod e'n bwysig, yn drasig hyd yn oed, ond yn cael mwy o byliau o feddwl 'mod i'n wastio fy amser i'n llwyr. A'i fod e'n fusnes peryglus ta beth. Yng nghanol un o'r pylie yna ydw i nawr."

"Ond gawn ni fynd trwyddo fo? Mae'n swnio'n reit ddifyr i mi."

"Dyw e ddim yn ddifyr, Elin: alla i addo hwnna i ti."

"Ond rho fi yn y pictiwr, Rhys."

Heb ormod o frwdfrydedd, ond gyda help cwrw'r Abad, dechreuais adrodd yr hanes. Do'n i ddim am lethu Elin â manylion ond roedd y digwyddiadau eu hunain yn ddigon i wneud stori dda. Dechreuais gyda'r boddi cyntaf, a'r waedd yna glywais i pan o'n i'n gwylio'r ffilm, a sut arweiniodd hynny at fy ymchwiliadau amaturaidd yn y rali heddwch a orffennodd â'r cyfarfod, yn gynharach yn yr wythnos, yn swyddfa'r heddlu.

"Ydi, mae'n dipyn o stori," meddai Elin o'r diwedd. "A dwi'n dallt pam ti angan 'i deud hi."

"Mae 'na jig-so yna, os ti'n cynnwys boddi Kylie Marshall, a falle fod 'na ddarnau eraill nad y'n ni'n gwybod beth ydyn nhw eto."

"Be ti'n feddwl wrth hynny?"

"Busnes yr ambiwlans. Pam ddaeth 'na ambiwlans i gwrdd â'r *helicopter* yn Cross Hands? Oedd 'na drydydd digwyddiad?"

"Ond hyd yn oed tasan ni'n llwyddo i ffeindio'r gwir, faint callach fasan ni?"

"Dyna'r cwestiwn rwy'n gofyn i fi fy hunan o hyd: pam? Hyd yn oed petai 'na gwest newydd, faint o les fase hynny i John Harries? Mewn gair, mae'n achos anobeithiol."

"Wel," meddai Elin gan osod ei gwydryn gwag ar y bwrdd, "gawn ni weld a fydd y pryd bwyd yn cynnig rhyw ola newydd i ni. Dwi'n edrach ymlaen yn arw at gael fy nghipio i fyny'r twr uchal 'na."

"Jyst gobeithio na neith darn o nenfwd gwmpo i dy gawl di."

"Os pryni di fasnad i mi yn ei le fo, mi fydda i'n hapus," meddai Elin wrth godi'i bag: roedd corn y cab melyn yn canu tu fas.

*   *   *

Sgubodd y lifft ni trwy'r saith llawr ar hugain ac o fewn munudau roedden ni'n eistedd wrth y bwrdd. O'n cwmpas roedd panorama eang, stratosfferig. Roedd y lleuad yn hongian yn uchel uwchben y môr a'r Bae. I'r dwyrain roedd bryn Cilfái ac odanom strydoedd y ddinas a'r siopau mawr fel map Google Earth. Roedd fel bod mewn hofrennydd oedd yn hongian yn llonydd a thawel dros y ddinas, yn barod i lanio ond byth yn gwneud.

Wrth eistedd gyferbyn â'n gilydd, ymysg y parau eraill, roedd yn anodd osgoi rhamant ein sefyllfa. Roedd yna linell Z yn rhedeg ar draws gwisg Elin, ei honglau'n cyd-fynd â thrionglau ei chlustdlysau, ac yn pwysleisio ei phlaender trawiadol hi. Roedd hi'n un i hoelio sylw ar yr ail edrychiad yn hytrach na'r cyntaf, ac yn un y byddai dyn, dan amgylchiadau cyffredin, yn falch o gael ei weld yn ei chwmni.

Roedd hi wedi cytuno i rannu potel o win ac yn y man fe ailafaelodd yn y llinyn adawon ni yn y Brunswick, efallai'n teimlo rhyw reidrwydd i esgus mai cyfarfod busnes oedd gyda ni heno. Gofynnodd rai cwestiynau i fi ac ro'n i'n mwynhau gweld ei meddwl miniog yn pwyso a mesur gwahanol elfennau o'r stori mor gŵl a didaro.

"Wel, Rhys," meddai, "dwi'n meddwl bod angan i ni eu llongyfarch nhw."

"Pwy, am beth?"

"Y CIA, os mai dyna pwy ydan nhw, am lwyddo i guddio'r dystiolaeth a chipio'r milwyr yn ôl yn fyw i'w safle ym Mreudeth neu Aber-porth neu lle bynnag. Wela i bod 'na ddim byd gallwn ni neud."

"Dyna o'n i'n gobeithio'i glywed 'da ti…"

"Ond mae 'na gwestiyna cyffredinol yn codi am bresenoldeb y diawlad yng Nghymru, yn does?"

"A sôn am hynny, falle dylen i grybwyll damcaniaeth Tante Gertrud, modryb i ffrind i fi, un o'r hen wyrddion, menyw annibynnol iawn."

"Mae'n swnio'n wreigan ddifyr."

"Ydi mae. Mae hi'n credu bod mwy i hyn na mater o lond cerbyd o filwyr yn mynd mas o'u pennau ar gyffuriau. Fe allai fod gan yr Americans gynlluniau sensitif a fuasai'n cael eu niweidio gan gyhoeddusrwydd gwael."

"Pa fath o gynllunia fasa'r rheini?"

"Wrth gwrs, mae'n anodd gwybod. Gallen nhw fod eisiau symud eu sybs niwclear lawr o'r Clyde i Gymru, nawr bod y Scotiaid yn deffro…"

"Ond y Saeson bia Trident, yntê?"

"Falle, ond pwy sy'n gwasgu'r botwm? Neu ydyn nhw am ymestyn yr ardal profi *drones* sy 'da ni ar draws de Cymru? Dywedodd yr Uwch-arolygydd welais i nos Lun mai *drones* di-beilot bia'r dyfodol."

"Be oedd o'n feddwl wrth hynny?"

"Wel, ymysg pethau eraill: rheoli torfeydd, protestiadau, anniddigrwydd gwleidyddol. Cadw'r wlad yn dawel ac yn ufudd i'r drefn."

"Arswyd y byd."

"Yn gwmws. *Lost cause*, ys dywed y Sais."

"Dwi ddim yn derbyn hynny!" meddai Elin gan daro'i gwydryn yn ffyrnig ar y bwrdd.

"Felly be ti'n awgrymu?"

"Mae'n rhaid tynnu sylw pobol at be allsa ddigwydd, gofyn cwestiyna am safleoedd milwrol yng Nghymru, o dan y ddeddf rhyddid gwybodaeth. Mae Jenny Ward, yr aelod Llafur, yn gneud hynny'n reit effeithiol o dro i dro."

"Ydi. Clywes i hi'n siarad yn y rali 'na. Mae'n gwybod ei stwff. Ond ydi hyn yn mynd i weithio? Sai'n gweld y Weinyddiaeth Amddiffyn yn datgelu unrhyw beth o bwys mewn ateb i gwestiwn yn y Senedd. Y Senedd yw'r ola lawr y lein."

"Ond rhaid i ni drio. Jenny Ward yn Senadd Lloegar, a Phlaid Cymru yn y Cynulliad. Sonist ti am Steff Daniels yn Charlies. Ti'n nabod o'n dda, medda ti. Alla fo helpu?"

"Steff Daniels – tybed?" dywedais gan arllwys mwy o win i Elin. Ro'n i'n sylwi ei bod hi eisoes wedi clirio un gwydraid mawr. Oedd hi'n cofio ei bod hi'n gyrru 'nôl?

"Ond ti'n aelod o'r Blaid, Elin?"

"Ydw, dwi'n cario cerdyn aelodaeth."

"Ond am yr un rheswm â dyw Hywel ddim?"

"Be ti'n feddwl?"

"Rhesymau proffesiynol, ddwedwn ni?"

"Dwi'n cal gwaith gynnyn nhw, ydw, ond dwi'n aelod ers blynyddoedd. Roedd fy rhieni yn genedlaetholwyr ac yn weithgar yn Port. Mi allwn i gysylltu ag un o Aelodau'r Cynulliad, ond os ti'n nabod Steff Daniels yn dda, dyna fasa'r llwybr gora. Mae o'n Ddirprwy Lywydd ac yn nabod pawb."

"Ry'n ni wedi colli cysylltiad, dyna'r broblem. Ond 'da fi ei rif e. Wedodd e base fe'n dod draw i'r bwyty."

"Dyna wnawn ni! Mae o'n *operator* clyfar ond ti byth yn siŵr lle mae o'n sefyll ar betha. Fel y lleill, roedd o o blaid y *drone zone* a'r academi filwrol yna yn y Fro, fasa'n gneud i'r Ysgol Fomio edrach fel ysgol feithrin…"

"Ddim yn addawol iawn, felly?"

"Ond dwi newydd gofio rwbath pwysig, Rhys. A' i ar fy llw bod y *drone zone* yn rhedag trwy ogledd ei etholaeth o, Dwyrain Caerfyrddin a Dinefwr. Dwi'n siŵr bod hynny'n amhoblogaidd iawn gin ffermwyr a phobol gyffredin – hynny ydi, y *voters*. Bydd hynny'n siŵr o ffocysu meddwl Steff Daniels."

"Ond pam ddyle fe newid ei feddwl?"

"Mae'n wahanol rŵan, a'r diawlad yn dechra gwibio uwch ein penna ni i gyd."

Fe wnaethon ni ailafael yn y bwyta, a'r cwrs melys wedi cyrraedd. Roedd y *Sorbet Russe* yn swnio'n well nag oedd e ond doedd dim rhaid i'r bwyd fod yn wych â golygfa fel hyn.

"Ti ddim yn edrach ar dân, Rhys. Be sy'n bod?"

"Sai'n ei weld e," dywedais wrth arllwys mwy o ddŵr a gwin coch i ni'n dau ac edrych allan ar yr olygfa afreal o brydferth. "Sai'n gweld Steff a fi'n gweithio, a sai'n gweld y peth i gyd yn gweithio chwaith. Mae hyn fel y Peacekeepers, gwleidyddiaeth y *gesture*. Neith cwestiwn neu ddau newid dim."

"Ond be 'di'r dewis arall, Rhys?"

"Falle nad oes 'na ddewis arall."

"Ia, gneud diawl o ddim ydi hynny. Gadael i'r bygars gerddad drostan ni, a'n galw ni'n *arseholes* fel y gwnaeth y dyn yna yn yr *helicopter*."

Tra o'n i'n chwarae'n nerfus â'r napcyn, aeth Elin ymlaen: "Ti'n gwbod pam maen nhw'n llwyddo? Nid am eu bod nhw'n ein rhwystro ni rhag gneud dim byd, ond am eu bod nhw wedi'n rhwystro ni rhag meddwl be allsan ni neud, hyd yn oed."

"Ie, achos *does* dim byd allwn ni wneud."

"Dyna ti wedi profi 'mhwynt i, Rhys!"

"Ond ta beth wnawn ni, neith dim byd newid, neith e? Wnawn ni ddim newid cwrs hanes, trechu'r Americans, chwalu'r ymerodraeth."

"'Dan ni ddim yn sôn am hynny'n hollol, ydan ni?"

"Am beth y'n ni'n sôn, 'te?"

"Gneud rhwbath bach. Rhaid i lawar o bobol neud petha bychain, wedyn chwalu wnân nhw, yn ara deg. Mi dda'th hyd yn oed yr ymerodraeth Rufeinig i ben yn y diwadd, yn do?"

"Ond faint gymerodd hynny? Tua hanner mileniwm?"

"Llai na hynny, dwi'n meddwl," meddai Elin gan wenu'n ysgafn.

Troais y gwin coch yn araf yn fy ngwydryn. Rhyfedd, roedd Elin yn fy atgoffa o Tante Gertrud, ac yn dweud yr un mathau o bethau. Ac yn fy nhynnu i'r un math o drwbwl. Gallwn weld ei bod hi wedi gafael yn rhywbeth, ac nad oedd stopio arni. A doedd 'da fi mo'r nerth i'w stopio. Wrth edrych ar y streipen Z goch yna ar ei gwisg fe'i dychmygais yn hofran i lawr dros Abertawe mewn dillad Superman, yn concro un stryd ar ôl y llall.

Dywedodd Elin wedyn: "Dwi ddim yn ddelfrydwr penboeth, yn fwy na chdi, Rhys, ond dwi'n barod i roi deuddydd o waith mewn i hyn. Mi wna i chwilio trafodion y Cynulliad a'r Senadd am unrhyw benderfyniadau ynglŷn â safleoedd Americanaidd. Os ca i afal ar rwbath solat, yna mi fwydwn ni o i Jenny Ward a Steff Daniels."

"Steff Daniels?"

"Ia, dyna'r unig beth fydd raid i chdi neud."

"Ond bydd fy enw i mas o hyn?"

"Yn llwyr."

"Iawn, 'te!" dywedais gan wagio'r botel a tharo fy ngwydryn gwin yn erbyn un Elin.

*   *   *

Pan ollyngodd y lifft ni ar y llawr gwaelod, gallwn weld bod Elin braidd yn sigledig. Roedd hi wedi cael ei siâr o'r botel win yn ogystal â'r gwydraid yn y Brunswick felly awgrymais ei bod hi'n dod am goffi i'r fflat. Cerddon ni'n dau ar wahân gydag ymyl y cei, yn dal mewn rhyw afrealiti, wrth i'r lleuad chwarae ar wyneb y dŵr.

"Ddylet ti ddal tacsi 'nôl," awgrymais eto. "Mae'n dwp risgio'r peth."

"Mi fydda i'n iawn wedi cal panad go hegar o gaffîn. Wiw imi gymyd tacsi, p'run bynnag."

"Pam hynny?"

"Ti'm yn nabod Hywal…"

"Ond sai'n deall. 'Da ti hawl i gael glasied o win yn y dre a dal tacsi adre, does bosib? Rhaid bo ti wedi gneud hynny ugeiniau o weithiau cyn hyn. Ble mae'r car 'da ti, ta beth?"

"Yn ymyl y swyddfa, wrth Eglwys Sant Iago."

"Ffonia i am dacsi i ti i fan'na… neu ai'r broblem yw bo ti wedi dweud bo ti'n mynd mas 'da fi heno?"

"'Nes i ddim deud 'tho fo. Dwn i ddim pam yn hollol, chwaith."

Cerddon ni ymlaen yn dawel yn y golau hudol, annaturiol gan basio'r cychod oedd yn rhesi llonydd yn y doc. Yr ochr draw i'r dŵr roedd pobl yn dod allan o dafarn y Tug and Turbot ac yn ymlwybro tua'r fflatiau. Doedd 'na ddim arwydd o fywyd yn y Quayside drws nesaf.

Pwyntiais at yr adeilad, gyda'i do o fylbiau ffair: "Dyna'r bar hoyw lle cwrddodd John Harries â'i ymosodwyr. Mae'n dawel ganol wythnos, wrth gwrs."

"Mae o'n edrach fwy fel caffe mawr na bar hoyw."

"Ond dyna iti un mwya Abertawe. Mae 'na rai yn High Street – Champers, y Kings Arms, Talk of the Town – ond hwn yw'r un enwog sy'n dod lan ar y we. Hwn fase'r Americans wedi'i ffeindio ar eu ffôns."

Ond pan gyrhaeddon ni'r bloc lle roedd fy fflat i, dywedodd Elin: "Mi faswn i jyst yn licio gweld lle yn union foddodd John Harries," meddai. "Roedd o belltar o'r bar, yn doedd?"

"Ti'n iawn. Fe gafodd e 'i ddenu mas o'r bar er mwyn iddyn nhw wneud eu hanfadwaith. Wyddai e ddim bod 'na bowdwr yn ei gwrw, a'u bod nhw'n uchel ar gyffuriau. Bydd yn rhaid i ni groesi heibio i'r fflat a dros y bont dro…"

"Neith y cerddad les i mi…"

Wedi i ni groesi'r bont, arhosais a phwyntio at y doc arall i gyfeiriad afon Tawe. "Dyna fe, draw fan'na, yr *Afallon*."

"Rhaid i mi'i weld o!" meddai Elin, wedi ailfywiogi ac yn tynnu fy mraich.

"Ond cei di dy siomi. Dyw e ddim hyd yn oed yn fad hwylio."

"Ond dwi'n licio'r enw!"

"Dyna'r math o enw twp gei di ar gychod: *Shangri-La*, *Valhalla*…"

"Ond Afallon ydi'n nefoedd ni!" meddai Elin yn bendant gan gerdded ymlaen â bowns merchetaidd.

Roedden ni nawr ar ymyl y cei lle gorweddai'r cwch mewn rhes o gychod eraill dinod. Prin oedd modd gweld y Ddraig Goch oedd yn hongian o'r mast.

"Mae o'n gwch slic iawn, Rhys. A dwi'n licio'r Ddraig. Ga i dro ynddo fo rywbryd?" meddai gan gyffwrdd yn fy llaw.

"Os wnei di stopio'r Americans, cei di unrhyw beth ti moyn…"

"Wir? Ac os na?"

"Yn amlwg, bydd yn rhaid i ni feddwl am *plan B*…"

Roedd Elin yn hoffi'r awgrym, ond wrth fynd 'nôl mynnodd fynd at y llecyn lle boddodd John Harries. Safodd wrth gornel y cei gan edrych ar y domen o dorchau a negeseuon oedd yn bentwr anniben yng ngolau'r lleuad.

"Ia, trist…" meddai Elin.

"Ond cofia, wnaeth e ddim marw dros unrhyw achos. Wnaeth e jyst gymryd cam gwag ar ôl bod yn yfed yn Wind Street."

"Oni bai am y ddau Americanwr yna, mi fasa fo'n dal yn fyw."

"Ond be allwn ni neud? Dim."

"Rhys, ga i roi o fel hyn," meddai Elin gan droi i'm hwynebu. "Mae rhyw ran ohona i – ella'r cyn-was suful – yn deud dy fod ti'n iawn, ond mae'r Gymraes yndda i yn gofyn oes 'na rwbath allwn ni neud, fel bod 'na ryw bwrpas i'w farw o, wedi'r cyfan…"

"Wel, ga i wahodd y ddwy ohonyn nhw lan am goffi?" dywedais gan arwain Elin oddi wrth y safle, ac yn ôl dros y bont.

"Ond wneith un banad y tro rhyngddyn nhw!" jociodd Elin yn hapus.

"Un go gryf, felly…"

*   *   *

Wedi inni ddringo'r grisiau i'r fflat llawr cyntaf, croesewais Elin i'r lolfa, a'i gwahodd i eistedd ar y soffa ledr tra byddwn i'n llenwi'r *cafetière*. Cymerais ei chot a thynnu'r llenni ar yr olygfa o'r Marina dan olau leuad.

"Dwi'n licio dy bent-hows," meddai Elin gan edrych o gwmpas, "ond ro'n i'n eitha licio'r llenni ar agor."

"Ddim yn syniad da, am fwy nag un rheswm."

"Pam?"

"Camerâu CCTV ym mhobman. Maen nhw'n gwylio'r cychod, popeth. Ces i bregeth am hynny gan ryw Sais yn Peppers, sbel yn ôl."

"Ond tydan nhw byth yn gweithio, o'n i'n dallt?"

"Na, dy'n nhw ddim yn gweithio i ti a fi, ond maen nhw'n gweithio i rai pobol… nawr 'te, beth am fiwsig? Miwsig *chillout*, neu rywbeth Cymraeg?"

"Na, gyma i rwbath Sysnag, Frank Sinatra. 'Sgin ti 'My Kind of Town'?"

"Felly pa Elin – Elin y Gymraes, neu'r gwas suful – sydd am glywed y gân sy'n canmol Chicago i'r cymylau?"

"Ond canmol Abertawe mae o, go iawn!"

"Nawr ga i ffonio am dacsi 'nôl i ti. I Landeilo Ferwallt?"

"Naci, i Sant Iago, ac mi wna i hynny fy hun," meddai Elin gan nôl ei ffôn a threfnu tacsi yn y fan a'r lle.

Des i'n ôl â phaned a *strudel* Almaenaidd o Tesco i Elin, a Phenderyn ar iâ i fi. Wedi lawrlwytho Sinatra i'r system sain, eisteddais yn ôl ar y soffa ar ongl i Elin, tra oedd hi'n craffu ar y llun mawr dyfrlliw ar y wal.

"Llun diddorol," meddai hi. "Argraffiadol, mae'n debyg. Be ddiawch ydi o, d'wad?"

"Y Wannsee, llynnoedd i'r de o Berlin, neu yn hytrach, y profiad o hwylio arnyn nhw. Ffrind i fi baentiodd e, Rocco. Roedden ni'n dau'n gweithio i'r un cwmni *pharma* – ei fodryb e yw'r eithafwraig y soniais i amdani."

"Alla i mo'i weld o, 'sti."

"Drycha ar y ffigwr bach ffyn matsys lawr ar y dde: fe yw'r hwyliwr, sef dyn yn herio'r elfennau."

"O, wela i o rŵan. Ydi, mae o'n bwerus pan ti'n ei weld o."

"Rhywbeth fel ni yn herio'r Americans…"

"Ella wir… a'r ddwy ferch brydfarth yma? Dy ddwy ferch di, dwi'n cymryd?"

"Ie, Lisabeth a Lois. Mae Lisa wedi troi'n Lizzie ac yn byw yn Northampton, ond dwi'n cadw mewn cysylltiad â Lois. Mae hi yng Nghaerdydd mewn swydd PR. Rwy'n mynd yno weithie ac mae hi'n dod draw ambell bnawn Sul am dro ar yr *Afallon*."

"Mae hynny'n braf…"

"Ond golles i arddegau'r merched, fel soniais i – rhan o'r pris am fynnu aros yn Berlin…"

"Does neb yn cael popeth," meddai Elin gan osod y cwpan coffi i lawr. "Dwi'm yn deud nad ydi priodas yn bris mawr iawn i'w dalu, ond rhaid ei fod o'n fythgofiadwy i fyw yn Berlin am ugian mlynadd. Does dim ffordd o brisio hynny."

"Ond bod debyd yn ogystal â chredyd, y chwerw gyda'r melys."

"Tydi aros yn yr un briodas ddim yn fêl i gyd, chwaith…"

"Na, rwy'n gwybod."

"Ti'n nabod Hywal, yn dwyt?"

"Wrth gwrs. Bachan clyfar, bachan llwyddiannus."

"Ond mae angan mwy na hynny i wneud priodas, yn does?"

Cymerais lwnc araf o'r chwisgi, a dweud: "Tu mewn i briodas, tu fas i briodas, mae'n rwff a does neb yn cael popeth: ti ddwedodd. Felly pwy ti'n mynd i ddweud wrth Hywel ti wedi bod mas 'da heno?"

"Mi feddylia i am enw," meddai Elin, yn ymlacio. "Rhywun o'r Blaid, ella, rhywun *boring*, neu gwsmar anodd angan cribinio rhyw joban cyfieithu…"

"Peryglus, ti'n gwbod, y gêm yna. Hawdd iawn iddo fe siecio dy stori."

"Ydi, dwi'n gwbod. Dwi ddim yn dallt pam na alla i ddeud 'mod i wedi bod yn trafod gwaith trwy'r nos – gwaith di-dâl dwi'n gwbod – efo Rhys John."

"Ddim yn swnio'n hollol iawn, ydi e? 'A-a, shw'mae Hywel. Sorri 'mod i'n hwyr. Fues i'n gweithio'n hwyr iawn ar waith di-dâl gyda Rhys John.'"

"Ond dyna rydan ni wedi'i neud, er gwell, er gwaeth."

"Er gwell, rwy'n credu…"

Chafodd y sefyllfa ddim ei helpu gan eiriau'r gân newydd roedd Sinatra'n ei chanu: *After you've gone… there's no denying you'll feel blue… you should have stayed…*

Pan orffennodd y gân, meddai Elin: "Mae o'n wir, tydi o? Mae 'na wastad reswm da, yn does, dros beidio gneud be 'dan ni wir isio."

"Yn anffodus *maen* nhw'n rhesymau da, fel arfer. Be fase Hywel yn dweud petai e'n clywed y drws yn clepian am dri o'r gloch y bore?"

"Ti'n iawn, gan ein bod ni'n dal i gysgu efo'n gilydd – a dwi *yn* golygu cysgu…"

Do'n i ddim eisiau clywed hyn, ond aeth Elin ymlaen: "Yn fwy na hynny, alla i ddim siarad efo fo bellach, 'sti – ddim go iawn, ddim fel oeddan ni 'stalwm. Yn wir, prin dwi'n ei weld o, mae o mor brysur…"

"Swnio fel priodas hollol normal i fi, Elin."

"Sorri, Rhys," meddai, gan ymlacio. "Nei di wasgu'r botwm *erase* ar hynna?"

"Paid â phoeni, dyna rwy'n gwneud o hyd: trio peidio cofio am ryw ran o 'ngorffennol fy hun…"

"O leia ma gin ti orffennol gwerth ei ddileu, un lliwgar, cosmopolitan."

"Cofia am yr ochr olau: dyw hi byth yn rhy hwyr i ti wneud cawlach o bethau!"

Chwarddodd Elin. "Dyna ddeudis i, Rhys. 'Dan ni byth yn gneud be 'dan ni isio. Mae o wastad am ddigwydd ryw noson arall, byth heno."

"Wel neith e ddim digwydd heno, ta beth," dywedais â

rhyddhad wrth glywed sŵn y tacsi yn tynnu lan islaw.

Cododd Elin a chan gymryd ei bag llaw, edrychodd arna i â gwên sydyn a dweud: "Diolch, Rhys, am gysylltu, am y pryd, am y sgwrs… am ddeffro'r Gymraes yn'a i."

"Doedd hynny ddim yn job rhy anodd."

Edrychodd arna i â chymysgedd o gynhesrwydd ac amheuaeth a rhoddais gusan ysgafn ar ei boch – rhy ysgafn, mae'n siŵr, i blesio Elin, fel y gallwn weld yn ei llygaid ffug siomedig.

"Rŵan mi fydd yn rhaid i mi 'styriad pa aelod o Plaid dwi wedi bod efo fo trwy'r nos…"

"Wel, anghofia am Steff Daniels i ddechre…"

"A Rhys John, wrth reswm."

"Dau foi *dodgy*, annibynadwy."

"Well gin i'r rheini," meddai Elin gan gydio yn rheilen y stâr.

Rhoddodd un wên olaf, gynnes i fi cyn camu'n sigledig i mewn i'r tacsi – oedd hi'n saff i yrru wedyn, tybed? Yna caeais y drws allanol a dringo'n araf yn ôl lan y grisiau. Wedi cau drws y fflat arllwysais wydraid arall o Penderyn i fi fy hun – ar dalpiau o iâ – a diffodd Frank Sinatra.

23: Cwm Hir

D AETH Y FREUDDWYD, o'r diwedd, yn wir. Roedd y to i lawr, a Lucy nesaf ata i, y gwynt yn chwythu trwy'i gwallt, ei sgarff goch yn chwifio y tu ôl iddi fel baner chwyldroadol: roedden ni ar ein ffordd i Sir Benfro.

Cyn bo hir bydden ni yn Hendy-gwyn. Wedyn troi i'r dde, fel slawer dydd, lan ffordd y Preseli a Maenclochog. O'r blaen, rhyddid a gwyliau a maldod a thraethau a môr oedd yn gwahodd. Nawr roedd rhywbeth gwahanol, melysach hyd yn oed: noson o gariad yn Rose Cottage, Trefdraeth. Roedd fy nghynllun yn barod: galw gyda'r tenant yng Nghwm Hir, pryd a noson yn Nhrefdraeth, a thaith hir a diog yn ôl fory trwy Felindre Farchog, Eglwyswrw a dan gysgod y Frenni Fawr i Grymych ac Efail-wen ac yn ôl.

Fe gytunodd hi, rai dyddiau'n ôl, er syndod i fi. Efallai i fy safiad pwdlyd o flaen ei fflat wneud gwahaniaeth. Ro'n i nawr yn gobeithio y byddai 'na ddiwedd ar gyfnod arddegol, cath-a-llygoden ein carwriaeth, a dechrau ar berthynas fwy normal a chynnes. Edrychais draw ati. Doedd hi ddim yn dweud llawer. Ond doedd dim ots, os caen ni noson gyfan gyda'n gilydd, dim ond ni'n dau. Ro'n i'n gwybod y gallai pethau fynd o chwith, ond os oedd briwsionyn o gariad rhyngom, yna byddai'n iawn, yn fwy nag iawn…

Yn y man daeth y troad i'r dde i'r Preseli. Llamodd fy nghalon wrth i'r atgofion lifo'n ôl am 'Nhad wrth lyw y Morus Mul, gyda Mam a fy chwaer Megan hefyd yn y car. Byddai 'Nhad yn traethu'n wybodus am rai o'r pwyntiau daearyddol, ond doedden ni ddim yn canolbwyntio. Roedd ein bryd ar gael ein gollwng yn rhydd yng Ngelli Deg, cartre Wncwl Bob, am bythefnos hafaidd ar y fferm, yn y wlad ac ar y traethau bychain.

Fe alwais i gyda 'Nhad neithiwr i egluro na fasen i'n galw ddydd Sul. Pan welais i e, diflannodd fy nheimladau o euogrwydd am beidio dod ag e ar siwrne olaf, sentimental. Roedd e'n cysgu y rhan fwyaf o'r amser, a phan fyddai'n effro, doedd dim bywyd yn ei lygaid, oedd yn ddwfn yn ei benglog. Doedd dim pwynt ei gynhyrfu trwy sôn am y siwrne. Wrth eistedd fan'na wrth ei ochr, fe deimlais, am y tro cyntaf, hiraeth am ei dafod siarp a'i ddiawledigrwydd.

Wrth yrru 'mlaen, ro'n i'n gofyn i fi fy hun: pam gohiriais i'r daith 'ma cyhyd? Ydi rhywun yn osgoi llefydd mae'n eu hoffi, sy'n bwysig iddo? A wnes i wrthod mynd am fod y lle'n golygu cymaint i fi? Neu o'n i'n ofni, yn dawel fach, y gallai fy syniad o'r lle gael ei chwalu – ond torrodd Lucy ar draws fy meddyliau.

"Gwedwch wrtha i, ble mae Dyfed?"

"'Sda fi ddim cliw, Lucy."

"Ond chi soniodd am Ddyfed. Dyna pam ni'n dod yma!"

"Dyw e ddim yn lle ar fap, chi'n deall."

"Ond mae Arberth yn Nyfed ac fe basion ni'r arwydd sbel yn ôl. Onid fan'na mae Cwm Cuch lle roedd Pwyll a Rhiannon yn hela? Ry'ch chi, hyd yn oed, yn gwybod am y stori yna."

"Ond dim ond stori yw e. Wnaeth y Mabinogion erioed ddigwydd. Allen nhw byth fod wedi digwydd."

"*That's bloody obvious.* 'Da chi feddwl cemegydd, Rhys."

"Allwn ni ddim gwneud popeth mewn deuddydd, ta beth."

"Oes raid i chi weld y tenant nawr? Dwi erioed wedi deall hyn."

"Gymrith hynny ddim amser. Mae e ar y ffordd. Gallen i adael chi yn Nhrefdraeth. Gallech chi fynd am dro ar y traeth. Bues i yna mor aml slawer dydd. Mae'n wych yna, cewch chi weld."

"Ond beth am yr amser gollwn ni rhwng chi'n fy ngyrru yna, gyrru'n ôl at y dyn yma a gyrru'n ôl i Drefdraeth wedyn? Mae'n gwneud mwy o synnwyr i mi aros yn y car, os bydd y cyfarfod mor fyr â chi'n dweud."

"Gwnewch fel chi moyn, Lucy. Ond alla i ddim bod yn siŵr pa mor hir fydda i gyda'r boi 'ma…"

Gyrron ni ymlaen mewn tawelwch trwy'r anialdir a thrwy ardaloedd o darth a niwl. Cofiais am fy nhad yn gyrru'n orofalus a Mam yn rhannu brechdanau i godi hwyliau pawb. Byddai 'Nhad yn dal i draethu ond erbyn y pwynt yma byddai wedi dechrau colli ei acen Cwm Tawe a byddai rhai o seiniau Sir Benfro yn llithro i mewn i'w lais. Mor wahanol oedd hynny i nawr, a ninnau mewn canrif arall yn gyrru trwy'r tawch fel dau ddieithryn mud.

Yn sydyn, roedd y sefyllfa'n afreal, yn dwp hyd yn oed. Allwn i ddim ein dychmygu ni yn y gwely gyda'n gilydd, yn noeth, yn rhannu popeth, trwy'r nos.

O'n i wedi gwneud diawl o gamsyniad?

*   *   *

Teimlais yr hen gyffro pan welais yr arwydd i Gwm Hir. Arafais y car wrth i fi gael fy llethu gan y teimlad magnetig o ddod yn ôl. Daeth y teimlad yn gryfach wrth i'r car deithio i fyny ac i lawr yr hewl gan basio'r caeau a'r tiroedd coediog cyfarwydd. Yna cyrhaeddais y gyffordd â'r heol sy'n rhedeg trwy'r cwm. Yn reddfol cymerais y tro i lawr i Gelli Deg ond rhwystrais fy hun mewn pryd: roedd Burtonwood Cottage yn uwch i fyny, y pen arall i dir y teulu.

Parciais y car wrth y tro. Estynnais fy nghas o'r cefn ac agor copi o fap y gweithredoedd ar y bonet a'i gymharu â'r tirwedd odanaf. Roedd dros drigain acer yno, digon i Wncwl Bob wneud bywoliaeth gyda'i ddefaid a'i foch a dwsin o wartheg. Roedd y tir yn gwyro i lawr yn un pen i'r cwm a gallwn weld Gelli Deg i lawr yn y pellter, wrth ochr yr hewl oedd yn mynd allan o'r cwm i gyfeiriad y môr a'r gorllewin.

Tra o'n i'n archwilio'r map, roedd Lucy yn tacluso'i hun. Gan roi ei bag ar ei hysgwydd, meddai: "Dwi ddim am aros yn y car. Dwi'n mynd am dro."

"Iawn, pam lai?"

"Dwi ddim yn siŵr faint fydda i, dyna'r broblem."

"Fase awr yn ddigon i chi?"

"Fe rodda i ganiad i chi ar y ffôn."

"Ond does dim signal 'ma, oes 'na?"

"Chi'n iawn, hefyd… felly pa ffordd fasech chi'n argymell?"

Yn anfodlon, dywedais: "Mae'r ddau gyfeiriad yn braf. Lan yr hewl a chi'n dod i'r pentre a'r capeli a'r dafarn – fel yr enw, mae'r pentre'n un stribyn hir – ond mae'n bertach y ffordd arall, heibio i Gelli Deg, a throi lawr wedyn am yr afon lle mae 'na dro eitha pert yn y coed…"

"Ffor'na yr a' i, rwy'n credu," meddai Lucy'n fyr gan roi ei bag ar ei hysgwydd a throi am i lawr.

Nawr roedd rhaid i fi nawr wynebu'r cyfarfod â Ben Harrington. Do'n i ddim wedi cwrdd ag e o'r blaen a do'n i ddim yn siŵr o'i hanes. Roedd 'da fi ryw gof iddo fyw mewn carafán ar y tir am gyfnod. Pam, tybed, osodod Wncwl Bob y tir iddo fe yn hytrach na chymydog o ffarmwr? Oedd y dyn yn was fferm lleol? Bachan rhadlon oedd Wncwl Bob – bachan brafiach, ond llai manwl egwyddorol, efallai, na 'Nhad. Ond sut gallwn i ddyfalu ei resymau dros osod y tir 'nôl yn y saithdegau?

Wrth yrru i lawr y lôn gul, cynyddodd fy ansicrwydd. A oedd unrhyw un o'r teulu wedi galw yma oddi ar farw Wncwl Bob? Wrth gwrs, os oedd y rhent yn dod i mewn yn gyson, pam trafferthu? Roedd y rhent wedi aros yn ei unfan heblaw am godiad neu ddau ar gyfer chwyddiant, ar awgrym Bryn, rwy'n siŵr. Beth fyddai oedran y tenant erbyn hyn? Roedd rhywbeth ddim yn iawn. Oedden ni ar fin talu am ddegawdau o esgeulustod?

Arafais wrth basio un set o gatiau gan ofyn a oedd raid i'r boi yma fod wedi codi ei dŷ mor bell o'r briffordd. Edrychais ar y tir bob ochr i fi. Hyd y gwelwn i, roedd defaid yn pori ar tua hanner y caeau, a'r gweddill yn wag oni bai am bedair sied fawr oedd yn cuddio yn y pellter, y tu ôl i'r tŷ. Ar gyfer beth roedd y rheini, tybed? A gawson nhw ganiatâd cynllunio?

Gyrrais ymlaen a pharcio'r car ar y llain goncrit o flaen Burtonwood Cottage, nesaf at hen Land Rover a dwy fan wen Daewoo. Edrychai fel tŷ parod unllawr o'r math a gâi eu codi tua chanol y ganrif ddiwethaf, cyn i reolau cynllunio lymhau ac i'r economi wella. Roedd 'na soser deledu fawr ar y talcen. Heb frwdfrydedd, curais y drws blaen. Yn y man daeth dyn mawr tua deg ar hugain oed i'r drws mewn siaced mul a'm gwahodd i mewn yn ddiseremoni. "Dad," gwaeddodd. "Mae'r dyn wedi dod i'ch gweld chi."

Dilynais ef i'r stafell flaen ac yn y man daeth Ben Harrington i mewn o'r cefn, cadwyn o allweddi yn swingio o'i wregys. Tynnodd ei fenig rwber a'u rhoi ar y bwrdd. Fel ei fab, roedd yn ddyn mawr, blin nad oedd yn credu mewn gwenu nac eillio. Fe'm llygadodd yn feirniadol a dweud â chwrteisi ffals: "Eisteddwch, Mr John. Mae hyn yn fraint i ni. Dwi ddim yn credu i mi weld un aelod o'ch teulu chi oddi ar farw eich ewythr."

"Rwy wedi bod yn gweithio ar y cyfandir ac mae 'Nhad mewn cartre henoed. Ry'ch chi'n iawn: roedd yn hen bryd i ni ddala lan â be sy'n digwydd yma."

"Dala lan – be chi'n feddwl wrth hynny?"

"Wel, cwrdd â chi, gweld y lle, ac mae 'da fi awgrym i'w drafod hefyd."

Roedd y mab nawr wedi eistedd yn un o'r cadeiriau breichiau trwm a wynebai'r set deledu sinemaol yng nghanol y stafell.

"Wel, tir ydi tir," meddai Ben Harrington. "Dyw e ddim wedi symud o 'ma. Mae'n dal yma, ac fel ry'ch chi'n gwybod, ry'n ni wedi talu'r rhent yn brydlon dros yr holl flynyddoedd."

"Rwy'n gwerthfawrogi hynny, wrth gwrs."

Yna craffodd arna i: "Ond ddwedoch chi bod 'da chi rywbeth i'w drafod?"

Tra o'n i'n meddwl am eiriau clyfar i'w sbinio, ro'n i eisoes yn gwybod bod y gêm ar ben. Doedd gan y boi yma ddim diddordeb yn y sgwrs. Sut bynnag roedd e'n ennill ei fywoliaeth, roedd e'n gysurus lle roedd e. Roedd e'n eistedd ar rent rhad iawn a byddai'n wallgo i brynu oni bai bod 'da fe arian i'w losgi a chynlluniau datblygu yn gorwedd ar ddesg rhyw ffrind o bensaer oedd yn ffrind i ryw gynghorydd sir.

Dywedais 'run fath: "Ga i ddod yn syth at y pwynt? Ro'n i am wybod a oes 'da chi ddiddordeb mewn prynu'r tir. Fel tenant buasech chi mewn sefyllfa i gael bargen dda iawn."

"Os ydw i'n ddyn busnes o gwbl," meddai Harrington, yn ystwyrian yn ei sedd, "rydw i'n un bach, gonest sy'n gweithio ar raddfa leol. 'Sgen i mo'r arian na'r awydd i fynd mewn i hapchware cyfalafol a dwi mor hen ffasiwn â chredu mewn peidio mynd i ddyled, chwaith."

"Ry'ch chi'n gall iawn, o ystyried pa mor rhad yw'r rhent…"

"Dyw'r rhent ddim yn rhad, ffrind. Mae'r rhent yn deg ar gyfer rhan mor anghysbell o Brydain Fawr, o ystyried yr hinsawdd economaidd."

"Felly ffermio'r tir y'ch chi?"

"Allwch chi weld hynny â'ch llygaid eich hun. Does 'na'r un garafán yn agos."

"Ond yr adeiladau mawr yna, y tu ôl i'r tŷ?"

"Dwi'n eu defnyddio nhw ar gyfer storio, beth arall?"

Yn y cyfamser roedd y mab yn dal i edrych arna i â'i wyneb mawr, gwag. Do'n i'n mynd i unman a fyddwn i ddim, heb wneud fy ymchwil. Doedd y pâr yma ddim yn edrych fel ffermwyr defaid i fi. Oedden nhw'n isosod y tir, ar rent tipyn uwch? A'r mater o ganiatâd cynllunio ar gyfer yr adeiladau yna. Onid mater i'r tirfeddiannwr fyddai hynny? Eto, heb holi yn adran gynllunio'r Cyngor, ro'n i ar goll.

Tra o'n i'n hel y meddyliau yma, meddai Ben Harrington: "Buoch chi'n ffodus i etifeddu'r tir yma, Mr John – neu fe fyddwch chi, ryw ddydd. Ry'n ni'n byw yma ers sawl degawd yn crafu bywoliaeth onest, yn codi teulu, yn cymryd rhan yn y bywyd lleol. Falle mai chi bia'r tir, ond ni yw'r *locals* nawr."

Gadawodd y frawddeg yna flas sur a sai'n cofio sut aeth gweddill y sgwrs ond fe adewais yn fuan wedyn. Wrth i ddrws y byngalo gau arnaf, gallwn ddychmygu'r ddau ddyn yn dychwelyd i'r stafell gan guro cefnau'i gilydd: cethon ni wared â'r bastard bach yna'n ddigon rhwydd. Caeais y gât o'm hôl a sylwais ar y polion bob ochr iddi. Ar ben y blociau *breeze* roedd 'na ddau lew bychan o garreg lwyd yn dal bob i darian dan eu pawennau. Roedd y Sais wedi sefydlu ei gastell mor bell i'r gorllewin â hyn.

Agorais y car a rhoi'r cês ar y sedd wag. Dyna beth oedd gwastraff siwrne. A ddylsen i fod wedi trafod codi'r rhent? Gallwn wneud rywbryd eto, wrth gwrs. Ond ble roedd Lucy? Cymerodd y cyfarfod dipyn llai na'r awr a neilltuais. Taniais y car a gyrru'n ôl i'r ffordd fawr, lle gadewais i Lucy tua hanner awr yn ôl.

Ag amser i ladd, penderfynais na fasen i ddim gwaeth â chymryd tro i lawr i Gelli Deg. Y ffordd yma aeth Lucy ta beth. Wrth gerdded yn araf i lawr yr hewl, sylwais eto ar y siediau mawr llwyd â'r toeon *corrugated* oedd y tu draw i Burtonwood Cottage. Ar gyfer beth oedden nhw? Cywion batri, tybed? A ddylen i fusnesu, a thresmasu? Ond wedyn, sut gallen i dresmasu ar fy nhir fy hun?

Cyrhaeddais Gelli Deg. Safais o'i flaen. Ond ai dyma'r tŷ? Roedd hwn wedi'i baentio mewn rhyw liw oren, y ffenestri'n blastig gwyn. Yn un ohonyn nhw roedd arwydd: *Polite Notice – Two Doberman Pinschers Live Here.* Ond roedd y ddaearyddiaeth gyfarwydd i gyd o'm cwmpas. Er hynny, doedd dim fferm, dim cytiau ieir, dim twlc moch, dim sied wair lle buon ni'n chwarae ac yn ymladd am oriau, a dim beudy. Oedd, roedd 'na ardd eithaf pert y tu ôl gyda rhai tai gwydr, ond wedyn dim ond aceri o gaeau â defaid, yn gwyro i lawr tua'r afon yng ngwaelod y cwm.

Chwiliais am yr enw ar ochr dde'r drws. Roedd wedi'i baentio drosodd â'r paent oren anllythrennog yna. Gallech weld yr amlinell, os oeddech chi'n gwybod ei fod e yna. Yna camais yn ôl a gweld yr enw newydd wedi'i weithio mewn llythrennau cyrliog i mewn i waith haearn y gât. O dan siâp gwiwer yn dal cneuen yn ei phawennau roedd y geiriau *Squirrel's Leap*.

* * *

Cymerais Dannemann o'i becyn a'i danio, gan bwyso'n erbyn drws y car a rhegi Lucy.

Awr ddywedodd hi, a doedd dim sôn amdani. Beth oedd ei gêm hi? Pam nad arhosodd yn y car, fel y dywedodd hi? Oedd hi'n trio gwneud pwynt? Roedd rhywbeth am y ferch oedd am dynnu'n groes o hyd. Neu am wneud pethau yn ei hamser ei hun, ar ei thelerau ei hun. Ac yn ei 'gofod' ei hun, mae'n siŵr – ie, *space*, dyna'r gair ro'n i'n chwilio amdano. Oedd hi'n chwilio am *space* i lawr yng ngwaelod Cwm Hir? Y gwir yw, roedd 'na rywbeth hipïaidd, *new agey* amdani.

Gan chwythu'r mwg, edrychais i lawr ar y tiroedd clo, yr ystad braf ro'n i'n berchen arni ond na allwn wneud dim â hi. Roedd yn amlwg fod Ben Harrington wedi gwneud yn dda iawn ar gefn y teulu John. Mae'n rhaid nad oedd e'n credu'i lwc, o gael landlord mor anfusneslyd. Mae'n siŵr bod y tad a'r mab nawr yn tynnu bob i gan o Carlsberg Export o ffridj ddiwydiannol ac yn eistedd o flaen y sgrin deledu anferth yn dewis gêm ar Sky. Yna sylwais ar ffigwr Lucy, yn ei sgarff goch a'i *poncho* glas, yn cerdded yn fywiog lan y ffordd yn y pellter.

"Drwg 'da fi 'mod i'n hwyr," meddai, ychydig allan o wynt. "Ond roeddech chi'n hollol iawn. Fe ffeindiais i lwybr unig ar lan yr afon, dan y coed, ac fe gollais i drac ar amser. Felly sut aeth y cyfarfod?"

"Uffernol," dywedais. "Dim gobaith."

"Dim gobaith am beth?"

"Gwerthu. Hyd y gwela i, mae'r boi wedi gwneud ffortiwn ar ein cefnau ni. Ond sut yn hollol, sai'n gwybod. Drychwch ar y siediau mawr yna tu ôl i'r tŷ. Be sy yn rheina? Ac rwy'n siŵr ei fod e'n isosod y caeau eraill i gyd, lle mae'r defaid, ond alla i ddim profi hynny heb ymchwilio'n lleol. Ein bai ni yw e i gyd, am fod mor esgeulus. Neu gallech chi ddweud mai fy mai i oedd e, am fod bant yn Berlin."

"Ond byddwch chi'n dal i dderbyn y rhent?"

"Byddwn, cnau mwnci."

"Ond gallwch chi ei godi e, os yw'n rhy isel?"

"Gallen, a mynd i dribiwnlys: achos, tystiolaeth, hurio cyfreithwyr, ond *get a life*, fel maen nhw'n dweud. 'Da fi ddigon o boendod busnes fel mae."

"Ond dwi ddim yn gweld y broblem yn hollol. Mae'n normal i godi rhenti i lefelau masnachol."

"Ond ydw i am orffen fy nyddiau yn mocha mewn stwff fel hyn? Roedd 'da fi freuddwyd, pan ddes i'n ôl o Berlin, o fwynhau fy hun yn fy henaint. Ond mae'r freuddwyd yna mor debyg o ddigwydd â heddwch byd."

Yn awr cydiodd Lucy yn fy mraich, a dweud yn gynnes: "Dewch, Rhys, awn ni ymlaen am Drefdraeth. Dwi'n meddwl bo chi angen ymlacio."

"A finnau hefyd," dywedais gan roi cusan iddi.

Aethon ni 'nôl i'r car a throais e yn awr i gyfeiriad yr arfordir. Wrth i ni ddringo o'r cwm i diroedd uwch a mwy gwastad, gyda'r olygfa yn ehangu a harddu yr un pryd, dechreuodd Lucy ofyn cwestiynau am y wlad o'i chwmpas. Yn y man roedden ni'n sgwrsio'n fywiog, a minnau'n dweud ambell beth eithafol i'w phryfocio. Do'n i ddim yn siŵr beth achosodd y newid ynom ond sylweddolais y gallai'r daith yma, wedi'r cyfan, fod yn hwyl.

"Nawr dwi'n dechrau gweld," meddai Lucy, "be sy mor arbennig am y rhan hon o Gymru."

"Mae'r un fath â phob rhan arall," atebais, " – yn llawn blydi Saeson. A gewn ni weld mwy ohonyn nhw yn Nhrefdraeth, rwy'n amau."

"Falle eu bod nhw'n gwerthfawrogi'r lle yn fwy na'r Cymry."

"Wel, doedd y bastard yna yn Burtonwood Cottage ddim."

"Sut y'ch chi'n gwybod? A beth bynnag, onid eich teulu chi osododd y tir?"

"Ie. Ond mae cymaint sai'n deall. Er enghraifft, sut gafodd e ganiatâd i godi'r tŷ yna yn y lle cynta?"

"Mae pobol yn codi tai trwy'r amser, a ta beth, does dim pwynt tin-droi yn y gorffennol. Nawr 'te, oes 'na gromlechi y ffordd hyn?"

Heb dynnu sylw at ei hanghysondeb, dywedais: "Wel, fe fyddwn ni'n pasio'r un enwoca – Pentre Ifan – ar y ffordd 'nôl fory. Mewn gwirionedd, mae e'r ochr draw i'r mynydd yna, Carn Ingli – bryn yr angylion."

Edrychodd Lucy trwy'r ffenest heibio i fi, ei llygaid yn loyw. "Ai wir dyna'r enw?"

"Wrth gwrs. Roedd Sant Brynach yn arfer siarad ag angylion ar 'i ben e. Rwy'n cofio Wncwl Bob yn sôn am hynny."

"Ond rhaid i chi stopio, Rhys! Fe hoffwn i 'i weld e!"

"Welwn ni e'n gliriach o'r ffordd arall, fory."

"Ond dwi am ei weld e nawr, a'r haul yn mynd lawr!"

Llwyddais i barcio'r car ger gât lydan wrth ochr y ffordd. Aeth y ddau ohonom allan a thrwy'r gât. Yna, odanom, roedd y tirwedd, yn glytwaith o gaeau gwyrdd a melyn, yn gwyro i lawr tua'r môr glas. I fyny y tu ôl i ni ar y dde gallem weld crib garegog Carn Ingli fel gorsedd rhyw hen frenin, yn llecyn perffaith i edmygu ehangder ei deyrnas. Ac wrth gwrs, roedd Trefdraeth ei hun i lawr yno yn y pellter, yn nod i'n taith heddiw, fel i sawl taith yn hafau'r chwedegau.

Gafaelodd Lucy yn fy llaw a dweud, "O'r diwedd rwy'n deall eich obsesiwn chi."

"Pa obsesiwn yn hollol?" gofynnais, gan ei thynnu ataf.

"Yr un am Sir Benfro."

"'Da fi un arall, hefyd, erbyn hyn…"

"Mae obsesiynau rhywiol yn mynd a dod – ni'n dau'n gwybod hynny – ond mae llefydd fel hyn yn para am byth."

Rhoddais fy mraich am Lucy a cherdded gyda hi'n araf i lawr at gamfa yn y clawdd rhwng y cae yma a'r un nesaf.

"Ydi llefydd yn para am byth?" gofynnais. "Ai'r un lle yw hwn nawr â phan o'n i'n blentyn?"

"Mae pobol yn newid, ond nid llefydd fel hyn. Fel hyn roedd hi pan sgrifennon nhw'r Mabinogion, fel hyn fydd hi mewn mil o flynyddoedd eto."

"Chi'n siŵr? Falle bydd y môr wedi cyrraedd y clawdd 'ma."

"Fe fydd yn dal yn brydferth, falle'n brydferthach."

"Pobol sy'n gwneud lle'n brydferth – ac yn hyll."

"Chi wedi cael pnawn anodd, Rhys, dwi'n gweld."

"Wel, mae'n gwella'n gyflym," dywedais gan ddal Lucy lle roedd hi, ei chefn yn erbyn y gamfa, fy nwy law ar ei hystlysau. Y tu ôl iddi roedd yr haul a'r môr a llinell igam-ogam yr arfordir. Oedais dros yr eiliad. Yna rhoddais gusan iddi ar ei gwefus a rhoddodd hithau ei breichiau'n araf am fy ngwddw, ei phen ar dro, fel petai'n fy astudio fel sampl ddoniol o'r hil wrywaidd.

"Rwy wedi ffeindio angel ar garn yr angylion," dywedais gan ddechrau datod botymau ei chrys tenau.

"Dwi ddim yn angel," meddai Lucy gan redeg ei bysedd trwy fy ngwallt a dal fy mhen yn ôl.

"Nid angel ydw i angen," dywedais gan fwytho'r bra du, sidanaidd oedd yn gwthio tuag ataf. Yn y man llwyddais i'w ddatglipio a chusanu ei bronnau meddal, noeth gan chwarae fy nhafod ar eu blaenau. Rhoddodd Lucy ochneidiau bychain o bleser ac ro'n i'n cynhyrfu hefyd ond pan lithrodd fy llaw i lawr at y gwregys lledr llydan oedd am ei *jeans*, gwthiodd hi fi'n ôl, a dweud: "Dyna ddigon, Rhys. Gynnon ni trwy'r nos."

"Gynnon ni nawr hefyd…"

"A dwi ddim yn *exhibitionist.*"

"Roedd 'da chi dipyn mwy o gynulleidfa ar y traeth," atebais, yn camu'n ôl.

"Roedd hynny'n wahanol," meddai Lucy, gan glymu ei bra yn ôl. "Chi mas o reolaeth, Rhys. Ydych chi fel arfer fel hyn neu oes rhywbeth wedi'ch cynhyrfu chi pnawn 'ma?"

"Chi, Lucy, beth arall?"

"Burtonwood Cottage, efallai?" meddai hi, gan afael yn fy llaw a fy nhynnu'n ôl lan y llethr.

24: Trefdraeth

"AND WHICH WINE would you like from our cellar selection?" gofynnodd y weinyddes ifanc, goesog.

"Gofynnwch i Lucy," dywedais. "Hi yw'r arbenigwr."

"Peidiwch â'i gredu e," dywedodd Lucy. "Mae e'n rhedeg ei fwyty ei hun."

Edrychodd y ferch bert arnaf ag edmygedd diangen a rhoi'r fwydlen i Lucy.

"Oes gynnoch chi win Cymreig?" gofynnodd.

"Welsh wine!" meddai'r ferch. "Is there such a thing?"

"Eich busnes chi yw gwybod," meddai Lucy, "a chithau'n rhedeg bwyty yng Nghymru."

Gwnaeth y ferch wyneb eithafol o syn tra archebodd Lucy botel o Rioja gwyn. Yna dewison ni un o'r *plats du jour* oedd wedi'u sialcio ar y bwrdd du. Roedd y lle'n ddigon dymunol. Roedd yr hen waliau carreg wedi'u paentio'n wyn ond â gwawl piws oherwydd y tiwbiau golau ac roedden nhw wedi cadw'r fflagiau llechen ar lawr a'r hen ffenestri. Edrychais trwy'r cwareli at y sgwâr a goleuadau tafarn y Castell yr ochr draw.

Roedd 'na griw ifanc, llawen wedi tyrru o flaen drws y dafarn, yn gweiddi a chwerthin yn uchel. Triais glustfeinio. Pa iaith o'n nhw'n siarad? Yna, ces i brofiad rhyfedd. Pan o'n i'n dymuno iddyn nhw siarad Cymraeg, dyna o'n nhw'n gwneud. Ond pan o'n i ddim, Saesneg o'n nhw'n siarad. Mater o ewyllys pur oedd e...

"Dwi'n licio'r lle 'ma," meddai Lucy.

"Fe ddylai fod yn iawn. Sieciais i e ar y we. Ond gallen ni fod yn unrhyw le, wrth gwrs."

"Chi'n anghywir, Rhys. Mae'r lle yma'n llawn cymeriad. Maen nhw wedi dangos parch mawr at yr hen adeilad."

"Trueni na 'se nhw'n dangos yr un parch at yr hen iaith."

Arllwysodd y ferch dal, bert y gwin i ni a rhoi'r botel yn y bwced oeri. Yna camodd yn ôl i'r gegin, un hirgoes yn dilyn y llall dan ei sgert fer, ei sodlau'n clecian ar y llechi.

"Ta beth, iechyd da!" dywedais, fy hwyliau'n codi.

"Iechyd da!" meddai Lucy'n ôl. "A dwi'n gobeithio nad oedd y trafodaethau pnawn 'ma yn ormod o siom i chi."

"*Long shot* oedd e."

"Anodd 'da fi gredu bo chi angen yr arian."

"Dyw fy sefyllfa ariannol ddim mor wych â hynny, a dyw'r bwyty ddim wedi gwneud elw eto."

"Ond chi'n brysur?"

"Ydyn, ond mae 'na broblemau, rhai staff yn arbennig. Rwy wedi colli fy ngweinyddes orau. Mae Lois, fy merch, yn helpu mas wythnos nesa 'ma ac Abigail, merch newydd, yn dechre wedyn."

"Ond dyna gewch chi mewn busnes, am wn i?"

"Ie, gwaetha'r modd. Ond nid y tenant ddiawl 'na oedd y siom heddi ond gweld Gelli Deg, hen gartre'r teulu, wedi troi'n Squirrel's blydi Leap."

"Ond os chi'n rhoi tŷ ar y farchnad, allwch chi ddim help be sy'n digwydd wedyn."

"Ond mae'n fwy na hynny," dywedais. "Iawn, does dim Gelli Deg – ond oes 'na Gwm Hir, oes 'na Drefdraeth?"

"Dwi wedi clywed tipyn o Gymraeg yma."

"Ydych, o'i gymharu ag Abertawe!"

"Mae'r pâr yna yn y gornel yn siarad Cymraeg."

Edrychais draw a gweld pâr canol oed hŷn yn bwyta – rhyw foi barfog, academaidd yr olwg, a'i wraig oedd yn fwy cartrefol a hwyliog. "Diawch," dywedais, "ry'n ni wedi dod i bwynt rhyfedd iawn os ni'n gorfod sylwi ar bâr yn siarad Cymraeg yn

Nhrefdraeth. Roedd bron pawb yn siarad Cymraeg yma pan o'n i'n dod 'ma slawer dydd."

"Ddylech chi fod wedi dod â'r crys Cymru yna gyda chi heno."

"Na, ddylen i fod wedi'i roi e i chi, Lucy. Basech chi'n edrych yn wych ynddo fe, cystal bob tamed â Katherine Jenkins."

"A gallai Americanes 'i wisgo fe?"

"Wrth gwrs, Americanes pro-Gymreig!"

"Felly chi wedi anghofio am yr Americans, o'r diwedd?"

"Do, heblaw un."

Daeth y weinyddes bert yn ôl gyda'r cwrs cyntaf, gan wenu'n serchog. Gofynnodd "I take it the Spanish wine is acceptable?" cyn symud at y byrddau eraill a phlygu i holi oedd y cwsmeriaid yn hapus â'r bwyd, ei choesau hirion yn hysbyseb wych i'r lle.

Roedd Lucy hithau'n edrych yn dda yn ei gwisg ddu gefnnoeth. Gwelais hi hebddi yn gynharach heno, yn noeth heblaw am dywel llac pan ddaeth hi mas o'r gawod. Gafaelais ynddi a'm tynnu ataf ar y gwely ond fe'm rhybuddiodd ein bod ni'n hwyr ar gyfer y bwyty a bod angen i fi gael cawod. Taflais y tywel i ffwrdd a'i thynnu i lawr arnaf ond dihangodd a gwisgo'r ochr arall i'r gwely gan gwpanu ei bronnau yn ei bra du, isel, arbennig.

"Chi'n siŵr?" meddai Lucy.

"Siŵr am beth?"

"Bod chi wedi cefnu ar y busnes yna i gyd?"

"Dyna ddywedaist ti wrtha i am wneud pan gwrddon ni yn Noah's, a dyna rwy wedi'i wneud – a sai'n mynd i godi'r pwnc heno, gelli di fod yn siŵr o hynny."

Cymerodd Lucy gegaid o'i *filo pastry*, a dweud wedyn, yn dawel: "Yn anffodus, dyw hynna ddim yn hollol wir."

"Be sy ddim yn hollol wir?"

"Be ddywedoch chi am adael y cyfan i fod."

"Sda fi ddim syniad am be ti'n sôn, Lucy."

Dywedodd: "Alwoch chi yn swyddfa'r heddlu, on'd do?"

Gollyngais fy nghyllell mewn sioc. "Sut yn y byd wyt ti'n gwybod am hynny?"

"Glywais i…"

"Ond sut?"

"*Okay*… pobol yn y coleg."

"Rwy'n gweld. Y bobol soniaist ti o'r blaen fase'n dy helpu i ffeindio'r gwir drosta i? Mae'n dishgwl eu bod nhw wedi newid ochr."

Gan gymryd llwnc cyflym o'r gwin, meddai Lucy: "Dwi wedi 'nal mewn sefyllfa anodd, Rhys. Chi'n cael eich gwylio ers tro. Dwi wedi bod yn pendroni tipyn cyn dweud hyn wrthoch chi, a dwi ddim ond yn ei ddweud e er eich lles chi."

"Ond sut ffeindion nhw mas? Alla i ddim credu y buasai'r Arolygydd yna'n dweud dim byd. Neu ai gorglywed sgwrs mewn bwyty wnaethon nhw – y Meridian, falle?"

"Dwi ddim yn gwybod, Rhys. Dwi ddim yn rhan o hyn, chi'n deall. Nid fi sy'n gwneud y gwaith."

"Ond pa waith yw'r cwestiwn. Roedd y cyfarfod yna'n eitha diniwed, fel mae'n digwydd. Y cyfan wnes i oedd holi rhyw foi ynglŷn â sut mae CCTV yn gweithio yn Abertawe – neu ydi hynny'n drosedd?"

"Dwi'n gwybod dim am y cyfarfod, Rhys, a dwi ddim yn dweud i chi wneud dim o'i le. Rwy jyst yn awgrymu y buasech chi'n ddoeth i adael y busnes yma i fod."

"'Awgrymu', ife? Base 'bygwth' yn air gwell."

"Dweud beth yw'r sefyllfa ydw i."

Cymerais lwnc hir o'r Rioja oer. Gallwn weld nad oedd golwg rhy hapus ar Lucy.

Rhoddais fy ngwydryn i lawr. "Lucy, dyw'r gêm yma ddim yn dy siwtio di. Ti ddim yn dda am ddweud celwydd, chware teg i ti… Pwy y'n nhw, Lucy: i bwy ti'n gweithio?"

"Dwi'n gweithio i neb. Dwi'n fyfyriwr amser llawn."

"Ond yn derbyn arian oddi wrth bwy? Y CIA, yr FBI, pa gorff, pa gangen?"

Edrychodd Lucy i ffwrdd.

"Rwy'n gweld nawr pam gymrest ti oes i benderfynu dod i Sir Benfro. Doedd gan gariad ddim llawer i'w wneud â'r peth, oedd e?"

"Rhys, rhaid i chi 'nghredu i. Fasen i byth wedi dod oni bai bod gen i deimladau tuag atoch chi."

Gan eistedd yn ôl, dywedais: "Iesu, rwy wedi bod yn ddall, on'd do? Ac yn ffŵl hefyd."

"Nid fel'na mae hi. Ry'n ni'n dau wedi'n dal yn y canol, gyda'n gilydd."

Ro'n i'n edrych ymlaen at gael fy nal gan hon heno, ond roedd y cen yn dechrau syrthio oddi ar fy llygaid. Nawr dechreuodd digwyddiadau'r wythnosau diwethaf wneud synnwyr, o'r cyfarfyddiad cyntaf yna ger y traeth yn Langland i'r holi ac ateb dros y pryd yn Morgans gyda'i ddiwedd sydyn er budd Rory – a beth oedd ei rôl ef yn hyn i gyd? Wedyn y fordaith ar yr *Afallon*, y ffordd roedd Lucy'n dal i amddiffyn yr Americaniaid hyd yn oed wedi ymyriad yr hofrennydd. A'r caru poeth ar ddiwedd y daith: actio da, tybed?

Dros y *crème brûlée*, gofynnais: "Pam ti'n neud e, Lucy?"

"Rwy'n risgio fy hun er eich mwyn chi, Rhys."

"Licen i gredu hynny, ond sut alla i?"

Ond roedd yn rhaid i fi gredu hynny. Roedden ni ar fin mynd i'r gwely gyda'n gilydd, ac roedd y pleserau oedd i ddod yn dechrau cymylu fy meddwl ac yn gwneud i'r wleidyddiaeth deimlo'n fwyfwy dibwys. O'n i'n ei chredu? Oedd hynny'n bwysig? Edrychais draw ati, yr ochr arall i'r bwrdd, y ferch fywiog hon o'r ochr draw i'r Atlantig oedd am ddysgu Cymraeg. Efallai y dylwn ei chredu, ei bod yn rhoi cyngor imi er fy lles fy hun. Ond wrth edrych arni â'i gwallt blond a'r wisg ddu, lac oedd yn pwysleisio yn hytrach na chuddio'i chorff siapus – ai hi oedd y ferch brydferthaf yn y bwyty heno? – meddyliais: a fasen i byth mor lwcus, oni bai bod 'na drap yn rhywle?

*   *   *

Wrth i ni groesi o'r bwyty i fyny'r sgwâr tuag at Rose Cottage, cydiodd Lucy'n dynn amdanaf, a minnau ynddi hi. Cawson ni wirod ar ben y gwin, a sgwrs ysgafnach wedyn, oedd i gyd yn help i guddio'r craciau yn ein perthynas. Pasion ni'r Audi oedd wedi'i barcio ar ben ucha'r stryd a mynd trwy'r gât ac, wedi ymbalfalu gyda'r allweddi, fe'i dilynais hi i'n stafell gan edmygu ei ffigwr yn gwthio'i siâp yn erbyn y wisg ddu. Cloais y drws o'n hôl a rhoi'r golau isel ymlaen, gan adael y ffenest ar agor, â'i golygfa i lawr at y môr.

Wedi gofalu diffodd y ffôn – do'n i ddim am i unrhyw neges regllyd o'r bwyty fy styrbio heno, o bob noson – cydiais yn Lucy a'i gosod yn dyner ar ei chefn ar glustog y gwely dwbwl. Ciciodd hi ei sodlau uchel i ffwrdd yn hapus. Chwifiodd ei phersawr ysgafn tuag ataf. Rhoddais fy llaw ar ddefnydd du ei gwisg gan ei wthio'n ysgafn yn erbyn y croen noeth odano.

"Lico Trefdraeth?"

"Rwy'n licio Cymru mwy a mwy. A Cwm Hir hefyd, a'r tro ar lan yr afon, yn y goedwig. Roedd e mor heddychlon."

"Ydi, mae'r ardal hon yn dal yn bert."

"Diolch am y gwahoddiad, Rhys. Rwy'n falch 'mod i wedi dod."

Dywedais, gan gyffwrdd â'i bron: "A fi. Ti'n hyfryd heno, Lucy."

"Chi'n *okay*, Rhys, chi'n gwmni da wastad."

Dywedais yn gellweirus: "Ond ti'n hwren, hefyd."

"Ond dwi'n codi dim arnoch chi!"

"Na, dim, Lucy – dim ond ofn."

"Ofn beth?"

"Ofn *nhw*…"

"Anghofiwch amdanyn nhw, wir."

"Rwy'n trio'n galed… ond ai 'trap mêl' maen nhw'n galw hyn?"

"Os dwi'n eich trapio chi, Rhys, dwi'n hapus."

Tynnais fy hun drosti, a'i chusanu. Rhoddodd ei breichiau amdanaf a'm cusanu'n ôl, ac yna agor botymau 'nghrys. Rhedais fy llaw lan ei choes, o dan ei gwisg. Ond do'n i ddim am i bethau ddigwydd yn rhy gyflym, ac fe droais hi odana i ar y gwely, wyneb i lawr.

"Be chi'n neud nawr, Rhys?"

"Dwi'n dy stripio di, Lucy. Rwy wedi ffantaseiddio trwy'r nos am agor y *zip* 'na sydd ar waelod dy gefn. Dwi eisiau ffindo mas pwy yw'r ferch sydd yn y wisg ddu: ai Americanes neu Gymraes…"

"Americanes sy'n gobeithio am *naturalization*."

"Mae angen prawf, archwiliad manwl, ar gyfer y broses yna…"

"Rhys," meddai Lucy, wedi dychryn ychydig. "Y'ch chi'n chi eich hunan yn hollol heddiw?"

Ond cariais 'mlaen â fy act ffug dreisgar. "Falle nag ydw i. Ond pwy sydd ei hun o hyd? Mae pobl yn newid – o Gymro i Sais, o Americanes i Gymraes – yn ôl y galw…"

A hithau'n dechrau gwylltio, meddai Lucy: "Peidiwch byth dweud hynny amdana i! Rwy'n caru Cymru a dwi am fyw yma."

Ond do'n i ddim yn gall. Tynnais y *zip* i lawr a gwthio'i gwisg yn ôl dros ei hysgwyddau nes dinoethi ei chefn a'i bra. Sylwais mor aeddfed fenywaidd oedd ei chorff a'i siâp. Yna tynnais ei gwisg i lawr ac i ffwrdd, a'i thaflu dros ymyl y gwely, a rhoi Lucy rhwng fy mhengliniau er mwyn tylino'i chefn – ond yna gwaeddodd hi: "Peidiwch! Chi'n brifo, Rhys. Chi'n drymach na chi'n sylweddoli."

"Sorri, Lucy," dywedais a chodi, rhag i chwarae droi'n chwerw. "Rwy'n mynd i nôl y gwin o'r cês…"

"Syniad da, Rhys," meddai Lucy gan godi ar ei heistedd. "A dim mwy o chware Tarzan, *okay*?"

Hongiais fy siaced a rhoi'r gwin yn y sinc i oeri. "Tropyn o win rhad?"

"Na, dwi'n gwneud paned o de," meddai Lucy. "Dwi wedi cael digon o win."

Screw-top oedd y botel ac arllwysais beth ohoni i mewn i'r cwpan plastig yn yr uned *en-suite* a gadael y botel yn y sinc. Erbyn i fi ddychwelyd i'r stafell, roedd Lucy'n eistedd yn y gadair freichiau yn ei bra a'i thong yn yfed ei phaned ac yn ffidlan gyda *remote* y set deledu, oedd yn uchel i fyny ar y wal. Roedd rhyw *disaster movie* Americanaidd ymlaen a bob hyn a hyn byddai'n troi'n ôl i ddu a gwyn gan ddangos nengrafwyr yn chwalu a dinasoedd yn llosgi a gorilas yn malu'r tai. Ro'n i'n gorwedd ar y gwely gyda fy nglasied unig a dywedodd Lucy: "*Truce*, Rhys?"

"Wrth gwrs. Dere 'nôl yma."

"Yn y munud."

Edrychais ar Lucy yn yfed o'i chwpan yn yr hanner golau, yn edrych lan at y teledu, un goes dros y llall yn y sedd Ikea, y golau isel yn pwysleisio ei siâp ac yn ffyrnigo fy awydd amdani. Ond doedd hi ddim yn edrych yn hollol hapus.

"Ti ddim yn mynd i wylio'r ffilm dwp 'na am ddiwedd y byd?"

"Na, dim pwynt."

"Ni'n gwybod diwedd y stori'n barod, bod gwareiddiad yn bennu."

"Yn union, mae'n sbwylio'r ffilm…"

Cododd yn y man a golchi'r cwpan yn y sinc a dod 'nôl i mewn ata i. Gafaelais yn ei braich a'i thynnu i lawr ataf yn y gwely a'i rhoi i orwedd arnaf. Yna'n araf, rhedais fy nwylo lan a lawr ei chorff gan deimlo ymchwydd ei thin. Yna cusanodd fi'n ysgafn; cusanais hi'n ôl. Datglipiais ei bra isel o'r tu ôl a thynnu fy nghrys a gadael i sypynnau llawn ei bronnau wneud cylchoedd ar fy nghroen.

Yn cynhyrfu, taflais fy *jeans* i ffwrdd a theimlo meddalwch caled Lucy yn gwasgu yn fy erbyn. Roedd hyn yn nefoedd, ac roedd yn bleser ro'n i am ei barhau. "Mae'n dda iawn bo ni wedi cyhoeddi *truce*," dywedais, yn anadlu'n drwm.

"Felly *war no more*?"

"*Give peace a chance*, Lucy. Rwy'n heddychwr nawr, ti ddim yn gwybod?"

Yna cododd Lucy ei hun i fyny ychydig oddi wrthyf. "Chi'n addo?" meddai.

"Addo beth, Lucy?"

"Ceasefire."

"Amhosib addo hynny. Ti'n ferch rhy *sexy* i hynny."

Rhoddodd Lucy ei bys ar fy ngwefus, a dweud: "Felly Rhys yn fachgen da i Lucy?"

"Rhys yn fachgen da i Lucy, ond ddim iddyn *nhw*."

"Rwy'n gweld… Rhys *naughty boy* felly?"

"Na, nhw *naughty boys*."

"Ydyn, dyna'r broblem…"

"Be ti'n feddwl?"

"Rhys: sut alla i ddweud hyn…? Rhaid i chi anghofio am achos John Harries."

Sobrais a gwylltio: "Ac os na wna i, be wnân nhw? Llogi *hitman*?"

"*Sorry*," meddai Lucy gan rolio oddi wrthyf a mynd â'i bra gyda hi, "ond rhaid i fi egluro rhai pethau i chi. Dwi'n gwneud paned arall."

"Arall, *nawr*?"

Roedd hyn fel artaith Tsieineaidd a chymerais lwnc o'r gwin tra oedd hi'n gwneud paned eto, ond roedd e'n ddiflas a melys ar ôl y Rioja. Do'n i ddim yn teimlo'n rhy wych ta beth. "Der â gwydraid o ddŵr tra bo ti wrthi," galwais ar Lucy. Daeth hi â'r dŵr imi at y gwely, ond yna aeth i eistedd eto yn y sedd o dan y ffenest.

"Ydi hi ddim yn oer fan'na?"

"Ychydig."

"Felly ti'n mynd i egluro mwy o bethau i fi? Alla i ddim aros, wir!"

"Dwi ddim yn licio hyn, Rhys, ond dy'ch chi ddim yn deall eich sefyllfa. Chi mewn perygl."

"Gawn ni adael hyn tan wedyn?"

Rhoddodd ei phaned ar fraich denau'r sedd a dweud: "Chi'n adnabod gwraig o'r enw Gertrud Gottlieb?"

Wedi dychryn, dywedais: "O'n i."

"Ond chi'n dal mewn cysylltiad?"

"Trwy e-bost."

"Wel, maen nhw wedi darllen pob un ohonyn nhw."

Codais i fyny ar fy eistedd. "Ond pam ti'n dweud hyn wrtha i?"

"Rwy am i chi wybod eu bod nhw'n gwybod."

"Diolch yn fawr *iawn*, Lucy."

"Felly chi'n dal i ymchwilio?"

"Os ydw i neu beidio, dyw e ddim busnes i ti nac i'r bastards sy'n dy redeg di. Cafodd y boi yna, John Harries, bachan ifanc hollol gyffredin a diniwed, ei wenwyno a'i dreisio'n rhywiol mewn ffordd ffiaidd a'i foddi wedyn, dim ond i gael cwest â dyfarniad agored."

"Dwi'n gwybod."

"Reit, Lucy, beth yw dy farn di? Jyst rhyngon ni'n dau? Ydi e'n bosib i ni anghofio am bawb arall sydd yn y stafell 'ma am foment?"

"Dwi'n cytuno â chi, Rhys."

Roedd y ffilm wirion yn dal i redeg ar *mute* a Lucy nawr yn edrych arni er mwyn osgoi edrych arna i.

"Tro'r *shit* 'na bant," gorchmynnais, "a dere i'r gwely!"

Synnais pan ufuddhaodd i'r cais cyntaf, ond wnaeth hi ddim symud o'r gadair. Dywedodd yn dawel, gan edrych arna i: "Rhys, rhaid i chi sylweddoli'r perygl chi ynddo."

"Mae byw'n beryglus yn fy siwtio i'n iawn. Dyna rwy wedi'i wneud erioed."

"Felly mae'n ymddangos," meddai Lucy mewn llais gwahanol.

"Be ti'n feddwl?"

"Chi'n cofio mynd i Ddulyn unwaith?"

"Dwi wedi bod yno droeon. Lle da am benwythnos, yn arbennig os oes 'na rygbi 'mlaen."

"Buoch chi am benwythnos yno yng nghanol y nawdegau yn nôl *cash bricks* o fanc yr Anglo Irish. Chi'n cofio?"

Ces i 'nharo'n hollol fud am eiliad. "Rwy'n gweld – dyma ni: y bygythiad go iawn, o'r diwedd?"

"Dwi'n ailadrodd be maen nhw'n wybod."

"Na, be maen nhw'n feddwl maen nhw'n wybod. Roedd y busnes yna'n hollol gyfreithlon. Roedd y *cash* yna i gyd yn perthyn i Sanotis Eire. Ro'n i ar yr ochr reoli erbyn hynny, a'r cyfan o'n i'n neud oedd sicrhau bod pobol y banc a phobol Group 4 yn deall ei gilydd. Roedd yr arian yn mynd i Berlin wedyn, i fanc yn Potsdamer Platz."

"Fase sgrifennu siec ddim yn haws? Ydi hyn ddim beth mae pobl gyffredin yn galw yn *money laundering*?"

"Falle bo ti'n gwybod am y Mabinogion, Lucy, ond ti'n gwybod diawl o ddim am arian."

"Ond beth am yr IRA?"

"Beth *am* yr IRA?"

"Y dyn yna o'r Anglo Irish oedd am sblitio un o'r pacedi."

Ro'n i wedi cael sioc nawr, o ddifri. Roedd y stafell yn dechrau troi, ond triais reoli fy hun. "Doedd 'na ddim IRA."

"Ond beth am ddyn y banc?"

"Roedd y boi'n *dodgy*, do'n i ddim yn 'i drysto fe, ond doedd 'na ddim IRA, na dim dêl – jôc oedd hwnna ddywedais i, un noson hwyr, wrth André fy *chef*, a neb arall. Roedd 'na griw o Wyddelod wedi dod bant o'r fferi ac wedi bod ar y Guinness trwy'r dydd ac wedi dod aton ni am bryd o fwyd. Aeth André a fi wedyn am lasied i Peppers, ti'n gwybod, y bar yna yn y Mwmbwls?"

"Ydw…"

"A gwnes i jôc wael am ba mor slic yw'r Gwyddelod mewn busnes, a soniais i am y penwythnos yn Nulyn, a'r boi yna o'r Anglo Irish, ac y gallai e'n hawdd fod wedi slipio pecyn i'r IRA yn sgil newid bach i'r gwaith papur, ond yna gwelodd e nag o'n i'n agored i gynigion… ond rhywle lawr y lein, trodd y nonsens yna'n ffaith. A dyw Saesneg André ddim yn dda iawn, chwaith…"

"Iawn, Rhys, dwi'n derbyn be chi'n ddweud, wrth gwrs," meddai Lucy, yn codi o'i sedd.

"Diolch yn fawr," dywedais yn sarcastig ond yna dechreuodd y stafell droi o ddifri: y celfi Ikea, y lluniau o Notre Dame a'r Tŵr Eiffel ar y waliau, y set gwneud coffi a the, y drych. Codais o'r gwely i nôl gwydraid o ddŵr o'r uned *en-suite*, i sadio fy hun. Erbyn i fi ddychwelyd, roedd Lucy'n gorwedd ar ben y *duvet*, yn barod amdanaf ac yn noeth oni bai am y stribynnau cul o sidan du. Ond allwn i mo'i hwynebu. Es draw at y ffenest.

Nid y cyhuddiad ffals am yr IRA oedd wedi fy siglo, ond y ffaith mai'r unig ffynhonnell bosib oedd y boi mwya gwrth-Americanaidd o'n i'n nabod: fy *chef* fy hun, André.

*   *   *

Safais wrth y ffenest gyda'm gwydraid o ddŵr. Edrychais mas ar yr olygfa: y tai a'u toeon blith draphlith, y ceir oedd yn dal i deithio lan a lawr ffordd yr arfordir, y môr yn stribyn tywyll o dan awyr y nos. Allwn i ddim gweld y traeth ond gwyddwn yn iawn ble roedd harbwr bach Parrog lle buon ni slawer dydd yn chwarae ac yn gwylio'r pysgotwyr gydag Wncwl Bob ac Anti Lisa. Cofiais am draeth bach Aberfforest, ond Cwm-yr-eglwys oedd y ffefryn, lle roedd olion hen eglwys Sant Brynach, yn graig o'r hen ganrifoedd. Mor bell yn ôl oedd yr hafau yna nawr.

Ro'n i wedi gwneud cylch cyfan gan golli pob diniweidrwydd yn y broses. Cofiais am y slogan a welais yn rhywle yn y saithdegau: *I wish I were who I was when I wished I was who I am.* Pwy fase'n credu y basen i'n dychwelyd i Drefdraeth gyda sbïwraig Americanaidd, a bod Gelli Deg wedi troi'n Squirrel's Leap? Ond y peth mwya anghredadwy i gyd oedd bod boi oedd yn gweithio i fi, André, wedi bod yn bwydo gwybodaeth yn fy erbyn i i'r Americanes ro'n i gyda hi.

Os oedd hynny'n bosib, roedd popeth yn bosib. Hyd yn oed gorilas yn chwalu nengrafwyr â'u dwylo.

Triais gofio pwy yn union oedd yn gwybod am y tro yna i Ddulyn. Rheolwyr Sanotis, wrth gwrs, a Rocco. Doedd e ddim yn gyfrinach, doedd dim o'i le ar y peth. Mae cwmnïau'n gwneud y pethau hyn bob dydd. Allai e fod wedi dod gan y cwmni Gwyddelig? Ond o ble bynnag y daeth e, doedd 'na ddim IRA. Fi jociodd am hynny wrth André – i ddangos fy hun efallai – ac wrth neb arall.

"Lucy," gofynnais. "Ti wedi siarad ag André erioed?"

"Naddo, pam?"

"Ond ti'n gwybod pwy yw e?"

"Sonioch chi amdano fe ar yr *Afallon*, chi'n cofio?"

Craffais i lygaid Lucy. "Be, ti erioed wedi cwrdd ag e?"

"Ddim erioed."

"Ond ddywedaist ti rywbryd bod gan y bwyty enw da am fwyd."

"Ond wyddwn i ddim pwy oedd y *chef*."

"Ond rhaid dy fod ti wedi clywed amdano fe, mewn *dispatches* fel petai…"

"Naddo, wir."

"Hynny ydi, doedd e ddim yn y *brief*?"

"Does dim *brief*."

"Be ti'n cael 'da nhw, felly, rhyw fath o sgwrs pep?"

"Nid fel'na mae."

"Sut mae, 'te?"

Wnaeth hi ddim ateb. Roedd hi'n amlwg i fi bod y ddau ohonyn nhw wedi 'mradychu: Lucy ac André. Eisteddais yn y sedd o dan y ffenest, yr un lle bu Lucy'n fy holi yn gynharach. Fy nhro i nawr oedd cymryd rôl yr *interrogator*. "Felly beth yw'r *deal*? Be maen nhw'n gael mas o hyn? Ti'n gwneud adroddiad am bob tro ni'n cwrdd? Ti'n rhoi adroddiad iddyn nhw am heno?"

"Peidiwch bod yn *ridiculous*. Doedd dim rhaid i mi fod wedi dweud y pethau yna wrthych chi."

Meddyliais am eiliad. "Oedd: rwy'n credu bod, Lucy. Fe gest ti'r wybodaeth yna am dy fod ti'n cyfeillachu â fi. Ac roedd yn rhan o dy job i'w defnyddio. Y cwestiwn cas ydi: pam wnest ti gyfeillachu â fi yn y lle cynta?"

Roedd Lucy'n dechrau crio nawr. Ond es ymlaen: "Pam nest ti e? Gwed wrtha i – pam?"

"Dwi'n licio chi, Rhys," meddai hi, yn codi ar ei heistedd ar y gwely, ei breichiau'n gwasgu ar y *duvet*. "Chi'n rhy ddall i weld hynny?"

"Ond os ti'n neud e am arian, ti'n hwren, Lucy."

Codais a mynd at y gwely. Rhwygais ei bra i ffwrdd a'i gwthio hi eto odanaf, rhwng fy mhengliniau. Roedd hi'n noeth nawr yn erbyn y glustog, ei chadwyn Geltaidd yn gwlwm blêr ar draws ei hysgwydd. "Ti'n chware gêm ddwbl, Lucy, a'i chware'n wael. Ddylet ti fod wedi esgus bod ar fy ochr i, ond ti wedi chwythu dy *cover*, on'd do?"

"Do'n i ddim am gadw'r *cover*. Chi ddim yn gweld hynny? *Get off!*" meddai, yn gwthio fy mreichiau i ffwrdd. "Allwch chi ddim anghofio am eich blydi gwleidyddiaeth am eiliad?"

"Nid fi sy'n methu anghofio am wleidyddiaeth heno, Lucy…"

Gwthiais ei breichiau'n ôl eto – er mor ffit oedd hi, ro'n i'n gryfach na hi – a mwytho'i bronnau â'm dwylo. Dechreuodd gicio ond ymatebais trwy dynnu ei thong i lawr at ei chluniau. Ro'n i'n mynd i gael hon, doed a ddelo. Rhoddais fy llaw ar y meddalwch rhwng ei choesau a chwarae fy mysedd yn ei lleoedd cudd. Yna caledais fy hun â'm llaw, ond do'n i ddim yn un i dreisio merch yn erbyn ei hewyllys. A hithau efallai'n sylweddoli y byddai'n llai poenus iddi ildio, lledodd Lucy ei choesau a chodi ei hun ataf gan gloddio'i hewinedd yn fy nghefn. Roedd hynny'n boenus ond gwthiais fy hun i mewn iddi unwaith, ddwywaith, dair, a bwrw fy llwyth. Pharodd y cyfan ddim mwy na deg i bymtheg eiliad.

Tynnais y *duvet* droson ni'n dau a thrio rhoi fy mraich amdani, ond gwthiodd fy mraich i ffwrdd a chodi a mynd i'r gawod. Clywais y dŵr yn rhedeg am yn hir, fel pe bai hi'n trio golchi'i hun yn lân o'r profiad. O'r diwedd daeth hi'n ôl mewn slip nos blaen a hoglau sebon arni, ond pan ddaeth hi i'r gwely fe wrthododd adael i fi ei chyffwrdd.

"Be sy'n bod?"

"Caru chi'n galw hwnna?"

"Sut alla i ddweud… roedd heddiw'n ormod i fi."

"That's flaming obvious."

Cyffyrddais yn ysgafn â'r pant yn ei chorff. Wnaeth hi ddim symud fy llaw y tro yma. Oedd hi'n teimlo'n euog, hefyd? Ond y cyfan a ddywedodd oedd: "Trowch y golau bant, Rhys."

Yn anfoddog, codais a diffodd y golau a'r teledu.

"Diolch," meddai Lucy o'r gwely. "Dyna orffen dau *disaster movie*'run pryd."

Ro'n i'n meddwl tybed oedd 'na flewyn bach o hiwmor yn y frawddeg yna, ond fe drodd ei chefn ataf ac yn y diwedd fe droais fy nghefn arni hi, gan feddwl am be ddigwyddodd. Oedd e'n drais? Fe wnaeth hi gydweithredu, on'd do?

Ond yn y tywyllwch a'r tawelwch, allen i ddim twyllo fy hun. Roedd casineb yn y cariad. Beth ddaeth drosta i? Fe fues i fel dyn o'r coed. Ro'n i'n gweddïo y byddai cwsg yn trwsio'r briwiau ond allen i ddim peidio meddwl am y siwrne'n ôl fory. Do'n i ddim yn gweld sut gallen i gadw at y rhaglen gariadus ro'n i wedi'i chynllunio: harbwr Parrog, tro i Gwm yr Eglwys, wedyn i Ben Dinas, ac yn ôl heibio cromlech Pentre Ifan.

Ond datryswyd fy mhroblem yn gynnar y bore wedyn. Pan edrychais ar yr iPhone, roedd neges yn disgwyl amdana i o rif Wide Horizons: *Your father has been taken urgently to Morriston Hospital. Please ring back immediately.*

25: Ysbyty Treforys

CYCHWYNNON NI 'NÔL yn syth ar ôl brecwast cyflym ac roedd y newid cynllun yn ein rhyddhau ni rhag esgus ein bod ni'n gariadon. Yn sgil y newyddion am fy nhad, roedd y syrcas rywiol yn sydyn yn llai pwysig, a'm teimlad o euogrwydd yn llai. Iawn, roedd fy ymddygiad yn amrwd ond buodd hi'n amrwd hefyd, mewn ffordd wahanol. Oedd y noson yn drychineb mewn gwirionedd? Oedd e'n bosib dweud hynny wedi inni brofi'r fath agosrwydd?

Gan drio sgubo'r cwestiwn o'm meddwl, troais yn ôl at Abergwaun a dilyn y ffordd fynyddig er mwyn bwrw'r A40 mor gyflym â phosib. Roedd 'na dawch, fel o'r blaen, ar y topiau, a thawch yn fy mhen i hefyd. Roedd y to i lawr ac ro'n i'n ffidlan yn ofer rhwng y sianeli radio er mwyn lleihau'r tensiwn. Ond chwarae teg iddi, doedd Lucy ddim yn ddall i fy ngofid am fy nhad ac fe holodd hi ambell gwestiwn am hynny o'r wlad oedd i'w weld.

Sut gymerais i mor hir i weld yr eliffant yn y stafell: ei bod hi'n gweithio i rywun? Rhaid 'mod i'n byw ar blaned Mills and Boon os o'n i'n gallu credu bod merch ddeniadol, bymtheng mlynedd yn iau na fi, yn mynd i 'mhigo i lan ar ryw draeth achos bod hi'n lico lliw fy nghrys. Eto, wrth i fi redeg tâp y noson drosodd yn fy mhen, cofiais am rai o'r pethau cariadus roedd hi wedi'u dweud. Fe ddechreuodd y noson mor addawol. Gallasen ni fod wedi mwynhau noson gyfan o garu, 'sen ni wedi cael y wleidyddiaeth o'r ffordd. Ond y bwbach ynof a enillodd y dydd – a'r nos.

Ond yn gymysg â'r hunangystwyo, roedd y newyddion am

fy nhad yn fflachio ac ailfflachio yn fy mhen fel hysbyseb deledu chi'n gasáu. Ro'n i wedi ffonio'r cartre a chael manylion y ward. Roedd e wedi cael *stroke* ac roedd y trawiad wedi effeithio ar ei ddefnydd o'i gorff. Doedd e ddim yn swnio'n dda o gwbl. Cofiais am yr olwg arno fe pan adewais i e nos Wener. Roedd rhywbeth anochel am hyn i gyd, ac wrth yrru'n ôl heibio Maenclochog ro'n i'n teimlo nid fel un yn ailymweld â'i ieuenctid ond fel rhywun yn ei adael am y tro olaf.

*   *   *

Ar ôl gollwng Lucy yn yr Uplands, gyrrais yn ôl i'r M4 a throi i'r dwyrain. Mewn ychydig dros ddeng munud, ro'n i wedi parcio yn un o feysydd parcio Ysbyty Treforys. Cerddais i'r brif fynedfa a chael fy nghyfeirio, yn y dderbynfa, at Ward A. Wedi prynu brechdan a phapur dyddiol yn y siop, cerddais i lawr y coridorau gan deimlo fel 'sen i yn Heathrow yn rhuthro i ddal awyren oedd ar fin hedfan i ffwrdd. Yn groes i fy arfer, gofynnais i'r nyrs wrth y ddesg yn Gymraeg am leoliad y gwely, gan egluro mai fi oedd mab Arthur Morgan John.

Atebodd yn Gymraeg. "Fe wna i ofyn nawr allwch chi weld e. Fe gas e'i ruthro mewn yn hwyr neithiwr. *Stroke* rwy'n ofni."

"Ro'n i'n deall. Mae'n ddrwg, felly?"

"Clot ar un o'r *arteries* i'r ymennydd. Ddim y math gwaetha, ond dyw ei oedran e ddim yn help."

"Felly dim lot o obaith?"

"Bydd yn rhaid i chi siarad ag un o'r meddygon am hynny."

O'r diwedd, wedi siarad â'r brif nyrs, cyfeiriodd y nyrs Gymraeg fi at un o'r gwelyau pellaf, oedd â llenni o'i gwmpas. Agorais y llenni ac yno roedd fy nhad yn cysgu, wedi'i lapio fel dol mewn nifer o flancedi taclus. Wrth waelod y gwely roedd copi o'r *National Geographic*. Roedd pob math o offer o'i gwmpas yn mesur pob symudiad yn ei gorpws, yn glociau ac yn bibau yn bwydo i mewn i'w wythiennau. Wrth erchwyn y gwely roedd graff mawr yn mesur Duw a ŵyr beth: ai'r bywyd oedd ar ôl?

Gwell marw na hyn, meddyliais.

"Dad," dywedais ddwywaith neu dair. Deffrodd wedi imi gyffwrdd â'i fraich. Agorodd ei lygaid. "Rhys," meddai mewn llais gwan. "Ti wedi dod o'r diwedd?"

Â thipyn o ymdrech, tynnodd ei hun i fyny ar y glustog. Roedd yn gallu gwneud hynny, ac yn gallu siarad, ond roedd golwg bell arno.

Ro'n i mewn cyfyng-gyngor. Ond roedd yn rhaid i fi ddweud y gwir wrtho. Ar ôl iddo fe fynd o'r byd 'ma, do'n i ddim am i'r cof am ei ddyddiau olaf gynnwys celwydd mor fawr. Dywedais: "O'n i yn Sir Benfro, chi'n gweld. O'n i angen sortio'r tir mas gyda'r tenant. Gwnes i benderfyniad munud ola i fynd gan fod y tywydd yn weddol."

Bywiogodd fy nhad. "A beth am Gelli Deg, Rhys? Est ti i weld yr hen gartre?"

"Wrth gwrs. Roedd e'n dal yna, fel o'r blaen."

"Oedd e wir?"

"Oedd, popeth yn iawn."

"Ond wela i mohono fe mwy, wna i? Dyna'r cyfle ola wedi mynd."

"Allwch chi ddim gweud hwnna mor bendant. Mae pobol yn gwella o strôcs."

"Be sy arnat ti: yn wyth deg naw?"

"Ta beth, roedd hi'n siwrne uffernol. Diawl o niwl wrth fynd a dod 'nôl. Chi'n gwybod fel mae hi ar y topie 'na. Dim lot o sbort, alla i weud 'tho chi. A dyma i chi bapur heddi, a brechdan ges i o'r siop."

"Rho nhw fan'na, Rhys. Ond gymra i ddisied o de."

Mae'n rhaid ei bod hi'n iawn rhoi paned iddo, ond a fyddai'n gallu ei hyfed? Holais un o'r nyrsys a bu hi'n ddigon da i roi un i fi yn y dull a hoffai, sef heb siwgr na llaeth. Estynnais y baned blastig iddo. Cymerodd hi'n sigledig ac yfed un llwnc cyn ei rhoi i lawr yn grynedig ar y silff ar bwys y gwely.

"'Wy ar ganol darn bach dicon diddorol yn y *National Geographic*," meddai, yn bywiogi. "Darn am yr Andes... diain, 'na ti fynyddoedd yw'r rheini, Rhys. Yn gneud i'r Wyddfa ddishgwl fel bryncyn gwaddod."

"Chi'n berffaith iawn."

"Mae'r byd 'ma'n lle rhyfeddol, Rhys. Ychydig y'n ni'n dyall."

Yna caeodd ei lygaid, fel petai'r ymdrech wedi bod yn ormod iddo.

Sylwais fod 'na naws o dawelwch prysur, pwrpasol i'r ward. Roedd 'na wên ar wyneb rhai o'r nyrsys wrth iddyn nhw fynd a dod a siarad â rhai o'r cleifion. Roedd y naws yn wahanol i naws glawstroffobaidd Wide Horizons, ac yn braf, bron. Ond fe wyddwn yn berffaith: Ward A oedd stafell aros angau.

Deffrodd fy nhad ychydig wedyn, a gofyn yr hen gwestiwn: "A sut mae Eira nawr? A'r plant? Ydyn nhw i gyd yn iawn?"

"Ydyn, i gyd yn iawn. Pawb yn iach 'i wala."

"Da iawn," meddai gan estyn am fy llaw.

Daliais ei law, nid rhywbeth ro'n i wedi'i wneud o'r blaen. Wedyn edrychodd arna i, a dweud: "'Dyma Gariad' ydw i moyn."

"Dyma gariad?"

"Gwilym Hiraethog. Ar y dôn 'Ebeneser', fel yn angladd dy fam."

"Rwy'n cofio, wrth gwrs..."

"'Tôn y Botel' mae rhai'n ei alw fe. Dyna'r emyn rwy moyn."

"Peidiwch â phoeni, bydd y cyfan yn 'i le."

Roedd yn rhyfedd trafod rhywbeth a fyddai'n digwydd, a ni'n dau'n bresennol, lle byddwn i'n bod, a fyntau ddim. O leia roedd ei feddwl yn ddigon clir i dderbyn ei ddiwedd ei hun. Fuodd e erioed yn un i wrthod wynebu ffeithiau. A nawr roedd e wedi llwyddo i wynebu'r ffaith olaf.

Ni pharhaodd yr eglurder yna'n hir. Fe lwyddodd y peiriannau a'r dechnoleg i'w gadw'n fyw am tua wythnos ac fe es i i'w weld e bob nos wedyn. Daeth mwy i'w weld ac fe amlhaodd y cardiau a'r blodau a'r grawnwin wrth y gwely, ond hwn oedd y cyfarfod olaf rhyngddo i a'r person o'n i'n 'i nabod fel fy nhad.

*   *   *

Cerddais i lawr y coridorau ac, wrth ddod at y fynedfa, sylwais ar ffôn cyhoeddus wrth ymyl ciosg yn gwerthu pob math o ddiodydd tun a losin. Ond y ffôn dynnodd fy sylw. Meddyliais: dyma gyfle i ffonio Elin. Ro'n i angen ei rhybuddio o'n sefyllfa. Roedd hi hefyd wedi gadael negeseuon yn gofyn i fi ei ffonio hi. Do'n i ddim yn yr hwyliau gorau i wneud yr alwad, ond roedd datgeliadau Lucy wedi rhoi'r cyfan mewn golau newydd – a byddai ffôn cyhoeddus yn dipyn saffach nag un personol.

Tra o'n i'n pendroni – oedd bore Sul yn amser iawn i'w galw? – roedd pobl yn pasio heibio i fi, yn ymwelwyr, nyrsys ac ambell glaf ar droli. Roedd 'na arian mân yn fy mhoced. Rhoddais y darnau i mewn i'r bwlch. Nid am y tro cyntaf, pwysais rifau Elin â rhyw nerfusrwydd.

"Elin, helô?" meddai o'r diwedd.

"Rhys yma. Gyfleus i siarad?"

"Rhosa funud, dwi'n mynd allan i'r ardd."

"Rwy'n ffono o Ysbyty Treforys. 'Y nhad wedi cael strôc."

"Ddrwg iawn gin i glywad, Rhys. Sut mae o?"

"Ddim yn obeithiol. Mae'n hen iawn. A does dim alla i wneud, wrth gwrs."

"Ti ddim angan hyn, ar ben pob dim arall."

"Yn gwmws. Mae stwff gwael yn digwydd, Elin. Ni'n cael ein gwylio. Maen nhw'n gwybod popeth amdanon ni."

"Howld on, Rhys: pwy 'di 'nhw', a be 'di 'popeth'?"

"'Nhw' yw'r Americans, a 'popeth' yw popeth. Maen nhw wedi darllen pob e-bost rwy wedi'i gael erioed. Maen nhw'n gwybod 'mod i wedi galw yn swyddfa'r heddlu. Maen nhw'n gwybod am *deals* o'n i'n gwneud i Sanotis, a falle eu bod nhw hyd yn oed yn gwybod am ein sgwrs ni yn y Meridian."

"Cwlia i lawr, Rhys. Dwi'n ama mai codi ofn arna chdi roeddan nhw'n trio'i neud, ac yn amlwg maen nhw wedi llwyddo."

"Elli di ddweud hwnna eto."

"Ond sut digwyddodd hyn? Trwy bwy?"

"Rwy newydd ddod 'nôl o benwythnos addysgiadol iawn yn Sir Benfro…"

"Efo'r Americanes yna, ia?" meddai Elin yn llym.

"Ie, ond doedd e ddim yn lot o sbort. Fe wnaeth hi fwy neu lai gyfadde ei bod hi'n gweithio iddyn nhw, y CIA fasen i'n dweud, neu ryw adran arbennig. Ond rhaid i ni ollwng popeth, popeth fuon ni'n ei drafod yn y Meridian."

"Ond ma hynny 'chydig yn anodd…"

"Be ddiawl yw'r broblem?"

"Dyna pam ro'n i am i chdi fy ffonio i. Dwi wedi ffeindio mwy o betha am yr achos yma, a mwy fyth o resyma pam maen nhw am ein stopio ni…"

"Rwy yn y tywyllwch, Elin."

"Roedd 'na drydydd digwyddiad, ti'n dallt…"

"Be ti'n feddwl?"

"Cystal i mi fod yn onast. Do'n i ddim yn siŵr fy hun am y busnas yma i gyd. Ai nifer o gyd-ddigwyddiadau oedd gynnon ni, 'ta be?"

"Ond mae'r Americanes yn profi'r gwrthwyneb."

"Ond do'n i ddim yn gwybod am yr hogan, o'n i? Chdi soniodd am yr ambiwlans yna aeth at yr *helicopter*, a chdi soniodd nad oedd gin swyddfa'r heddlu yn Abertawe ddim math o gofnod ar gyfer nos Sadwrn ola Ionawr. Wel, tydi hi ddim yn rhy anodd siecio be sy'n dŵad i mewn i adran A&E unrhyw noson. Dwi'n digwydd gneud 'chydig o waith cyfieithu i'r ysbyty ac mi wnaeth rhywun mewnol fy helpu i…"

"A beth ffindest ti mas?"

"Daeth dau filwr i mewn, tua dau o'r gloch y bora, mewn cyflwr drwg iawn, wedi bod yn ymladd mewn clwb nos."

"Be, Jack Army yn erbyn yr US Army?"

"Na, ymladd rhyngthyn ei gilydd, dros ryw hogan, o'n i'n dallt."

"*Bizarre.* Ond rwy'n gweld be ti'n ddweud. Dyna gadarnhau popeth. Ond eto, sai cweit yn deall pa wahaniaeth mae'n neud."

"Ro'n i angan gwybod, cyn cysylltu â Jenny Ward."

"A ti wedi cysylltu?"

"Do, dwi wedi siarad efo hi."

"Alla i ddim credu hyn, Elin," dywedais yn wannaidd.

"Mae hi ar y cês. Wna i egluro'r cyfan eto."

"Ond beth yw ystyr 'ar y cês'? Mae'n rhaid i ni ddeall ein gilydd, Elin. Mae'n rhaid i ti ollwng popeth nes bo ni'n cwrdd. Popeth. Ac mae hwnna'n orchymyn, reit?"

"Iawn," meddai Elin yn ansicr. "Felly pryd a ble gawn ni gwarfod?"

"Rwy'n glwm iawn gyda 'Nhad ar y funud. Dwa i 'nôl atat ti y cyfle cynta ga i."

"Ocê, Rhys, a cymar ofal."

"Cymer di ofal, dyna'r peth pwysica i gyd. Ni ar ben eu rhestr *Wanted* nhw, ti'n deall?"

Wedi saib bychan, dywedodd Elin: "Rhys, dwi'n dallt dy fod di dan straen arbennig rŵan. Cyma betha'n ysgafn y dyddia nesa 'ma."

"Dyna dria i wneud."

"Mae'n rhaid i mi fynd rŵan, Rhys. Mae Hywal yn prowlian o gwmpas."

*　　*　　*

Bu Bryn yn gefn da i fi, chwarae teg iddo, ac ro'n i'n falch na wnes i mo'i bechu trwy dynnu mas o'r cyfarfod gyda'r Arolygydd. Gyda'i gysylltiadau lleol, gallodd fy rhoi yn nwylo ymgymerwr dibynadwy a drefnodd yr hysbysiadau i'r papurau a'r taflenni gwasanaeth a hyd yn oed y blodau ar gyfer Calfaria a'r amlosgfa. Ac yntau'n ddyn rhesymegol tan y diwedd, fe fynnodd fy nhad gael ei losgi, gan nodi hynny yn ei ewyllys fer a phwrpasol, dogfen yr o'n i'n ysgutor iddi.

Dysgais yn gyflym nad nifer o oriau y mae angladd yn para, ond rhai wythnosau. Buasai wedi llusgo'n hirach fyth oni bai 'mod i'n byw yn y Marina a bod Tegfan, ein cartre yng Nghlydach, wedi'i osod yn fuan wedi i 'Nhad fynd i Wide Horizons. Aeth rhai i'r drafferth i alw yn y fflat – ro'n i'n edmygu'r bobl hynny a fynnai gadw at hen arferion parch – ond nifer fach oedden nhw, â chynifer o gyfoedion fy rhieni wedi marw.

Cymerais rai dyddiau i ffwrdd i drefnu pethau. Roedd yn rhaid casglu pethau 'Nhad o Wide Horizons a mynd i'r ysbyty i nôl y bagiau plastig oedd yn cynnwys gweddillion ei eiddo bydol. Rhoddais nhw ar sedd flaen yr Audi, lle roedd e'i hunan wedi eistedd ychydig dros fis ynghynt, a'u cludo i'r fflat. Galwais yn swyddfa'r Cofrestrydd yn Neuadd y Sir ger y traeth. Ond yna glaniodd fy chwaer, Megan, o'r Alban, gyda'i gŵr, Alastair, swyddog llywodraeth leol, oedd wedi bwcio'r ddau, ar delerau arbennig o dda, yn y Marriott. Roedd ganddi hi, wrth gwrs, ei rhestr o gwestiynau manwl i fi am yr ewyllys, cyfrifon banc fy nhad a'r eiddo yn Tegfan, ac roedd hi'n aros am yr amser iawn i'w gofyn.

"Felly beth am y tir?" gofynnodd yn sydyn dros baned yn y caffe uwchben Marks & Spencer, lle roedd hi wedi fy ngwahodd ar ganol rownd o siopa, tra oedd ei gŵr ar berwyl arall.

"Mae'r cyfan yn yr ewyllys," dywedais.

"Ga i weld e?"

"Yn naturiol. Ond mae'n syml iawn. Ni'n rhannu popeth, fel ti'n gwbod."

"Ond beth am y rhent? Faint o arian sy'n dod mewn?"

"Faint bynnag sy'n dod mewn, ti'n cael hanner."

"Ond faint yw hynny?"

"Dim lot. Cnau mwnci."

"Nawr 'te, Rhys, falle ddylen ni siarad â'r tenant, rhag ofn bod gobaith troi'r tir 'na mewn i *cash*. Base hynny'n handi i ni i gyd y dyddie hyn."

"Cer i'w weld e."

"Falle dylen ni'n dou fynd."

"Na – cer gydag Alastair."

Rhoddodd ei llaw ar ei gên. "Syniad da, Rhys. 'Negotiato' mae e'n gwneud yn ei waith, handlo contracts rhwng y cyngor lleol a chwmnïe. A base fe'n drip bach neis i Sir Benfro, ti'n gwbod, fel yn yr hen ddyddie…"

"Yn union. Fe hala i fanylion y dyn draw i ti, a chopi o'r cytundeb."

*   *   *

Llifodd tyrfa fawr allan o flaen y capel wedi'r gwasanaeth yng Nghalfaria. Lle bynnag o'n i'n edrych, ro'n i'n gweld rhywun ro'n i'n nabod. Daeth un ar ôl y llall lan ataf i gydymdeimlo, ond do'n i ddim yn gyfarwydd â phob un chwaith. Roedd yna rai o genhedlaeth fy rhieni, ac un neu ddau a fu'n gweithio gyda 'Nhad yn y Mond. Roedd 'na eraill oedd ychydig yn iau, ond ro'n i wedi colli cysylltiad â nhw ers imi fynd i Berlin. Garth, er enghraifft, yr o'n i yn yr ysgol 'dag e. Blaenwr rygbi yn ei ddydd, yn dal i fod yn arw olygus, yn dal â'r steil braf, ddengar yna o siarad oedd yn apelio at ddynion a merched fel ei gilydd. Nawr a'i wallt du yn wyn, ac yn ddi-wraig o achos ei wendid am fenywod, roedd e wedi'i rewi yn yr un ffordd braf, ond anaddas, o siarad.

Ond yna, o rywle, daeth Eira, fy nghyn-wraig, lan ata i. Roedd hi'n edrych yn dda am ei hoed, ac roedd Martin gyda hi, ei gŵr ers blynyddoedd bellach. Roedden nhw'n edrych yn bâr da, hapus gyda'i gilydd.

"Mae'n ddrwg iawn 'da fi, Rhys," meddai. "Rwy'n gwybod bo chi'n agos, ti a dy dad. Mae hyn yn ergyd i ti."

"Ydi. Ond cafodd e oes dda, a bywyd llawn, tan y cyfnod ola."

"Ac rwy'n falch bo ti wedi dod 'nôl, hefyd."

"Gwell hwyr na hwyrach, yntefe…"

"Dwi wedi clywed amdanat ti trwy Lois, a'r teithiau mas yn yr *Afallon*. Ro'n i'n disgwyl baset ti wedi dewis enw Almaeneg i'r cwch, *Himmel* rhywbeth neu'i gilydd."

Roedd Eira wedi dysgu Almaeneg yn gyflymach na fi yn y ddwy flynedd anodd yna gawson ni gyda'n gilydd yn Berlin. "Na," atebais, "ro'n i wedi gadael fy nefoedd Almaenaidd, os nefoedd hefyd."

"Ac roedd hi'n edmygu dy fwyty yn y Mwmbwls hefyd, ac wedi mwynhau'r pryd gawsoch chi."

"Paid â sôn am y bwyty. Doedd e ddim yn benderfyniad hollol gall."

"Wel, oes ots mawr am hynny?"

"Pob cydymdeimlad i chi beth bynnag," meddai Martin gan siglo fy llaw, ac am eiliad ro'n i'n meddwl mai cyfeirio at fy mhroblemau busnes i oedd e.

Roedd yn sgwrs berffaith gwrtais, fel y dylai fod. Roedd Lisabeth yno hefyd, gyda'i phlant o Northampton, nad oedd yn deall gair o'r gwasanaeth. Ac yno ar y cyrion gwelais Hywel ac Elin, a edrychodd arna i â gwên euog, sydyn. Ymatebais yn rhy ffurfiol, efallai, cyn dilyn siars yr ymgymerwr i gamu i mewn i'r *limousines* du fyddai'n ein cludo i amlosgfa Treforys. Dilynais Megan ac Alastair i'r cerbyd cyntaf.

Fel bownsars mewn clwb nos, roedd swyddogion yr amlosgfa yn rheoli llif cyson o gyrff byw a marw i mewn ac allan. Tra oedden ni'n disgwyl ein tro, sylwais ar neb llai na Steff Daniels yn sefyll yno mewn siwt binstreip yn cydnabod hwn a'r llall â hanner gwên wedi'i dyfrhau â dwyster addas. Cyfarfu ein llygaid gan arwyddo y byddem yn cwrdd wedyn.

Gwasgodd rhywun y botwm, ac yn gwbl ddi-sŵn, diflannodd fy nhad o fodolaeth. Wedi'r gwasanaeth byr, fe drawodd yr organ – mewn *surround sound* – gordiau emosiynol 'Ebeneser'. Fel un gŵr, canodd y dorf y geiriau anhygoel yna am gariad fel y moroedd a thosturiaethau fel y lli, a chyfiawnder pur a heddwch yn cusanu euog fyd. Ro'n i'n gyfarwydd â'r geiriau, ond dim ond nawr yn dechrau eu deall, ac yn sydyn ro'n i'n wan fel plufyn, a phrin yn gallu sefyll. Rhoddais fy llaw ar gefn y sedd o'm blaen gan obeithio nad oedd neb yn sylwi ar y dagrau oedd yn cronni yn fy llygaid.

Roedd y geiriau'n sôn am faddeuant a meddyliais am fy mywyd ffaeledig a chwerthinllyd, ac yna am fy nhad. O leia des i 'nôl mewn pryd, fe gawsom ryw gyfeillach. Cododd yr emyn – y *Redemption Song* Cymraeg – i ymchwydd fel llanw'r môr a meddyliais am Gwm Hir a'r gymdeithas a allodd gynhyrchu'r fath emyn a'r fath eiriau. Wrth weld yr arch *light oak* a gynwysai 'Nhad yn llithro i mewn i'r llawr, nid dim ond tad a welais i'n diflannu, ond popeth roedd e'n gredu oedd mor gadarn.

Allan yn y cyntedd tywyll rhwng y capel a'r fynwent, rhaid bod Steff wedi gweld 'mod i mewn rhyw wendid. Slapiodd ei law ar fy ngwar, a dweud: "*The way of all flesh*, bachan."

"Ie, debyg iawn…"

"Dim ond pethe'r ysbryd sy'n para," meddai Steff, yn adleisio geiriau o'i fagwraeth yn y mans.

"Ie, ti'n iawn," dywedais wrth sylweddoli, mewn fflach o eglurder, mor debyg oedden ni'n dau yn y ffordd roedden ni wedi bradychu safonau ein rhieni.

Edrychodd arna i'n llawn consýrn. "Reesy, ti ddim yn edrych yn rhy dda, ac ma hynny'n naturiol. Rhaid i ni gwrdd. Fe ddwa i draw am dro i'r bwyty 'na 'sda ti – fel cytunon ni, ti'n cofio?"

"Ond wrth gwrs. Wythnos nesa?"

"Na, dim gobeth, boi, 'wy mor fishi. Ond falle'r wythnos wedyn."

"Hynny'n well i fi hefyd. Pa noson?"

"Dim ond nos Sadwrn 'wy'n bendant yn rhydd… hynny'n iawn 'da ti?"

"Perffaith," dywedais. "Wela i di nos Sadwrn wythnos nesa."

"A dal i gredu, was," meddai gan gydio yn fy llaw.

Byddai'n braf gweld Steff eto, yn braf iawn. Ond cofiais wedyn am gynllun Elin ac am rôl Steff yn y busnes yna. Ro'n i angen anghofio am y nonsens yna i gyd nawr. Roedd 'da fi hawl i fwynhau fy hun 'da hen ffrind.

26: SA1

R o'n i wedi penderfynu ers tro y byddai hen ddociau SA1 yn lleoliad diogel ar gyfer y sgwrs breifat iawn yr o'n i wedi bwriadu ei chael gydag André. Roedd salwch fy nhad a'r angladd wedi rhoi stop ar sawl peth ac roedd hi'n drydedd wythnos Awst erbyn i ni'n dau yrru i'r Marina wedi cau'r bwyty ar y nos Fawrth. Wedi parcio'r Audi wrth y fflat, fe groeson ni draw at y Pump House a cherdded at afon Tawe a'r bont grog.

Roedd yn rhaid i fi gael at y gwir ynglŷn ag André, am resymau ymarferol ac athronyddol. Roedd y posibilrwydd bod 'na gysylltiad rhyngddo fe a Lucy yn tanseilio fy ffydd mewn Trefn, Rheswm a phopeth arall. Yn fwy at y pwynt, os oedd e wedi bod yn clebran amdana i – wrth bwy, y CIA? – yna doedd 'da fe ddim job. Bydden i'n ffonio Malee yn syth. Mae'n rhaid bod y stori ffals yna am y *cash bricks* a'r IRA – a gafodd ei bwydo rywsut i Lucy – wedi dod oddi wrtho fe. Er meddwl a meddwl am y peth, welwn i ddim eglurhad arall.

Yn anffodus, doedd ymddygiad diweddar André ddim yn gwneud pethau'n haws i fi. Roedd e wedi gwella oddi ar ymadawiad Sheena. Roedd Abigail, merch leol ddymunol ond di-fflach, nawr yn ei lle ac roedd ambell frawddeg ffafriol amdani, hyd yn oed, yn llithro oddi ar wefusau André. Roedd e hyd yn oed yn cracio ambell jôc sych. A heno roedd ei hwyliau braidd yn wamal o ystyried 'mod i wedi egluro iddo bod 'da fi bwnc difrifol i'w drafod.

Arhosais yn fwriadol ar ganol y bont grog, wrth y domen goffa i Kylie Marshall. Ro'n i am weld ei ymateb. Ond yn amlwg, doedd e'n golygu dim iddo. Doedd e ddim hyd yn oed yn cofio darllen am yr hunanladdiad. Ond wrth gwrs, efallai nad oedd e ar *radar* yr Americans. Ar ôl croesi draw i'r Ice House, roedd 'da fi gwestiwn arall iddo. A ninnau ar ochr SA1 i'r afon, pwyntiais at y llongau moethus oedd yn gorwedd mewn rhesi llonydd mewn angorfa ar yr ochr draw. Er ei bod yn nos, roedd yn hawdd eu gweld yng ngolau melyn y lampau ar y cei.

"Cychod neis," dywedais.

"Ydyn."

"Yn arbennig honna, y *Faatima*."

"Ydi."

"Gwybod rhywbeth amdani?" gofynnais yn ddi-hid.

"Dim lot."

"Ti'n gwybod unrhyw beth?"

"Dwi wedi bod arni, fel mae'n digwydd."

"Do fe?"

"Unwaith neu ddwy ar fore Gwener."

"Sut felly?"

"Dydd Gwener yw'n dydd Sul ni."

"Wrth gwrs. Ti'n ffyddlon iawn i'r Mwslemiaid?"

"Dwi ddim yn siŵr am hynny. Mwslim ydw i, dyna i gyd."

Sylweddolais nad oedd llawer o bwynt dilyn y trywydd yma. Os oedd André'n gweithio mewn rhyw ffordd i'r CIA, yna wrth reswm byddai treiddio i'r gymdeithas Fwslemaidd yma yn Abertawe yn rhan o'i *brief* – ond André yn asiant? Roedd y syniad yn dal i 'nharo i fel un gwallgo ac anghredadwy. Cerddon ni heibio i ffenestri llydan bar hwyr y Parilla, lle roedd rhai parau yn dal i fwynhau eu diodydd *digestif*. Yna croeson ni at hen ddoc Tywysog Cymru. Roedd 'na nifer o graeniau mawr yn y pellter a chofiais fel y byddai 'Nhad yn dod â fi am dro yma yn yr hen ddyddiau, a dangos y llongau a fyddai'n cludo cynnyrch y Mond i bedwar ban byd.

"Gwell i ti ddiffodd dy ffôn," dywedais.

"Pam felly?"

"Mae 'na GPS ar dy ffôn di. Maen nhw'n gallu dy dracio di, a hyd yn oed recordio'r sgwrs. Dwi ddim am i neb wybod am ein sgwrs ni nawr."

Diffoddodd André ei iPhone ac ro'n i'n falch o weld ei fod wedi cael ychydig o ofn. Cerddon ni ymlaen ar hyd llwybrau tywyll, unig yr hen ddociau, oedd gyda'r mwyaf yn y byd ar un adeg. Roedd y môr yn ymestyn y tu ôl i ni ac roedd pier y Mwmbwls yn y pellter, y tu draw i forglawdd y dociau a'r Marina.

Dechreuais trwy ddweud: "André, ti wastad wedi dweud pethe reit wrth-Americanaidd. Yn wir, eithafol o wrth-Americanaidd…"

"Do, rwy'n siŵr."

"Rwy'n cofio sawl tro yn Peppers…"

"Wel, bastards ydyn nhw, mae pawb yn gwybod hynny."

"Sut, felly, wyt ti'n gallu gweithio iddyn nhw?"

Arhosodd am eiliad, yna cerddodd ymlaen gan syllu ar y ffordd goncrit o'i flaen. Dywedodd o'r diwedd: "Dwi ddim yn gweithio iddyn nhw."

Cerddon ni ymhellach mewn tawelwch, nid i unrhyw le yn arbennig, ond i rywle digon pell oddi wrth adeiladau, pobl, camerâu. Roedd y tirlun yn moeli fwyfwy wrth inni droi at y môr. Roedd gwestai a fflatiau a swyddfeydd newydd SA1 fel rhes o focsys matsys draw ar ffordd Jersey Marine lle roedd goleuadau'r ceir a'r lorïau yn dal i ddilyn ei gilydd yn un neidr hir ar y ffordd i mewn i Abertawe o'r M4.

"Ond maen nhw'n gwybod stwff – stwff amdana i – allai ddim ond bod wedi dod oddi wrthyt ti."

"'Sda fi ddim syniad am be chi'n sôn."

"Maen nhw'n gwybod am bethau ddigwyddodd yn Nulyn flynyddoedd yn ôl. Neu na ddigwyddodd."

"Dulyn?"

"Ie, Dulyn, Iwerddon, yr ynys yna rhyngon ni ac America. Paid actio'n dwp."

Cerddon ni ymlaen mewn tawelwch eto. "Cash bricks," dywedais. "IRA."

Cerddodd André ymlaen, fel petai heb 'y nghlywed i. Dywedais: "Ti'n deall, os ti wedi bod yn sbowtio amdana i wrth y CIA neu rywun fel'na, ti mas o job. O fory 'mlaen."

"Nid fi soniodd," atebodd o'r diwedd. "Nid wrthyn nhw, nid wrth yr Americans."

"Wrth bwy, felly?"

"OK, y Brits. Maen nhw'n gofyn pethe i fi weithiau. Rhoion nhw fi ar y sbot."

"Y Brits? Wrth gwrs, base 'da nhw ddiddordeb yn yr IRA – ond pam wedest ti gelwydd?"

"Dim ond wrth basio wedes i fe. Ro'n nhw angen clywed rhywbeth."

"Ond doedd dim IRA, ti'n deall. Fe wnest ti gamglywed. Jyst meddwl o'n i y gallai'r banciwr yna fod yn eu helpu nhw. Doedd dim sail i'r peth."

"Iawn, ond wnes i ddim dweud i chi daro *deal* 'da nhw."

"Ond cystal â dweud. Pam?"

Stopiodd André ac edrych arna i. Dywedodd yn dawel: "Er mwyn fy mrawd. Os o'n i'n cydweithio, bydden nhw'n ei gael e mas o garchar yn Tunis."

"Ond sut gallen nhw? Onid yw'r llywodraeth yno'n pro-Rwsiaidd?"

"Dyw hwnna ddim yn broblem."

"Sai'n deall."

"Mae rhai o'r bobol mwya pro-Rwsiaidd yn Tunis yn gweithio i'r CIA."

"Jyst fel ti felly? Yn wrth-Americanaidd, ond yn gweithio i'r bastards."

"Nid iddyn nhw rwy'n gweithio."

"I bwy felly?"

"I'r Brits, fel wedes i, rhyw foi o MI5, *counter terrorism*."

"Ond sut basen nhw'n gallu helpu dy frawd?"

"Maen nhw'n siarad â'i gilydd, y bobol 'ma."

"Ond pam fy nhynnu i mewn i'r holl *shit* 'ma?"

"Nid chi sy'n ddiddorol iddyn nhw."

"Pam, felly, ti'n adrodd stwff 'nôl amdana i?"

"Rhyw fath o *spin-off* oedd hynny. Damwain oedd e 'mod i wedi cael job yn eich bwyty. Dim ond wedi iddyn nhw sylweddoli 'ny y dechreuon nhw ofyn cwestiynau."

"Rwy'n gweld…"

"Mewn teroristiaid go iawn mae eu diddordeb nhw. Rhai fel Yousef, y boi yna chwythodd Dyrau Masnach y Byd lan ryw ugain mlynedd yn ôl. Roedd e'n stiwdant yn Abertawe am flynyddoedd. Byth ers hynny mae treiddio mewn i gelloedd Mwslemaidd yn Abertawe yn flaenoriaeth iddyn nhw."

"A dyna dy job di?"

"Rwy'n casáu beth rwy'n neud, ond rwy'n ei neud e dros fy mrawd."

Roedden ni wedi cerdded yn reit bell erbyn hyn. Stopiais a sefyll yn erbyn rhyw bolyn lamp unig, di-olau. "Does neb yn mynd i'n clywed ni fan hyn," dywedais, "a does 'na'r un camera CCTV yn agos chwaith. Dyna beth arall od: dim ond weithiau maen nhw'n gweithio, a dim ond i rai pobl."

"Rwy angen ffag," dywedodd André.

Aethom ymlaen i sefyll yn erbyn wal rhyw warws wag a thanio bob i Gitane.

"Pwy recriwtiodd di, felly?" gofynnais.

Anadlodd i mewn yn araf cyn dweud: "Bruno dynnodd fy sylw at y job yn Abertawe."

"Bruno?"

"Un o'r criw yn Blackstock Road, ond nid iddo fe rwy'n ateb."

"I bwy felly?"

"Dim ots pwy, y dyn MI5 yma, rhyw toff ysgol fonedd… rwy jyst eisiau cael mas o hyn i gyd. Dwi'n trio'u cadw nhw'n hapus gan obeithio byddan nhw'n dal at eu gair. Dyna i gyd sydd iddo fe."

"Sef adrodd be sy'n mynd ymlaen ymhlith Mwslemiaid Abertawe, pwy allai fod yn beryglus ac yn y blaen?"

"Dyna beth maen nhw'n disgwyl gael. Ond dy'n nhw ddim yn deall: *one-off* oedd Yousef. Dwi jyst yn bwydo gwellt iddyn nhw."

"Dyna ti'n ddweud."

"'Sdim rhaid i chi 'nghredu i."

Gan bwyso yn erbyn y wal, troais ato a gofyn: "Ga i ateb gonest i un cwestiwn – dim cachu nawr?"

"Dwi ddim yn arfer siarad cachu."

"Lucy Carter – ti wedi clywed amdani hi?"

Edrychodd yn syn i'm llygaid, gan ddal i chwythu'r mwg o'i geg: "Naddo, ddim erioed."

*   *   *

Cerddon ni ymlaen yn ansicr wedi gorffen ein Gitanes. Doedd fawr o bwynt mynd ymhellach. Roedden ni nawr mewn llecyn agored ar gyrion eithaf yr hen ddociau. Roedd môr eang, di-draeth o'n blaenau a gwynt oer yn chwythu i'n hwynebau.

"Sut ti'n gallu 'i neud e?" gofynnais gan daro bys ar fy nhalcen. "Bradychu dy gyd-Fwslemiaid, gwneud hynny'n gyson, bwydo gwybodaeth 'nôl yn eu herbyn nhw – yn erbyn dy bobl dy hun?"

"Mae'r Americans yn bwerus, ond ddim mor glyfar â hynny. Rwy'n bwydo digon o stwnsh iddyn nhw i'w cadw nhw'n dawel."

"Ond ddywedaist ti mai i'r Brits rwyt ti'n atebol?"

"Ie."

"Felly sut gelli di fod yn siŵr y byddan nhw, yr Americans, yn cadw'r fargen yma ynglŷn â dy frawd?"

"Alla i ddim bod yn siŵr."

"Uffern dân, ti'n chware gêm ansicr ar y diawl. Tybed pwy yw'r mwya clyfar yn y diwedd, ti neu nhw?"

Gwnaeth André ryw ystum ddi-hid.

"Rhaid bo ti'n cael pres am hyn?"

"Costau, weithiau."

"Gawn ni eistedd?" gofynnodd yn y man, wedi i ni gyrraedd rhyw bentwr o *breeze blocks* rhydd. "Chi ddywedodd, yn y bwyty, fod y byd 'ma'n lle rwff, chi'n gorfod gwneud y gorau ohoni, na allwch chi fod yn rhy *fussy* am ddrwg a da – rhywbeth fel'na."

"Ie, 'da fi ryw gof."

"Chi wedi cael bywyd eitha cysurus, basen i'n dweud. Swyddi da iawn, arian da, priodasau – 'da chi blant – a nawr eich busnes eich hun."

"Mae hwnna i gyd yn swnio'n dipyn gwell nag yw e."

"Golles i'n rhieni gyda'i gilydd. Ffoies i i Baris, wedyn i Lundain a nawr i Abertawe. Mae 'mrawd mewn carchar a rhaid i fi 'i gael e mas. Chi'n deall o lle rwy'n dod? Alla i ddim fforddio hollti blew am egwyddorion fel y'ch chi'n gneud…"

"Ac yn y cyfamser ti'n cachu ar dy bobl dy hun – ac arna i?"

Edrychodd André arna i'n wyllt, yna sefyll ar ei draed a dechrau tynnu ei siaced i ffwrdd. Llamodd saeth o ofn drwof. Codais oddi ar y pentwr blociau. Beth oedd y boi'n neud? Edrychais o 'nghwmpas. Dim ond rhyw hanner canllath oedd yna at y doc mewnol. Y tu ôl i fi roedd ffrâm hen lwyfan ar gyfer llwytho nwyddau, ei grafanc yn aneglur yn erbyn yr awyr ddulas. Meddyliais yn syth am John Harries. Ai fel hyn roedd e'n teimlo cyn i'r ddau fastard yna ymosod arno? Onid rhyw bellter tebyg oedd rhyngddo a'r cei lle boddodd? Dim ond un oedd André ac er ei fod yn fyrrach ac yn feinach na fi, roedd yn iau ac yn fwy ffit. Rhedodd hen gynghorion trwy fy mhen: cael dy ymateb i mewn gynta, cic i'r cwd cyn i'r llall sylweddoli…

Yn araf, rholiodd André lewys ei grys. Yna gosododd ei fraich dde o'm blaen, a dangos tatŵ o'r cilgant a'r seren Fwslemaidd mewn inc glas. Yna dangosodd ei fraich chwith. Arni roedd tatŵ o'r Ddraig Goch, mewn inc coch, ffres.

"Rheina," meddai, "sy'n 'y nghadw i ar y trac iawn."

"Hy!" dywedais. "Alla i dy weld ti'n fflachio'r seren dan drwynau dy ffrindiau Mwslemaidd, y rhai ti'n eu bradychu."

"Dwi ddim yn dangos e iddyn nhw. I fi mae'r seren, i fy atgoffa i."

"Ie, alla i weld bod angen hynny… a phryd wnest ti'r un Draig Goch 'na?"

"Nadolig dwetha, ar ôl dod i Abertawe…"

Yna cerddon ni 'nôl, mewn tawelwch, yn erbyn y gwynt. Roedd fy mhen ar chwâl. Do'n i ddim yn gallu meddwl, ond beth mwy oedd i'w ddweud? Fe basion ni'r hen ddociau eto a chael cyfle arall i edrych ar yr adeiladau oedd ar hanner eu codi ar bwys y draffordd. Roedd y traffig yn llai prysur nawr. Cerddon ni ymlaen gydag ymyl y môr, oedd yn golchi i fyny yn erbyn y cei.

Roedd y tawelwch rhyngom yn un rhyfedd: nid cyfeillgar, nid anghyfeillgar, ond yn wahanol, ac yn ddyfnach, fel petaen ni'n dau wedi ildio i ffawd, ac yn deall mai hi yw'r feistres yn y diwedd. Yn nes ymlaen, dywedais: "Ti'n gwybod, maen nhw'n dweud y bydd y môr yn codi ac yn sgubo'r sbwriel yma bant i gyd: SA1, y blociau, y swyddfeydd, y bariau, La Parrilla…"

Meddyliodd André am ychydig, y posibilrwydd o wên yn chwarae ar ei wefus. Yna diflannodd y wên, a dywedodd, gan edrych arna i: "Un ffordd neu'r llall, ti'n dal yn gorfod gwneud be sy'n iawn."

27: Blackpill

*T*HANK GOD IT'S FRIDAY meddai enw un o'r bwytai newydd, Americanaidd yn Wind Street, ond i'r Queens ro'n i am fynd, yr ochr dawel i'r briffordd. Ro'n i angen peint oer o Guinness, Dannemann a hoe. A llond stafell o bobl braf, ddiagenda; *barmaids* bronnog, plaen eu sgwrs; tawelwch di-*musak*, er bod rhywun weithiau'n rhoi swllt yn y blwch jiwc neu'n rhoi tonc ar y piano – ond gorau i gyd yw hynny.

Wrth gerdded i mewn i'r Queens, ro'n i eisoes wedi llygadu sedd wag, gysurus wrth y drws, ond pwy ddaeth i gwrdd â fi, ar ei ffordd allan, ond Frank. Do'n i ddim wedi'i weld e ers tro ond roedd e'n edrych, fel bob amser, yn dda ac yn ffit yn ei siaced ddenim a'i grys-T du.

"Ti ar frys?" gofynnais. "Amser am hanner?"

"Pam lai?" dywedodd gan droi'n ôl i mewn i'r bar. "Felly, sut mae bywyd yn dy drin di?"

"Ddim yn wych. Gollais i 'Nhad…"

"Mae'n ddrwg 'da fi, mae hynny'n dipyn o beth… ond busnes yn iawn?"

"Paid â sôn am hynny…"

"Ond ti'n gadael menywod Abertawe i fod?"

"Mae 'na rai gwaeth: rhai o America."

"Anodd 'da fi gredu hynny. Gollyngest ti hi?"

"Na, hi ollyngodd fi."

"O wel, rhyw blydi gêm ydi hi ar y gorau, yntê?"

Gyda pheint o Guinness i fi a photel o Beck's i Frank, fe aethon ni at y seddi wrth y drws.

Meddai Frank: "Felly, beth am ferched o'r Dwyrain? Welest ti Malee, rwy'n deall."

"Do, ond falle na wnes i handlo fe'n rhy dda."

"Ti'n gwybod bod hi'n mynd i'r Bar Reef?"

"Be? Y dafarn yna ar Walter Road?"

"Ie."

"*Shit*!" dywedais gan beri i'r Guinness orlifo dros y bwrdd. "Wyddwn i ddim eu bod nhw mewn i fwyd."

"Peth newydd yw e. Fan'na mae'r elw, yntefe? Hi fydd yn rhedeg y gegin."

"Ar ei phen ei hun?"

"Diawch, Rhys, os ti mor *keen* â hynny arni, well i ti siarad â hi glou – ond gallai fod yn rhy hwyr. Rwy'n credu bod hi'n dechrau rywbryd ym mis Medi, ar ôl iddyn nhw adnewyddu'r gegin."

"Lwcus i fi weld ti, Frank."

"Paid siarad rhy fuan, Rhys… ond os ca i ddweud, sai'n deall dy broblem di, nawr bod Sheena wedi gadael."

"Sut glywest ti?"

"Mae pawb yn gwybod busnes pawb yn Abertawe."

"Ond mae André'n dal 'da fi – dyna'r broblem."

"Ga i fod yn onest? Sai'n dy ddeall di. Dyna ti wedi datrys y broblem rhwng Sheena ac André, a nawr ti eisiau cael gwared â'r ddau! Be ti moyn? Bwyty heb staff o gwbl?"

"Rhywbeth newydd sydd wedi codi 'da André, rhywbeth rhy gymhleth i fi egluro nawr."

"Ond mae e'n *chef* iawn?"

"Sai'n trystio fe."

"Beth, ydi e wedi bod yn dwyn?"

"Na, 'da fe geg fawr. Cei di'r stori rywbryd eto…"

Edrychodd Frank arna i'n llawn consýrn. "Ti fel 'set ti'n mynd i ryw strach o hyd gyda staff."

"Ti'n iawn. Rwy'n meddwl weithiau nad ydw i wedi 'nhorri

mas ar gyfer y gêm yma. Ddylen i fod wedi sticio at hwylio. Ti'n dal i wneud, rwy'n cymryd?"

"Ydw. Kikki'n lico mynd mas ar y môr weithiau. Dyna o'n i'n gwneud heno, gwneud 'bach o gynnal a chadw ar gyfer y penwythnos. Galle hi fod yn braf, ti byth yn gwybod."

"Yn hollol, mae'r posibilrwydd tenau wastad yna. Felly, busnes yn iawn?"

"Rwy'n dechre 'laru ar y tai. Mae rhywbeth o hyd: toeon yn gollwng, damp yn codi, plastar yn cwmpo, *ties* yn rhydu... Rwy'n ystyried eu gwerthu nhw, a falle prynu bar yn y ddinas."

Edrychais i lygaid Frank. Do'n i byth yn siŵr pryd oedd e o ddifri. "Paid gwneud hynny! Baset ti off dy ben!"

"Ond bar da, dinesig, soffistigedig. Bar ar gyfer siarad, nid yfed. Bar ar gyfer gwario, bar drud, bar ar gyfer cael eich gweld. Rwy'n gwybod ble i gael y celfi, a'r gwaith celf."

"Rwy'n gwybod be 'sda ti'n gwmws. Mae Berlin yn llawn o lefydd fel'na."

"Mae Abertawe'n wahanol, ac yn anffodus nid nawr yw'r amser i agor un."

"Rwy'n deall yr apêl o gyfuno gwaith a phleser, ond dyw e byth yn gweithio, ydi e, os ti'r ochr anghywir i'r cownter?"

"Ond wedyn, be sy'n gweithio?"

"Rwy'n dal i bendroni dros y cwestiwn yna," dywedais. "Rho wybod pan ffeindi di'r ateb."

Trawodd Frank ei botel Beck's ar y bwrdd, a chodi yn y ffordd hamddenol ond gwyliadwrus yna oedd ganddo. "Rhaid i fi fynd," dywedodd. "Os ydi popeth arall yn methu, chwilia am ferch o'r Dwyrain."

"Falle gwna i, wir," atebais. "Ond bydd angen iddi fod yn gyfoethog."

*   *   *

Â pheint ffres o'm blaen, edrychais yn ddiog ar y lluniau o hen longau ar y waliau, a'u teimlad o hanes. Mae rhywbeth braf am hynny. Mae digon o hanes yn Abertawe ond anaml y'ch chi'n gweld ei ôl. Rhyngof i a'r lluniau roedd eitem fwy diweddar, sef arth enwog y Queens. Roedd baner y Swans fel ffedog am ei ganol, yn sgwariau du a gwyn – fel trowsus blydi André.

Triais sgubo André o fy meddwl, ond ar ôl clywed newyddion Frank am Malee yn symud o'r Bay View, roedd y diawl yn debyg o aros yna gan sbwylio fy mwynhad. Bues i'n rhy araf, on'd do? 'Sen i wedi rhoi cynnig iddi, base hi wedi derbyn. Base'n well 'da hi fod yn *chef* mewn bwyty yn y Mwmbwls nag yn rhedeg cegin mewn tafarn siwdo-Awstralaidd ar Walter Road. Ro'n i rhwng dau feddwl neithiwr, wedi'r sgwrs hir yna yn y dociau. Ond heno gwelwn yn glir: does neb yn cyflogi rhywun sy'n clepian amdano wrth yr heddlu cudd.

Es i â'r Guinness allan, i'w fwynhau gyda Dannemann ar feinciau'r smygwyr tu fas. Yno mewn cornel roedd merch dal yn sgwrsio'n ddwfn â rhyw foi. Gwyddwn amdani, roedd hi'n artist o Hambwrg oedd yn gweithio yn un o'r orielau lawr yr hewl, ar bwys Theatr Dylan Thomas. Roedd rhai parau graenus eu golwg nawr yn pasio heibio ar eu ffordd i ryw berfformiad. Gofynnais i fi fy hun: oes 'na ran o fywyd Abertawe rwy wedi'i golli'n llwyr? Cofiais am y flonden welais i yn yr Ice House. Oedd hi'n troi yn yr un cylchoedd, tybed? Sut ydw i'n llwyddo i lanio wastad ar y tu fas?

Ond ar y tu fas y byddwn i os na wnawn i un peth yn fuan iawn: ffonio Elin Ashley. Wedi dadleniadau André neithiwr, roedd *damage limitation* nawr yn flaenoriaeth. Roedd angen i fi wybod be oedd yn digwydd rhyngddi hi a Jenny Ward, oedd 'na fwy i stori'r ambiwlans – ond, yn bwysicach na dim, oedd y cyfan ar stop? Doedd ein sgwrs ffôn ddiwethaf ddim wedi fy argyhoeddi, o bell ffordd. Tynnais fy ffôn o'i waled a thapio – unwaith eto'n nerfus – ar rif personol Elin.

"Elin, helô?"

"Rhys yma."

"Rhys! Ti'n dal ar dir y byw? Ro'n i wedi rhoi i fyny arna chdi!"

"Rwy yma o hyd, ond dim ond jyst. Mae 'na bethe newydd wedi digwydd oddi ar yr angladd. Wna i egluro eto. Rwy yn y Queens heno. Ro'n i angen Guinness."

"Dwi'n dallt yn iawn, ond gynnon ni lot i'w drafod, Rhys."

"Dim gormod, gobeithio. Rwy'n cymryd bod y cyfan ar *hold*, fel cytunon ni?"

"Ydi, ond tydi petha ddim cweit mor syml â hynny. Dyna pam mae'n rhaid i ni gwarfod."

Ochneidiais. "OK – felly, pryd a ble?"

"Nos fory? Basa pryd o fwyd yn neis, yn rhywle llai cyhoeddus na'r tro dwytha, ella?"

"Ti'n iawn. Mae'r bygars ymhobman. Rwy'n meddwl weithiau eu bod nhw'n tracio fy ffôn trwy'r GPS."

"Tafla fo, neu pryna un rhad."

"Syniad da iawn. Mae Nokia'n gwneud rhai perffaith am £9.99… neu gallen ni fynd am dro i rywle. Beth am ar lan y Bae?"

"Iawn gin i."

"Allen ni gwrdd wrth y gofeb ryfel 'na ar bwys cae San Helen, gyferbyn â'r Rec? Ti'n gwybod amdani?"

"Ydw, mi wn i… a dwi'n dechra cynhesu at y syniad o dro ar lan y Bae. Mae Hywal yng Nghaerdydd fel mae'n digwydd."

"Gallet ti ddal tacsi gartre o'r Mwmbwls. Base ar ôl gwaith yn dy siwtio di? Tua hanner awr wedi chwech?"

"Perffaith. Wir, dwi'n edrach ymlaen yn arw."

Dyna'r broblem, meddyliais wrth ddiffodd y ffôn. Bob tro rwy'n ymwneud ag Elin, mae'r amhersonol yn troi'n bersonol. Taniais y Dannemann, yn siŵr 'mod i wedi gwneud camsyniad arall – ond un mawr, terfynol y tro hwn…

*　　*　　*

Roedd Elin eisoes yn sefyll wrth y gofeb ryfel pan gyrhaeddais i ar droed o'r Marina. Roedd hi'n gwisgo siaced ysgafn, biws, rhy ifanc ac yn gwenu'n braf – nid yr olwg ro'n i'n disgwyl cyn cyfarfod i drafod sut i'n rhyddhau ni'n dau o afael y gwasanaethau cudd.

"Weli di'r ffair 'cw?" meddai Elin gan bwyntio at y rowndabowts a'r ffigyrau wyth a'r stondinau ar faes y Rec, yn wledd o oleuadau lliwgar a grwndi miwsig pop. "Wyddat ti amdani hi?"

"Na, dim syniad."

"Awn ni draw 'cw i weld be sy 'na?"

"Ti'n meddwl?" gofynnais yn amheus.

"Ty'd! Wyt ti'n un da am hitio coconyts? Gawn ni drio fo? Neu well gin ti ddarts? Mae 'na rai stondina lle ti'n cael rhwbath dim ots pa mor flêr ti'n taflu!"

"Wel, wnawn ni osgoi'r rheina. Sai'n bwriadu cario tedi bêr mawr pinc…"

"… fflwfflyd, cofia!"

"… yr holl ffordd i'r Mwmbwls!"

"Ond ella basa fo'n drysu'r CIA, a'u bwrw nhw oddi ar ein trywydd ni!"

"Ac wyt ti wedi diffodd dy ffôn, Elin?"

"Beth os ffonith Hywal?"

"Rheswm arall i'w ddiffodd e!"

Roedd gwên lydan ar wyneb Elin wrth iddi estyn y ffôn o'i bag a'i ddiffodd. Dechreuodd fynd i lawr y llethr gwyrdd, ei breichiau ar led rhag iddi syrthio, cyn cyrraedd ymyl yr heol islaw. Fe ddilynais hi yn fy ffordd flêr fy hun, a phan welon ni fwlch yn y traffig, fe groeson ni draw i'r ffair.

Y peth cyntaf welson ni oedd y Monte Carlo Run, stondin ceir *bumper*. "Beth amdani?" meddai Elin, gan dynnu ar fy mraich.

"Bydd angen i fi gael rhywbeth i setlo'r stwmog cyn mynd ar rywbeth fel'na!" dywedais.

"Syniad gwael iawn, 'swn i'n deud. Sbia, elli di yrru mor wyllt â fynni di heb boeni am yr un ddamwain na chael yr un crafiad ar y car. Dwi'n siŵr bod gyrru'r Audi yna yn brofiad reit nerfol i chdi, o ystyriad cymint o feddwl 'sgen ti ohono fo!"

"Sai'n meddwl dim ohono fe," atebais. "Mae'r llyw ar yr ochr anghywir, felly mae'n agos at fod yn ddiwerth."

"Ond mi fasat ti'n crio'n arw tasa rhywun yn ei ddwyn o."

"'Sen i'n cael un newydd wedyn – tasen i'n gallu'i fforddio fe."

"Wir, Rhys, ti'n rwdlan rŵan."

"Licen i petasen i…"

Anwybyddodd Elin fy niffyg brwdfrydedd a'm tynnu at y cownter bach crwn a'r dyn mawr oedd yn cyrcydu y tu mewn. Gan roi papur pumpunt ar y sil, gofynnodd am reid i ddau. Dilynon ni'r dyn, a'n harweiniodd at gerbyd glas a *chrome*, ond prin o'n i'n gallu ffitio i mewn iddo fe. Yna cymerodd Elin y llyw a gwasgu rhyw fotwm ac roedden ni'n chwyrlïo rownd y llawr gan roi clec galed i un car gwag ar ôl y llall.

Ches i ddim eiliad i ystyried beth oedd yn mynd ymlaen yma. Roedd yn rhaid i fi roi fy mraich am Elin neu basen i wedi'i gwasgu mas o'r cerbyd. Pan wnes i hynny fe wnaeth sŵn "Mmmm" fel plentyn wedi cael Malteser. Does 'da fi ddim byd o gwbl yn erbyn rhoi pleser i ferch – rhywbeth ro'n i'n amlwg wedi methu'i wneud yn ddiweddar – ond petai aelod o'r *paparazzi* yn digwydd bod wrth law, byddai'r llun yn eitem handi mewn achos o ysgariad.

Pan ddaethon ni allan o'r car, wedi'n siglo gan y profiad a finnau gan y Chanel Rhif 1 neu Rif 5 roedd Elin yn ei wisgo, roedd hi'n edrych yn hapus ond yn euog. Gwrthodais y cynnig i daflu peli golff at res o goconyts lle roedd y gwobrau'n amrywio o bysgodyn aur mewn bag plastig i bêl-droed sbwng.

Pasion ni nifer o stondinau 'bwyd' fel afalau taffi a chandi fflos a hambyrgers cyn dod at stondin saethu at gardiau'r diafol, fel byddai 'Nhad yn eu galw nhw.

"Yli, Rhys," meddai Elin, "dyma gyfla i ddangos faint o ddyn wyt ti."

"Rwy o blaid unrhyw beth sy'n cyfrannu at y syniad yna."

"Wel, cymer o! Ti wedi handlo gwn o'r blaen?"

"Dim ond un ffair, flynyddoedd yn ôl, pan o'n ni'n dod yma fel teulu. Ie, rhaid bod 'na ddeugain mlynedd gyfan oddi ar hynny, deugain mlynedd o gamau gwag…"

"Mi fasa'n ddiflas iawn tasa'r cama i gyd yn gywir."

"Mae hynny'n ddigon gwir."

Yna gofynnodd Elin i'r dyn: "Ga i fenthyg un, i drio?"

"Show us what ewe're made of, love."

"Ti yw'r un i gymryd y gwn," mynnais. "Ti sy'n saethu'r *shots* y dyddie 'ma, nid fi."

"Wel, os ti'n deud, mi wna i, hefyd!" meddai gan gymryd y gwn yn ei llaw a thalu'r dyn. Ond do'n i ddim am i Elin, oedd yn fain o gorff, gael sioc o hergwd y gwn, ac fe'i helpais i ddal y gwn yn gadarn yn erbyn ei hysgwydd. Saethodd dair gwaith i gyfeiriad cyffredinol y bwrdd gan droi ata i a chwerthin i'm llygaid ar ôl pob ergyd, fel petai hi wedi taro'r âs bob tro.

"Lwcus bo ti ddim wedi ennill yr arth fflwfflyd," dywedais.

"Nid hwnnw o'n i isio'i ennill," atebodd Elin yn hapus gan gyffwrdd â 'mraich.

*   *   *

Fe groeson ni wrth y groesfan draffig ac esgyn i'r llwybr sy'n cwmpasu Bae Abertawe. Dyma lle rhedai trên y Mwmbwls slawer dydd, a gallen ni weld y Mwmbwls ei hun yn pefrio'n dawel ar ben draw'r Bae. Roedd hi nawr yn union rhwng dydd a nos, y cyfnod byr yna pan mae'r awyr a'r môr yn wahanol fathau o lwyd ariannaidd, y môr fel drych mawr golau yn adlewyrchu'r awyr. Rhyngddyn nhw roedd goleuadau'r Bae yn pefrio, yn hanner cylch o berlau gwyn a melyn, fel llun o hen boster trenau yn hysbysebu Nice.

Doedd hyn o ddim help i'n sadio ni. Roedden ni wedi ymddwyn fel cariadon yn ein harddegau. Nawr roedd yn rhaid i ni adfeddiannu ein *personae* swyddogol, Rhys John ac Elin Ashley. Sylwais fod Elin yn dal ychydig allan o wynt, a'i hwyneb yn parhau'n wridog.

Pwyntiais at yr olygfa a dweud: "Abertawe…"

"Allwch chi ddim curo fo. 'My Kinda Town'," meddai, yn clicio'i bys.

Ar ôl hynny, fe gerddon ni ymlaen yn dawel, yn trio cuddio ein hapusrwydd ac yn trio peidio meddwl am oblygiadau be ddigwyddodd yn y ffair. Doedd 'na ddim byd i ddifaru amdano eto; y cwestiwn oedd, am be fydden ni'n difaru o hyn ymlaen? Roedd yn bryd i ni'n dau gwlio i lawr – wedi'r cyfan, roedd 'na bethau go drwm i'w trafod – ac fel roedden ni'n agosáu at bont y Brifysgol, gofynnais: "Felly wnest ti gadw dy air? Wyt ti ar stop nawr, Elin?"

"Dwi byth ar stop, Rhys."

"Rwy'n gwybod hynny. Dyna'r drwg. Ond does dim byd wedi digwydd, oes e, ers i fi dy ffonio di o'r ysbyty?"

"Wel, oes – a nagoes…"

"Dyna'r ateb ro'n i'n ofni," dywedais wrth wylio ffigwr tal Elin yn camu'n fywiog a phwrpasol rhyngof a'r môr yn ei siaced zip a'i sgert dynn, ddu.

"Gwell i mi egluro. Sgwennis i e-bost gynta at Jenny, yn holi allasa hi hel gwybodaeth am unrhyw gynlluniau i ehangu safleoedd yr Americaniaid yng Nghymru. Roedd hynny fel cytunon ni."

"Yn gwmws. Pam ddim ei gadel hi fan'na?"

"Wel, mi ges i gydnabyddiaeth fer mewn rhyw wythnos, ac ro'n i'n meddwl, wel dyna ni, dyna ddiwadd y stori."

"Ie, gwych."

"A do'n i ddim wedi sôn am achos John Harries wrthi, wrth gwrs."

"Na, sut allet ti, a dim wedi'i brofi?"

"Yn union, Rhys. Ro'n i'n teimlo bod angan i mi gael mwy i'w ddweud wrthi, ac felly mi wnes i siecio stori'r ambiwlans, fel deudis i wrthat ti, a chael cadarnhad bod 'na filwyr o'r *bases* Americanaidd wedi creu llanast yn Abertawe."

"Felly est ti'n ôl at Jenny Ward?"

"Mi lwyddais i i'w ffonio hi, neu mi ffoniodd hi fi'n ôl. Buon ni'n trafod a ddylsa hi ofyn am ymchwiliad annibynnol i'r digwyddiada 'ma yn y Marina."

"Wel, mae'r syniad yn iawn, ond mae'n annhebyg y bydde'r canlyniad yn wahanol, a'r holl dystiolaeth wedi'i chuddio."

"Dyna feddylion ni hefyd – felly mae hi'n mynd i wneud ychydig o waith i fatar y *drone zones*, ac oes 'na gynllunia i'w hehangu nhw."

"Elin," dywedais, wedi ystyried beth ddywedodd hi, "mae be wnest ti'n iawn, ac yn rhesymegol. Y broblem ydi, maen nhw'n gwybod y cyfan. Byddan nhw'n gwybod dy fod ti wedi busnesa yn yr ysbyty, a dy fod ti'n dal ar eu trywydd nhw. Yn fwy nag erioed, felly, ry'n ni'n darged iddyn nhw."

"Ti'n darllen gormod o Le Carré, Rhys."

"Licen i petai 'da fi'r amser. Ond beth yw'r ffeithiau? Maen nhw wedi darllen pob un e-bost rwy wedi'i gael a'i anfon i'r Almaen – rhai ohonyn nhw'n eitha gwleidyddol – ac yn gwybod am rai o'r pethe *grey area* o'n i'n gneud i Sanotis. Ac rwy wedi cael 'y mygwth a'm rhybuddio i gadw draw o achos John Harries."

"Gin yr Americanes yna?"

"Maen nhw ar y *case,* ar ein *case* ni'n dau."

"Ydyn nhw'n gwybod am ein pryd ni yn y Meridian?"

"Wnath hi ddim enwi'r lle, ond rwy'n eitha siŵr."

"Trio dy ddychryn di oedd hi: dyna i gyd oedd o."

"Ond mae 'na un peth arbennig sy wedi 'nychryn i'n fwy."

"A be fasa hynny?"

"Mae hyd yn oed fy *chef* fy hun – Algeriad – wedi bod yn sbïo arna i!"

"Alla i ddim credu hynny," meddai Elin, a stopio am eiliad.

"Wnaeth e gyfadde hynny nos Fawrth. Ethon ni am dro hir draw i SA1. Doedd e ddim yn dro mor bleserus â heno…"

Wedi i fi ymhelaethu ychydig ar yr hanes, dywedodd Elin: "A ti'n dal i'w gyflogi o?"

"Rwy mewn 'bach o gyfyng-gyngor."

"Wir, ti'n *softie*, Rhys."

"Pam ti'n dweud hynny?"

"Wel, mae'n drosedd ddwbwl, yn tydi, os oedd o'n adrodd 'nôl amdana chdi ac yn deud celwydda ar ben hynny. Dim ond ei gyflogi o wyt ti, ti ddim yn dad bedydd iddo fo."

"Ti'n iawn, ddylen i fod yn galetach. Dyna 'ngwendid i."

"Wir, Rhys, rhaid i rywun edrach ar dy ôl di."

"Mae'r syniad yn apelio rywsut…"

Cerddon ni ymlaen mewn tawelwch tua'r caffe yn Blackpill a'r lido a'r llyn i blant, oedd yn wag er bod 'na rywrai yn yfed gwin yn y Junction. Roedd yn barti o ryw fath, un bach, dethol, braf. Edrychais yn eiddigeddus ar y criw yn mwynhau, gan ofyn eto sut ar y ddaear y ffeindiais i fy hun wedi 'nhrapio fel hyn.

Gofynnais yn y man, heb frwdfrydedd: "Felly be sy'n digwydd? Pryd bydd y fenyw Ward yma'n tanio?"

"Mae'n dibynnu. Dydi hi ddim yn siŵr ydi rhyddid gwybodaeth yn berthnasol i'r penderfyniad i ehangu. Mae'r Weinyddiaeth Amddiffyn yn agorad ynglŷn â'u polisi o ddatblygu technoleg *drones*. Yn y manylion mae'r diafol, ble a phryd a sut."

"Ond ydi'r Americans mewn yn hyn?"

"Maen nhw eisoes i mewn, gyda'r Israeliaid, ond fel

cleientiaid. Y Weinyddiaeth Amddiffyn ydi'r darparwr, fel petai…"

"Felly beth yw rôl QinetiQ?"

"Cwmni ydi o sy'n ffrynt i'r Weinyddiaeth Amddiffyn, fel nifer fawr o gyrff eraill, yn cynnwys rhai siwdo-academaidd. Fel yr Americans, maen nhw'n arllwys ffortiwn i'r prifysgolion."

"Diawch, sut ti wedi ffeindio hyn i gyd mas?"

"Syml iawn. Ddeudis i, on'do, y baswn i'n rhoi deuddydd o waith mewn i hyn. Mae o i gyd ar y we."

Cerddon ni ymlaen mewn tawelwch, a'r sefyllfa'n ymddangos yn fwyfwy anobeithiol. Dywedais o'r diwedd: "Soniaist ti am yr Israeliaid. Beth sydd yn hyn iddyn nhw?"

"Fel ti'n gwybod, maen nhw ar flaen y gad mewn pob technoleg filwrol ond maen nhw angan digon o le i'w profi nhw, tir anial efo mynyddoedd isel, fel sy 'na ym Mhalestina – ac fel sy gynnon ni yng Nghymru…"

"Felly mae hyn *for real*…"

"Llygad am lygad, ti'n dallt. Maen nhw'n dal i fyw yn yr Hen Destament…"

"Onid yw'r diawled i gyd?"

Bu rhagor o dawelwch rhyngom. Yna gofynnais o'r diwedd: "Elin, oes pwynt i hyn i gyd?"

"Cymaint o bwynt ag i unrhyw beth 'dan ni'n neud."

"Ti'n meddwl?"

Fel roedd y cyfnos yn syrthio, disgleiriai goleuadau'r Mwmbwls yn swreal o lachar yn y pellter, fel y goleuadau ffair roedden ni newydd eu gadael. Roedden nhw'n annaturiol o gryf, fel 'sen i wedi cymryd LSD, fel y gwnes i unwaith flynyddoedd yn ôl yng Nghaerdydd. Triais snapio mas o'r peth, ond methu – ac roedd hynny, hefyd, fel o'r blaen. Teimlais ryw ofn. Beth oedd yn digwydd i fi?

Gan synhwyro fy hwyliau simsan, cydiodd Elin yn fy llaw, a dweud: "Be sy, Rhys?"

Dywedais yn wan: "Weithie chi'n methu dod mas o sefyllfa. Does dim ffordd mas o'r sefyllfa yma, oes e?"

"O ba sefyllfa?"

"O hyn i gyd. Ry'n ni'n dau wedi'n dal… Ddylen i byth fod wedi dy ffonio di ar ôl i ni gwrdd yn Charlies. Ro'n i'n gwybod y base fe'n gorffen fel hyn."

"Ond, Rhys, does dim byd wedi gorffan," meddai Elin yn ei llais hysgi, gan dynnu ar fy llaw. "Ella mai dechra ma petha… Mae 'na fainc draw fan acw. Gawn ni ista?"

*   *   *

Eisteddon ni ar y fainc, o dan gysgod y coed tal sy'n tyfu rhwng yr hewl fawr a'r traeth, tua hanner ffordd rhwng Blackpill a West Cross. Roedd hi'n weddol saff fan hyn, a dechreuais deimlo'n well. Yn sydyn, ro'n i y tu hwnt i boeni. Rhoddais fy mraich am Elin, fel y gwnes i yn y cerbyd ffair, a theimlo'i phersawr Ffrengig yn fy meddwi unwaith eto. Roedd popeth mas o reolaeth. Doedd dim allen i wneud ynglŷn â dim: ynglŷn ag Elin, na'r Americans, na'r bwyty hyd yn oed. Yna pwysodd Elin ei phen ar fy ysgwydd. Allen i mo'i rhwystro; do'n i ddim am ei rhwystro.

"Ti'n fenyw ar y diawl, Elin Ashley," dywedais gan ei thynnu'n dynnach ataf.

"Ti yw'r un penderfynol, Rhys. Ti sy wedi dilyn y stori 'ma trwy ddŵr a thân, a fy nhynnu i i mewn wedyn."

"Na, ti afaelodd yn y llinyn. Do'n i ddim yn siŵr beth i'w wneud."

"Ella, ond roeddat ti'n methu ei ollwng o chwaith."

"Ti'n iawn, a sai'n siŵr pam. Y waedd yna, falle. Camsyniad oedd y cyfan, mynd i'r afael â stwff sydd *out of bounds*. Mae 'na bethe nad yw dinasyddion cyffredin i fod i fela â nhw."

"Felly be ma pobol i fod i neud?"

"Gwylio'r teledu, talu'r morgais, newid y car lan, mynd am

wyliau fel bo nhw'n gallu godde'r bywyd maen nhw'n fyw."

"Yn union, Rhys," meddai hi gan glosio ataf.

"Fel arall, be sy'n digwydd? Be fydd yn digwydd i ni, os awn ni 'mlaen fel hyn?"

"Be ti'n feddwl wrth hynny?"

"Wel – gawn ni ddechre gyda'r stwff amlwg. Does dim dyfodol i *hyn*, oes e, Elin?"

"Ddim yn yr ystyr arferol, na."

"Ddim mewn unrhyw ystyr."

"Faswn i ddim yn deud hynny. Mae'n braf iawn cael ffrind, pan mae'r byd yn eich erbyn chi…"

"Anghofia'r byd, Elin. Mae'r byd wedi ennill, a'i ddwylo lawr."

"Dyna pam ma ffrindia'n bwysig."

"Elin, does dim gobaith i'r naill beth na'r llall: ni'n *fucked*."

"Na, ddim eto," meddai Elin, yn ddrygionus efallai: ro'n i'n methu gweld ei hwyneb yn glir.

"Ac alla i ddim bod yn 'ffrind' i ferch rwy'n hoffi: mae hwnna'n dric sai wedi'i gracio erioed."

"Wel, paid gadal iddo fo fod yn broblam i chdi!"

"Mae'n broblem yn barod," atebais. "Ac mae un peth rwy heb ddweud 'tho ti. Sy'n broblem arall, braidd yn wahanol…"

"A be 'di o?" meddai Elin gan eistedd i fyny.

"Steff Daniels," dywedais gan sylweddoli, wrth ddweud y geiriau, 'mod i'n gwneud camsyniad. "Roedd e'n rhan o'r Cynllun Mawr, on'd oedd e?"

"Do, mi ddeudist ti y basa chdi'n siarad efo fo."

"Wel, mae'n dod draw i'r bwyty nos Sadwrn, fel hen ffrind, wrth gwrs. Gwrddon ni yn yr angladd."

"Ond ma hynna'n ffantasdig, Rhys. Felly mi wnest ti gadw at dy air! Dwi'n licio hynna mewn dyn!"

"Nid fel'na digwyddodd e'n hollol. Wnes i ddim sôn am wleidyddiaeth…"

"Ond dwi bron â chredu mewn rhagluniaeth! Yng Nghymru, yn y diwadd, mae'r unig obaith, yr unig le lle gallwn ni wneud gwahaniath. Mi allsa fo o a Jenny Ward gydweithio. Ma hi ar delera da efo'r Blaid, Pleidwraig ydi hi, go iawn."

Dywedais yn fecanyddol: "Rwy'n addo dim, ond beth yw'r *brief*?"

"Reit syml, Rhys. Rho ychydig o'r cefndir iddo fo, ond yn y bôn, 'da ni jyst isio iddo fo neud yr un job yn y Cynulliad ag y bydd Ward yn neud yn Llundan. Gofyn cwestiwn, dechra trafodaeth – dim mwy na hynny."

"Ond cwestiwn i bwy?"

"Fo fasa'n gwbod. Y gweinidog efo gofal economaidd ella, gan mai nhw sy'n tywallt arian i'r *drone zone* – sydd, wrth gwrs, yn ei etholaeth o. Cofia hynny."

"Wel, cawn weld sut eith y noson. Mae'n bosib nabod rhywun yn rhy dda…"

"Ond mae o'n gyfla ar blât i ni. Ella'r cyfla ola."

"Fe dria i. Alla i ddim addo mwy…"

"Does 'na'm angan i chdi addo mwy i mi," meddai Elin gan roi ei braich am fy ngwddw, a'i phen eto ar fy ysgwydd, ac ychwanegu: "Does 'na'm angan i chdi addo dim byd i mi, Rhys."

Cydiais yn ei llaw rydd a chusanu ei bysedd yn dyner – â chariad, bron. Fel hyn, yn dynn yn ein gilydd, y buon ni'n edrych allan at y môr a phigyn y Mwmbwls gan deimlo rhyw lonyddwch dieithr a llethol – fel petaen ni'n rhannu cyfrinach ac wedi deall bod popeth yn amherffaith, a'r rhan fwyaf o bethau'n amhosib, ac nad oes gan bobl ddim ond nhw'i gilydd, a hynny am ychydig iawn o amser…

Yna'n sydyn, trodd Elin a gwthio'i hun arnaf a'm cusanu'n wyllt, fel na chusanodd yr un ferch fi o'r blaen, a'm boddi mewn cawod o gusanau gwlyb yn llawn angerdd ond heb obaith. Teimlais sioc a braint wrth deimlo'i breichiau'n gwlwm amdanaf. Do'n i ddim yn haeddu'r fath ffrwydriad o serch, ond triais beidio â'i hannog ymlaen achos fe wyddwn gystal â hi fod ein carwriaeth yn farw-anedig ac mor anobeithiol â'r achos gwleidyddol ro'n i'n esgus ei hyrwyddo.

28: Yr Ardd Ddirgel

*C*ADARNHAU WYTH O'R *gloch nos Sadwrn. Bydd* cwmni 'da fi – *hynny'n OK?* meddai'r neges destun. Doedd hynny ddim yn addawol. Pwy fyddai e – neu hi, yn hytrach? Nid ei wraig, do'n i ddim yn meddwl. Roedd e'n dal yn briod, hyd y gwyddwn i, er nad oedd 'da fi ddim syniad pwy oedd hi. Ond cadarnhaodd y neges fy nheimlad greddfol: dyw'r aduniad yma ddim yn mynd i weithio. Mae'n bosib mynd 'nôl rhy bell, i ormod o amser basio heibio, i lwybrau wahanu gormod…

Ychydig yn hwyr ar y nos Sadwrn, dilynodd Steff y ferch ifanc hardd – os ychydig yn *plump* – trwy ddrws y bwyty. Ro'n i yno yn eu disgwyl, a daeth e lan ata i'n syth: "*Reesy boy*, shwd mae a sut wyt ti? A dyma dy le di? Wir, 'ma beth yw pictiwr o fwyty, digon i dynnu dŵr o ddannedd Jamie Oliver. Ac mae'n od o lawn 'ma, hefyd. Llongyfarchiade, bachan."

"Gwell i ti gadw'r llongyfarchion tan wedyn…"

"Ni'n dishgwl 'mla'n…" Yna difrifolodd. "A ti'n dala dy dir? Mae claddu tad yn beth mawr, ac 'wy'n gwybod pa mor agos o'ch chi."

"Rwy'n dod i ben rywsut."

Wedi curo fy nghefn yn gyfeillgar, meddai: "A dyma Mwynwen – Mwynwen Haf – fy PA yn Plaid. Iawn bod hi'n dod, on'd yw e?"

"Wrth gwrs. Pleser cael cwmni mor hardd," atebais gan ysgwyd llaw â'r ferch oedd tua'r deg ar hugain oed. "Eisteddwch lawr. Rwy wedi cadw bwrdd i ni wrth y ffenest."

"Perffeth – a'r fath olygfa!" meddai Steff gan edrych allan ar y Bae. Yna eisteddodd i lawr gyda Mwynwen Haf, a minnau gyda nhw, yn teimlo braidd yn rhyfedd o fod yn westai yn fy mwyty fy hun. Roedd hyn yn beth ro'n i wastad am ei osgoi. Ar y llaw arall, maen nhw'n dweud ei fod yn brofiad sobreiddiol i unrhyw ŵr busnes fod yn gwsmer yn ei sefydliad ei hun. Gan weld mai ei bòs oedd y cwsmer, daeth Suzy atom yn syth, â gwên lydan, gan gynnig bwydlenni i'r tri ohonom, a'n holi ynglŷn â'n diodydd.

Sganiodd Steff y fwydlen win ac archebu potel o'r Louis Eschenauer Ffrengig. "Wel bachan," meddai Steff gan edrych o gwmpas, "ti wedi rhagori. Y busnes Thai 'ma i gyd. Y mynydde fan'na yn y cymyle, y Bwda dan y goeden, y twtshys bach pert i gyd."

"Ydi, mae'n cŵl iawn," cytunodd Mwynwen.

"Ond sai'n rhy siŵr am y miwsig," meddai Steff. "Nage Thai yn hollol?"

"Y trac yna'n dod o'r *All Time Chillout Favourites*," eglurais. "Anodd cael y balans yn iawn. Penderfynes i gyfaddawdu ychydig â chwaeth y boblogaeth. Bydde stwff rhy ddwyreiniol yn hala ofan arnyn nhw."

"Wrth gwrs 'ny. Arwydd o fachan yn deall busnes. Reesy, pwy 'se'n blydi meddwl, ti'n rhedeg bwyty Thai. Ha ha. Ti'n fwy o dderyn na wnes i erioed feddwl."

"Yn fwy o ffŵl, dyna'r gwir."

"Ti wedi bod draw 'na?"

"Naddo, yn anffodus."

"Wel, bues i 'na unwaith, flynydde'n ôl, ac nid ar daith ymchwil wleidyddol, rwy'n cyfadde... Nawr, dyw honna ddim yn Thai, yw hi?" meddai gan nodio at Suzy. "Ond menyw fach neis iawn, serch 'ny."

"Mae Suzy'n dod o Dde Corea."

"Seoul, tybed? Bues i 'na unwaith, 'na ti ddinas a hanner..."

Tra oedd Steff yn manylu ar ei ymweliadau â'r Dwyrain Pell, sylwais mor berffaith roedd e wedi gwisgo at yr achlysur yn ei ddillad *smart casual*, ei grys streip, digoler a rhyw fest *aquamarine* yn dangos dan ei wddw. Doedd Mwynwen Haf, chwaith, ddim mewn dillad swyddfa. Roedd hi'n gwisgo ffrog ysgafn, ddwfn ei thoriad gyda blodyn mawr oren ar ei hysgwydd. Gallai fod yn fersiwn mwy dychmygus o logo *flywheel* Plaid. Roedd yn amlwg eu bod nhw wedi setlo i mewn yn rhywle cyn dod yma.

Rhoddodd y ddau eu iPhones wyneb i fyny ar y bwrdd cyn astudio'r fwydlen. "Gymra i'r hwyaden Peking gyda *phrik khi nu* fel prif gwrs," meddai Steff yn awdurdodol. "Gyda'r dysgle bach ar yr ochr wrth gwrs. Dishgwl yn ddiddorol. Falle daw e ag ambell atgof 'nôl i fi."

Dangosodd Mwynwen ei bwydlen hi i Steff ac fe gynigiodd yntau awgrym llysieuol iddi. "Neith hwnna les i dy ffigwr di," dywedodd. "Buon ni lan yn Rhydaman bore 'ma, yn cymysgu â'r werin gaws, yn trio'u cadw nhw'n hapus. *Surgeries*. Nage jobyn rhwydd bob tro, ond mae pob pleidlais yn cyfri."

"Felly ti'n Aelod Cynulliad dros dipyn o ardal?"

"Dwyrain Caerfyrddin a Dinefwr. Mae Mwynwen wedi bod yn gweithio i fi ers bwyti tair blynedd nawr."

"Ydw, a fi'n joio mas draw."

"Mae'n dod o'r etholaeth," eglurodd Steff, " – sy'n hollbwysig, wrth gwrs."

"Ond ti'n dal i fyw yng Nghaerdydd?"

"Dyna pam mae e mor bwysig cael rhywun fel Mwynwen ar y job."

"Wrth gwrs."

"Ni'n mynd 'nôl yn bell, ni'n dau," eglurodd Steff. "Caerdydd. Y saithdege. *Bliss was it in that dawn*, ac yn y bla'n…"

"Y saithdegau *cynnar*…"

"'Sdim pwynt manylu, Reesy – ond cyn i ti gael dy eni, Mwyn. Sy'n ddiawl o beth i feddwl. Roedden ni'n rhannu stafell am flwyddyn, a sawl peth arall…"

"Ond nage merched…"

"Nid yr un pryd, ta p'un 'ny!" chwarddodd Steff.

"Ond y bachan yma oedd yr arweinydd, chi'n deall," dywedais wrth Mwynwen. "Yn ein tynnu ni i brotestiadau, yn arwain y chwyldro, dim llai. Est ti lan i Lundain, on'd do, a chael dy garcharu?"

"Do fe, wir?" meddai Mwynwen, ei llygaid fel soseri.

"Do, do," meddai Steff yn ffug ostyngedig. "Bues i yng ngharchar dros yr iaith, am wythnos. Yr *ultimate accolade*. Roedd pethe'n wahanol amser 'ny, wrth gwrs…"

"Pam ti'n dweud hynny?" gofynnais, i'w bryfocio.

"Pethe wedi newid, Reesy," dywedodd. "Mae rali neu ddou yn iawn yn eu lle, ond ni mewn i wleidyddiaeth seriws nawr, sef cipio a chadw grym. Gallet ti weud bod cerdded strydoedd, cwrdd â phobol, delio â'r glo mân i gyd, yn fwy o aberth – ac yn bendant yn fwy o waith…"

Daeth Abigail â'r cyrsiau cyntaf draw atom yn y man gan roi'r dysglau'n daclus ar y bwrdd â gwên wylaidd, ac ro'n i'n gweld mor wahanol oedd hi i Sheena o ran steil. Ond edrychodd Steff arni'n werthfawrogol, a dweud: "Staff dymunol 'da ti, Rhys."

"Ydyn, maen nhw'n iawn…"

Buon ni'n tri'n ymosod ar y bwyd, ac meddai Steff yn y man: "Paid â 'nghamddeall i, Rhys. Mae'r *Peking duck* 'ma'n ddigon blasus, ond dyw e ddim fel ro'n i wedi dishgwl."

"Be sy'n bod, felly?"

"Methu cweit blasu'r *duck*. Ond gallu blasu'r *Peking* yn iawn. Ti'n dyall be sy 'da fi?"

"A' i â fe 'nôl yn syth, Steff," dywedais, wedi cynhyrfu. "Basen i byth am dy wahodd di i bryd nad o't ti'n fwynhau, yn fy mwyty fy hunan…"

"Na, na," mynnodd Steff. "'Wy'n mwynhau e, ti'n dyall, ond nid fel ro'n i'n dishgwl, dyna i gyd."

"Ond ma hwn yn tip top, ta p'un," meddai Mwynwen.

"Potel arall o win?" gofynnais gan godi fy llaw ar Abigail.

"Syniad ardderchog," meddai Steff gan sychu'r napcyn ar draws ei wefusau tew. "Alle'r gwin ddim bod yn well. Allwch chi ddim curo gwin Ffrengig, y rhai *appellation contrôlée*."

*   *   *

Yn sydyn, tywyllodd y bwyty, nid digon i unrhyw un sylwi, ond fe wyddwn i'n berffaith beth oedd e. Roedd e wedi digwydd o'r blaen: roedd y golau glas yn llyn y Bwda wedi diffodd. Y ffiws, siŵr o fod – fe setlwn i e nes ymlaen.

Bywiogodd y sgwrs pan gyrhaeddodd ail botel o win i'r bwced oeri. Ro'n i'n sylwi bod Steff wedi magu rhai mân arferion yn y degawdau diwethaf, fel sgubo'i wallt 'nôl, rhyw fath o symud ei ben lan a lawr pan o'ch chi'n siarad ag e, a'r chwerthin *machine-gun* yna oedd yn dod mas pan oedd e wedi penderfynu gwasgu'r botwm. Mae'n siŵr ei fod e'n sylwi ar bethau tebyg ynddo i.

"Felly beth o'ch chi'n neud cyn dechre'r bwyty 'ma, Rhys?" gofynnodd Mwynwen.

"O'n i'n Berlin am ugain mlynedd, yn gweithio i gwmni *pharma*."

"Cŵl. Chi'n rial Ewropean, 'ten?"

"Rwy'n ame bod Steff wedi gweld mwy o'r cyfandir na fi. Bues i'n gweithio yn yr Almaen, a Gwlad Pwyl am flwyddyn, dyna i gyd."

"Wwww, Gwlad Pwyl? Mae Krakow yn neis, on'd yw e? Mor *olde worlde*. O'n i 'na y llynedd am *hen weekend* – un o ffrindie fi'n priodi."

"Ydi, mae'n lle hardd a diddorol."

"Ond pidwch sôn am y Chopin! Gethon ni lot gormod ohono fe, alla i weud 'tho chi!"

"Ond mae'n gyfansoddwr gwych, Chopin?"

"Ond y Chopin *vodka*, w! Mae'n strywa'ch tu mewn. 'Wy byth mynd i' dwtshad e 'to, alla i weud 'tho chi, tra bydda i byw!"

"Well 'se chi wedi mynd am y Chopin arall," dywedais gan feddwl be ddiawl oedd Steff yn gweld yn hon, ar wahân i'r peth amlwg. Ar y llaw arall, beth yn hollol oedd hi'n ei weld mewn hen ddyn fel Steff? Roedd e wedi meithrin rhyw garisma ymosodol, ond do'n i ddim yn siŵr oedd e'n gweithio i bawb. Ydi pŵer yn affrodisiac, hyd yn oed ym Mhlaid Cymru?

"Felly sut mae Plaid?" gofynnais i Steff. "Siâp go lew? Roedd graen da arnoch chi i gyd yn y derbyniad 'na yn Morgans – pryd oedd hi? – rhyw ddau fis yn ôl."

"Ma dou fis yn amser hir mewn politics, fel mewn busnes 'wy'n siŵr. Ni wedi colli sedde ers hynny, ond rhaid cadw'r sioe ar yr hewl. Cadw i fynd yw'r gamp."

Cymerais ddracht hael o'r gwin Ffrengig. Roedd rhyw lais bach yn fy annog ymlaen – llais Elin efallai, neu o'n i'n llai nag *impressed* gyda fy hen ffrind? Gofynnais: "Gwed wrtha i, ble chi'n sefyll ar ynni niwclear erbyn hyn?"

"Ie, 'bach o daten boeth. Sai'n lico fe'n bersonol. Mae 'na bethe eitha *dodgy* amdano fe ac mae'r economeg yn ffals. Dylen ni fynd mewn am ynni gwyrdd – fel y'n ni'n gwneud, wrth gwrs – er mwyn y blaned a'r busnes yna i gyd…"

"'Wy'n cytuno," meddai Mwynwen Haf yn ddifrifol. "Ni'n gorffod meddwl am ddyfodol y blaned…"

"Felly sut bo chi'n croesawu'r gorsafoedd niwclear newydd 'ma?"

Gosododd Steff ei lwy ar y soser. "Reesy, dyw egwyddorion heb rym werth dim, ti'n cytuno?"

"Wrth gwrs. Na grym heb egwyddorion."

"Felly ti'n gorffod whare gêm fach, jyst i aros mas ar y *pitch*."

"Hynny ydi, gwerthu'ch egwyddorion?"

"Na, bod yn gall."

"A'r egwyddorion chi wedi'u gwerthu – eu prynu nhw 'nôl wedyn ar bris disgownt?"

Meddai Steff, yn cynhyrfu: "Sai'n gwybod am be ti'n

mwydro, Rhys. Yr unig beth 'wy wedi dysgu yw taw'r unig *politik* yw *realpolitik* a dylet ti fod wedi dysgu hwnna ar ôl bod yn yr Almaen yr holl flynydde."

"Sai'n siŵr ydi hanes yr Almaen yn profi hynny."

"Byddet ti ddim am i ni gefnogi dulliau fel rhai Hitler, byddet ti?"

Gwnaeth hyn i fi wylltio, a sai'n arfer gwneud. Ro'n i hefyd am gael y wleidyddiaeth o'r ffordd, ac *unfinished business* Elin. "Beth am academi filwrol Sain Tathan, 'te? Cefnogoch hi hwnna on'd do, yr academi filwrol fwya yn hanes Prydain Fawr, yn gneud i'r Ysgol Fomio edrych fel ysgol feithrin, medde nhw… " dywedais gan ailadrodd Elin.

"So ti'n dod â'r *fucking* Ysgol Fomio mewn i hyn? Wel, wel, pwy 'se'n blydi meddwl?"

"Ethon nhw i'r jâl hefyd – am naw mis."

"Ond ddigwyddodd yr academi ddim, do fe?"

"Na, ddim eto…"

"Ti ddim yn dyall. Roedden ni mewn clymblaid, nid mater i ni oedd e. Mae lot o stwff ti ddim yn gwybod, Reesy, achos ti wedi bod bant…"

"A'r *drone zone* wedyn. Rhaid bod ti'n gwybod am hwnna, achos mae e'n rhedeg trwy dy etholaeth di…"

"Am be ti'n sôn nawr, boi?"

"Yr ardal ar gyfer profi *drones*. Does neb o dy etholwyr wedi cwyno am yr hedfan isel?"

"Wel, do," meddai Steff, yn cael ei wynt ato. "Do, mae ambell ffarmwr wedi cwyno, ond maen nhw'n cwyno am ffycin bopeth."

"Ond ti'n sylweddoli beth y'n nhw? Awyrennau milwrol dibeilot, rhai'r Americans a'r Israeliaid fwya."

Edrychodd Steff arna i fel 'sen i newydd newid lliw fy nghroen. "'Wy'n gwbod hynny'n iawn… ond be sy wedi dod drosto ti, Reesy? Ti wedi troi'n basiffist, neu beth? Be ddigwyddodd i ti draw yn Berlin 'na? Gwrddest ti â rhyw bishyn fach boeth Baader-Meinhof, neu beth?"

"Ti wedi cawlio dy hanes eto, Steff. Doedden nhw ddim yn basiffists, ond roedd dy blaid di yn!"

"O, rwy'n gweld, ti nawr yn *expert* ar hanes Plaid? Rhaid i fi gyfadde na wnes i erioed feddwl y base ti'n trio rhoi gwers i fi ar hynny, mwy nag y basen i'n trio dy ddysgu di am Big Pharma, nid y diwydiant â'r dwylo mwyaf glân yn y byd. Ond 'na fe, mae pethe rhyfedd iawn yn gallu digwydd i ddyn mewn chwarter canrif."

"Ti'n gweud 'tho fi…"

Ystwyriodd Steff yn ei sedd, a chwrdd â'm llygaid. "Mae rhywbeth wedi dod drosot ti, Reesy. Do't ti ddim fel hyn o'r bla'n. Fi oedd yr un gwleidyddol, nid ti. Wnes i erioed feddwl y base'n swper ni'n troi mas yn rhyw fath o *Question Time*."

"Anghofiwn ni amdano fe," dywedais. "Dyw dadlau'n newid dim."

"Ti'n iawn fan'na, ta p'un i." Trodd at Mwynwen, a fu'n gwylio'r cyfan mewn dychryn. "A pha hwyl ti'n gael ar y nŵdls 'na, Mwyn?"

"Maen nhw'n neis iawn," meddai hi'n wannaidd wrth iddi barhau i dwistio'r fforc am y llinynnau.

"Cymer ddropyn bach 'to o win, Mwyn. Bydd e o help i ti olchi'r stwff 'na lawr."

Dywedais 'mod i am gael gair â'r gegin, gan hanner awgrymu mai ynglŷn â'r *Peking duck* roedd e. Ro'n i'n synhwyro bod pawb angen saib. Ond do'n i ddim yn poeni – ro'n i wedi'i neud e. Ro'n i wedi cadw fy addewid i Elin ac roedd yn glir nad oedd mwy o obaith perswadio Steff Daniels i gysylltu â Jenny Ward na dyn y lleuad.

*   *   *

Roedd y tywyllwch yng nghornel bella'r stafell wedi bod yn chwarae ar fy nerfau. Ro'n i wastad wedi hoffi'r glesni oedd yn codi o'r llyn wrth draed y Bwda. Ond fel ro'n i'n nesáu at y gegin, gyda'r bwriad o nôl offer i daclo'r broblem, clywais André yn gweiddi ar Abigail, gan ei chyhuddo o gyflwyno'r dysglau yn y drefn anghywir. Roedd ei safbwynt yn iawn ond roedd tôn ei lais yn ddiangen o gas, yn arbennig wrth ferch nad oedd wedi gweini mewn bwyty o'r blaen.

Newidiais y ffiws, ond y tiwb ei hun oedd wedi chwythu. Es i 'nôl at y silff lle mae'r rhai sbâr, dim ond i glywed Abigail yn rhoi pwff bach o grio wrth ddychwelyd i'r bwyty. Gwnaeth hynny fi'n grac ac wrth imi drio tynnu'r hen diwb allan mae'n rhaid bod fy mhenelin wedi taro'n erbyn y Bwda ei hun, achos fe syrthiodd â sblash i mewn i'r llyn. Fe barodd y glec i don o dawelwch ddod dros y bwyty, yna rhyw snwffian chwerthin ymysg y ciniawyr agosaf wrth i fi drio gosod y Bwda'n ôl ar ei bedestal.

Yn ffwndrus, dychwelais y blwch offer i'r gegin, a dweud wrth André: "Ti'n rhy rwff â'r ferch fach 'na, André. Mae angen 'bach o amynedd."

"Oes, chi'n iawn!"

"O'n i'n meddwl bo ti'n lico hi?"

"Mae'n iawn, ond mae hi angen dysgu sut i wneud pethe'n iawn."

"Ond mae 'na ffordd o wneud hynny, on'd oes?"

"Cadwa i at y gegin os sticiwch chi at y bwyty! Dyna gytunon ni, yntê?"

"Ond gweithio yn y bwyty *mae* hi!"

Cyn i fi adael, sylwais fod Anja, *sous* André, yn hanner troi ata i â gwên slei. Sut oedd hi'n diodde'r diawl, do'n i ddim yn deall. Rywsut neu'i gilydd, roedd hi wastad yn llwyddo i weld yr ochr ddoniol o bethau.

Yna sylwais fod 'na fwndel o amlenni Recorded Delivery ar un o'r silffoedd: mwy o rybuddion oddi wrth Adran Amgylchedd y

Cyngor. Suddodd fy nghalon. Arllwysais ddropyn bach o chwisgi i mewn i wydryn glân: roedd 'da fi ddwy alwad ffôn anodd i'w gwneud. Cerddais mas trwy'r drws cefn ac allan i'r iard, yn ddigon pell oddi wrth André. Tapiais rif Malee. Roedd hi'n naw o'r gloch. Gallai fod yn anghyfleus, ond allwn i ddim gohirio'r alwad rhagor. Atebodd Malee yn y man.

"Rhys John yma, Secret Garden. Oes 'da chi ddau funud?"

"Bydd yn rhaid i chi fod yn fyr."

"Wna i ddim wastio'ch amser chi, Malee. Mae pethe wedi dod i bwynt yma. Mae 'na swydd yn mynd yma'n bendant. *Chef.* Buon ni'n trafod y telerau yn yr Ice House, fel chi'n cofio. Nawr, rwy wedi digwydd clywed, trwy Frank, bo chi'n bwriadu symud beth bynnag. Ydi e'n rhy hwyr i ni gael sgwrs?"

Petrusodd Malee cyn ateb: "Dwi'n meddwl ei bod hi. Yn un peth, mae'n gas gen i dorri addewid. Ac mae'r swydd newydd yn cynnig swm tipyn uwch na'r ffigwr ddwedes i wrthoch chi."

"Mae popeth yn agored i drafodaeth, Malee."

"O, felly mae pethe nawr, ie?"

"Rwy'n talu mwy na hynny eisoes, tipyn mwy."

"Gallasech chi fod wedi dweud hynny ynghynt."

"Sgwrs ragarweiniol oedd honna yn yr Ice House."

"Alla i ddim trafod y peth nawr, beth bynnag. Dwi ar ganol shifft ac mae'n brysur yma."

"Ga i'ch ffonio chi 'nôl?"

"Mae'n rhy hwyr, dwi'n ofni."

"Ffonia i chi bore fory."

"Os mynnwch chi, ond mae'n rhaid i fi fynd…"

Ond roedd 'na un alwad arall ro'n i am ei gwneud cyn dychwelyd at Steff. Tapiais enw Sheena, ei rhif personol. Doedd dim dal pa mor brysur fyddai hi, os oedd hi'n gweithio y tu ôl i'r ddesg yn y Marriott.

Ro'n i'n lwcus. "Rhys yma. Ydi e'n gyfleus i gael gair byr?"

"What a surprise!" meddai yn ei llais dwfn, secsi. "Dwi wedi bod yn eitha diflas, a dweud y gwir, wrth feddwl na fasen i yn eich gweld chi eto…"

"Felly mae'n iawn i siarad?"

"Dwi jyst fy hunan bach yma wrth y ddesg fawr, *teak* yma yn wynebu llun olew deg troedfedd o J. Willard Marriott…"

"*Long shot* sy 'da fi, ac un hir iawn hefyd."

"Dwi'n licio *shots* hir…"

"Aeth pethau'n flêr braidd pan o'ch chi'n gweithio fan hyn. Rwy'n derbyn hynny. Yn amlwg roedd 'na broblem anferth rhyngoch chi ac André."

"Ydi e'n dal yna?"

"Dyna rwy'n dod ato. Chi'n cofio'r sgwrs yna gethon ni yn yr ardd yn La Prensa ac fe wedoch chi eich bod chi, ar wahân i gwestiwn André, wedi mwynhau gweithio yma yn y Mwmbwls?"

"Dwi'n cofio'r sgwrs yn dda, Rhys…"

"Nawr, rwy'n gwybod, cyn gofyn i chi, bod 'na siawns uchel taw 'Na' fydd yr ateb, ond petai e'n gadael, a 'mod i'n llwyddo i gael *chef* Thai go iawn i weithio yma – a dwi'n gwybod am un ferch sy'n chwilio am swydd o'r fath – yna fasech chi'n gallu ystyried dod 'nôl yma, falle i swydd amser llawn fel sy 'da chi nawr, swydd rheolwraig?"

Wrth ddweud y frawddeg yna, sylweddolais 'mod i wedi neidio gwn neu ddau, ond roedd yn rhaid i'r cynnig i Sheena fod yn ddeniadol, â'r siawns o lwyddiant mor denau. Meddai Sheena, wedi saib: "Dwi ddim yn lico'r 'petai' yna, Rhys. Os cewch chi *chef* newydd, yna ffoniwch fi wedyn."

"Ond mae'r naill beth yn dibynnu ar y llall…"

"Os ca i ddweud, chi ddim yn swnio cweit mewn *control*, Rhys."

"Gallwch chi ddweud hynny eto!"

"Galwch heibio, Rhys. Bydde fe'n neis cwrdd eto. Mae gymaint yn haws siarad wyneb yn wyneb. Dwi yma bron bob nos

– rhowch alwad i fi ymlaen llaw, ar y rhif yma, wrth gwrs…"

"Diolch, Sheena. Fe wna i feddwl am y peth. Ond mae'n rhaid i fi fynd. Pobol yn fy nisgwyl i."

"Peidiwch anghofio, Rhys – unrhyw bryd chi eisie sgwrs…"

Diffoddais y ffôn. Do'n i ddim callach o fod wedi siarad â'r naill na'r llall. Fy nhin-droi i oedd yn gyfrifol am fethiant y ddwy alwad, fy anallu i weithredu'n glir a phenderfynol. Fy amharodrwydd, hyd yn oed nawr – hyd yn oed wedi cyfaddefiad anhygoel André – i gael gwared ag e. Ond roedd André'n iawn am un peth. Roedd Sheena ar ryw gêm broffidiol yn y Marriott yna. Roedd ei swydd newydd yn ei siwtio'n berffaith. Doedd hi byth yn mynd i ddod 'nôl i weithio i'r Secret Garden.

*   *   *

A minnau allan o ffocws braidd, dychwelais at y bwrdd. Ces fy mwrw ymhellach oddi ar fy echel wrth sylwi nad oedd Mwynwen yna. Roedd Steff wrtho'i hun, yn lolian yn y ffenest, yn edrych allan ar y Bae gan ddal glasied o win yn beryglus ar ei ben-lin, ei fysedd ar y bonyn.

"Ddrwg 'da fi am hynna," dywedais. "Problemau staff eto. Ti wastad yn gwbod, waeth pa mor ansicr yw cyflwr y byd, bydd wastad problemau staff."

"Paid â phoeni, bachan," meddai Steff, yn ôl yn ei hwyliau arferol. "Roedden ni angen brêc. A doedd Mwynwen ddim yn teimlo'n rhy sbesh, felly mae hi wedi mynd 'nôl i'r llety, lawr yr hewl. Ni'n aros yn Patricks."

Sylwais fod ei dysgl nŵdls yn dal ar y ford. Dylai Abigail fod wedi hen glirio'r plât yna. Galwais arni i wneud hynny a gofyn i Steff a oedd e'n ffansïo bob i frandi a rhywbeth melys, efallai, gydag e. Awgrymais y banana mewn hufen coconyt, oedd yn ddewis poblogaidd.

"Bydde cognac bach yn berffeth – neu, yn well byth, un mowr. Sai moyn mwy o fwyd, diolch."

Wedi i fi lwyddo i roi'r archeb i Abigail, trodd Steff i'm hwynebu. "Ti'n gwbod y sgwrs gethon ni…"

"Wel, falle gwell 'i gadael hi lle roedd hi…"

"Ond rhaid i ti ddyall: rwy'n cydymdeimlo â rhai o'r pwyntie godest ti. Fel mab y mans, rwy'n bownd o neud. Ond sai cweit yn dyall o ble mae hyn i gyd wedi dod. O't ti ddim yn arfer ymddiddori yn y stwff yma."

"Mae'n stori hir, a sai'n mynd i'w hadrodd hi heno."

"Felly *mae* 'na stori? 'Wy'n falch i glywed hynny."

Pan gyrhaeddodd y cognac, dywedais: "Bues i 'bach yn rhy fusneslyd ynglŷn â marwolaeth ddigwyddodd yn y Marina. Wna i ddim dy boeni di â'r manylion, ond oherwydd hynny – ac ambell hen gysylltiad diniwed ond amheus yn yr Almaen – fe ddes i dan amheuaeth, ac yn ymwybodol fod pobol yn 'y ngwylio i. Yn wir, pigodd merch fi lan, Americanes, gyda'r union fwriad yna…"

"Y flonden oedd gyda ti yn Morgans?"

"O'n i ddim yn gwybod hynny ar y pryd, wrth gwrs."

"O leia gest ti 'bach o shw'maeheno 'da hi?" meddai Steff gan wincio.

"Na, wnes i gawlach braidd o hwnna hefyd, ac rwy'n siŵr ti ddim isie clywed y manylion…"

Swiliodd Steff y brandi'n araf yn ei law cyn ei godi at ei drwyn. "'Wy'n gwbod, y pethe 'ma'n gallu bod yn trici, yn ein hoedran ni. Y pils bach glas 'na'n gallu helpu weithie."

"Nid hynny oedd e."

"Ond alla i weld, cest ti siom."

"Roedden ni yn Sir Benfro, fel mae'n digwydd. Arhoson ni yn Nhrefdraeth. Ges i 'bach o sioc. Doedd e ddim fel ro'n i'n cofio…"

"Ond cofia, ma Tudreth yn ofnadw o bert, a rhaid i ni fanteisio ar dwristiaeth. Mae'n bwysig i'r economi."

"Ond pwy sy'n manteisio ar dwristiaeth heblaw'r Saeson eu

hunain? Be sy wedi digwydd i Sir Benfro, be sy wedi digwydd i Gymru yn yr amser o'n i bant yn Berlin?"

"Dyna ti, ti'n gweld: dy fai di oedd mynd bant."

"Ond ry'n ni i gyd wedi bod bant."

"Be ti'n feddwl?"

"Mae fel 'se pawb wedi troi cefn ar be sy'n digwydd yng Nghymru. Rwy'n gofyn i'n hunan weithie, ai'r un wlad yw hi?"

Edrychodd Steff arna i'n llawn consýrn. "Alla i weld bod colli dy dad wedi dy fwrw di'n galed, Reesy. 'Smo ni ddynion yn lico cyfadde'r pethe 'ma."

"Rwy wedi colli mwy na cholli 'Nhad. Dyna sut rwy'n teimlo."

"Be ti'n feddwl, Reesy boy?"

Troais y cognac yn araf yn fy ngheg gan fwynhau'r blas llosg, yna eistedd yn ôl a gwylio'r stafell o'm cwmpas. Ar wahân i'r tywyllwch yn y gornel, roedd y naws yn braf, a'r miwsig yn dawel ymlaciol. Roedd Suzy ac Abigail yn gweini'n siriol a diwyd ar y cwsmeriaid, a'r rheini'n ymateb yn serchog. Gallai Abigail fod yn fwy bywiog, ond dim ond fi fyddai'n sylwi ar hynny. Ro'n i'n dyfalu nad oedd Mwynwen wedi mwynhau'r bwyd ond ro'n i wedi llwyddo i gael *chef* profiadol yn André, un blin ac eratig weithiau, ond un oedd yn medru coginio. Doedd y lle ddim yn haeddu marciau llawn – ail ddosbarth isel, efallai – ond roedd yn rhyw gymaint o gyflawniad, ro'n i'n meddwl, mewn dim ond blwyddyn a hanner, i rywun heb ddim profiad o arlwyo.

"Brynes i gwch, Steff. Mae e'n dal 'da fi yn y Marina. Cael cwch yn y Marina oedd y freuddwyd cyn dod 'nôl i Abertawe. Ac roedd e'n cyd-fynd â'r syniad rhamantus o fyw yn y Marina ei hun."

"Syniad di-fai. 'Na beth ma ymddeol abwyti. Licen i drio fe 'yn hunan pan fydda i wedi rhoi'r gorau i'r blydi gwleidyddiaeth 'ma."

"A galwes i'r cwch yn *Afallon*, a byth ers 'ny ma pobol yn gofyn i fi pam."

"'Wy'n dyall be sda ti. Cwestiwn twp, mewn ffordd. Syniad o nefoedd yw e, dyna i gyd."

"Yn gwmws. Ond achos bo fi wedi bod bant, roedd 'na elfen ynddo fe o ddod 'nôl i Gymru. Ond sai'n egluro'n hunan yn dda…"

"Rwy'n credu bo fi'n dyall be ti'n dod ato," meddai Steff, braidd yn dosturiol nawr.

"Mae'r pethe oedd 'y nhad yn credu ynddyn nhw, y pethe oedd yn bod iddo fe – wel, dy'n nhw ddim yn bod, ydyn nhw? Roedd e'n byw mewn twyll, a nawr bod e wedi marw, mae hyd yn oed y twyll wedi diflannu. 'Sdim byd ar ôl."

"Be ti'n siarad amdano, Reesy? Yr hen ffordd Gymreig o fyw? Myth oedd hwnna ta beth."

"Fel'ny mae'n dishgwl. O ble ddiawl ddaeth y Saeson 'ma i gyd? Beth yw'ch polisi ar hynny? Oes 'da chi bolisi?"

"Plis, Reesy, allwn ni adel mas y *politics,* a hithau mor hwyr ag y mae hi?"

"Jyst gwed wrtha i, 'te: ble mae e wedi mynd?"

"Beth wedi mynd?"

"Wel… Cymru?"

Edrychodd Steff arna i'n gonsyrniol. "Ond ma Cymru bobman, bachan. Shgwla trwy'r ffenest 'ma. Dyna Gymru i ti. Be fwy ti angen?"

Ond doedd 'da fi mo'r nerth na'r gallu i egluro fy hun. Edrychodd Steff arna i'n dadol braidd, a throi'r cognac yn ei wydryn. "Reesy, alla i feddwl bo ti twm' bach yn conffiwsd. Mae pethe'n newid trwy'r amser, ti'n gweld. Ti wedi bod bant, yn byw am ddegawde yn un o ddinasoedd mwya soffistigedig y byd, ac alla i weld nad yw dod 'nôl wedi bod yn rhwydd i ti."

"Falle hynny."

"Ti wedi cymysgu rhwng Cymru ac Afallon. Dyna lle ti wedi cawlo. Mae'r ddau beth yn hollol wahanol."

Cymerais lwnc araf o'r brandi ac edrych ar fy ffrind yn

doethinebu wrth y ffenest, un goes ddiog yn gorwedd dros y llall, a'i fol yn gorlifo dros ei wregys. Hongiai ei law dros ei ben-lin, a disgleiriai modrwy ar ei bedwerydd bys. Roedd yn rhaid i fi wenu. Nid ein bod ni'n crap sy'n drist am ganol oed, ond y ffaith nad y'n ni'n sylweddoli hynny.

Gan ddilyn ei gyngor, edrychais trwy'r ffenest am y canfed neu'r milfed tro. Does dim modd blino ar harddwch y Bae. Roedd cylch o fân oleuadau fel llaw fawr agored yn dal y môr tywyll rhwng ei bysedd. Triais ymlacio, a daeth ein dadlau yn sydyn yn llai pwysig. Ond eto, roedd rhywbeth ynof oedd yn gwrthod ildio i safbwyntiau rhwydd fy hen ffrind…

Yna clywais glec sydyn a sblash y tu ôl i fi. Troais rownd. Roedd y Bwda wedi syrthio i'r dŵr eto, ac roedd Abigail yn trio'i achub. Yn amlwg, ro'n i'n anghywir amdani. Codais a mynd draw ati a dweud wrthi am beidio trafferthu: fe gliriwn i'r llanast fory, ar ôl gwagio'r dŵr o'r llyn.

Ond roedd e'n un dasg yn ormod. Wrth ddweud y geiriau hynny wrthi, sylweddolais nad oedd yna yfory i fod i fwyty'r Secret Garden.

29: Llys Tawe

ROEDD Y PENDERFYNIAD i gau'r bwyty yn rhyddhad rhyfedd, ac yn fwy felly fel yr âi'r dydd Sul yn ei flaen. Dechreuodd y darnau ddisgyn yn ôl i'w hen lefydd. O un i un, diflannodd y problemau staff a rheoli a'r gofidiau ariannol fel badau bychain yn diflannu i lawr yr afon mewn regata. Roedd hynny'n dal i adael fy mhroblemau ariannol personol ond o leia fyddai'r busnes ddim yn llyncu mwy o arian i mewn i'w bwll diwaelod, a gallen i hyd yn oed ennill rhent petasen i'n llwyddo i osod y safle.

Mwynheais frecwast hirach nag arfer er mwyn treulio'r penderfyniad a wnes i mor hwyr neithiwr. Ro'n i'n methu gweld y *catch*. Llyncu balchder, ie: roedd Sheena'n iawn am hynny. Ond doedd e byth yn mynd i weithio. Breuddwyd canol oed oedd e. Doedd 'da fi mo'r profiad ar yr ochr arlwyo na'r ochr fusnes wir: ro'n i wedi dysgu sawl tric ar fy nhaith ond fues i erioed yn *entrepreneur*.

Es â fy mhapurau Sul gyda fi i'r Queens i fy sedd arferol gan edrych ymlaen at y defodau arferol: peint-a-phapur, cinio, chwisgi-a-sigâr, a thro wedyn i'r Marina ac efallai i'r *Afallon*. Cymerais lwnc araf o'r Guinness gan deimlo'r hylif yn llithro'n esmwyth i 'mherfeddion. Yna ailafaelais yn y papurau: mwy eto am yr Americans yn lladd pobl yn Afghanistan, a nawr yng gwledydd Affrica. Roedd 'na un stori am eu llwyddiant yn lladd arweinydd rhyw wlad gydag un o'r *predator drones*.

Oedd yr Americans am logi *hitman* i 'nghael i? Os oedden nhw mor hollwybodus ag roedd Lucy'n dweud, bydden nhw'n gwybod bod neithiwr yn dynodi fy ymddeoliad o wleidyddiaeth.

Os nad oedden nhw, yna efallai y dylen i logi sgrin fawr ddigidol, fel yr un yna ar Sgwâr y Castell, i gyhoeddi fy ymddeoliad o wleidyddiaeth ac o fusnes yr un pryd.

Wrth fwynhau sigâr yn nes ymlaen, gwelais mor ofer oedd sgyrsiau a dadleuon a chynllwynio diniwed y dyddiau a'r wythnosau diwethaf, ac mor anhygoel o naïf oedden ni yn ein cred y base cwestiwn seneddol neu ddau yn gwneud unrhyw wahaniaeth. Meddyliais am Elin a'i brwdfrydedd – a'r cusanau llosg yna a roddodd i fi – a theimlo rhyw dristwch sydyn drosti. Ro'n i'n ei hoffi er gwaetha popeth, ond doedd dim dyfodol i ni. Ro'n i'n barnu bod ein bywyd rhywiol ni'n dau yn yr un man ar y funud, sef y pwynt *zero*.

Rhoddais fy chwisgi'n ôl ar y bwrdd a chwarae'n ddiog â'r iPhone, fy mhwynt cyfathrebu â'r byd mawr. Dyna'r peth am y ffôn: ei atyniad yw'r ansicrwydd. Chi byth yn gwybod pwy na beth fydd 'na, p'un ai da neu ddrwg. Mae peiriannau gamblo yn gafael yn yr un ffordd. Er fy ngwaetha, rhois fy mys ar *Mail*. Roedd 'na negeseuon newydd yna, yn cynnwys un gan Tante Gertrud. O'n i am ei darllen? Ond onid oedd pethe'n wahanol nawr? Ro'n i mas o wleidyddiaeth, ro'n i wedi rhoi heibio bethau bachgennaidd, doedd dim ots nawr.

Ond roedd y neges yn ddiddorol: *Dylech chi wybod fod Rocco wedi dod 'nôl i Berlin. Yn naturiol, mae hynny'n rhyddhad mawr i mi, ond ddim yn syndod llwyr, o'i nabod e'n dda. Roedd e'n dweud bod Mykonos yn uffern ganol Awst, rhwng yr haul crasboeth a'r holl dwristiaid. Ond un aflonydd, beirniadol fu Rocco erioed a dwi'n poeni ychydig be wnaiff e nesa, gan nad oes ganddo swydd i fynd iddi…*

Rhoddais y ddyfais i lawr, nid heb rywfaint o *schadenfreude*. Felly mae ei antur fawr e ar ben hefyd, ei arbrawf e ag Afallon. Pwy fase'n meddwl? Ond fel fy mhenderfyniad i gyda'r bwyty, doedd e ddim yn annisgwyl, o edrych 'nôl. Roedden ni'n dau wedi ildio i'r anochel a theimlais awydd mawr yn sydyn i weld y diawl eto. Os oedd e 'nôl yn Berlin, beth oedd i'm rhwystro rhag mynd i'w weld e? Faint oedd hediadau y dyddiau hyn? Cant neu ddau?

Ond doedd yr e-bost nesaf ddim mor ddymunol o'r hanner. Roedd enw dieithr i'r anfonwr, a'r cyfan oedd yn yr e-bost oedd llun graenllyd, aneglur o Elin a fi gyda'r neges: *Rhybudd cyfeillgar – bydd yn ofalus.*

Ro'n i'n methu credu fy llygaid. Y fath neges gachlyd a llwfr ac annheg. Roedd y llun yn dangos golygfa eang o'r Marina, ac Elin a fi fel ffigyrau bach o flaen yr *Afallon.* Tynnwyd e y noson fuon ni'n cael bwyd yn y Meridian. Roedd y llun yn rhy wael i adnabod Elin a fi oddi wrtho'n iawn, ond yn ddigon da i fi allu gwneud hynny – ac roedden ni'n cydio dwylo. Fe wnaethon ni hynny am rai eiliadau diniwed, pan oedd Elin wedi'i chyffroi gan y cwch a'r enw a'r faner.

Rhaid mai'r bastard gŵr yna oedd ganddi oedd yn gyfrifol. Roedd y geiriau'n Gymraeg – ond, wrth gwrs, doedd dim pwynt iddo ddefnyddio unrhyw iaith arall o ystyried mai ei wraig oedd yn y llun, ac mai fi oedd y derbynnydd. Ond tynnwyd y llun yna dros fis yn ôl. Pam anfon y llun nawr?

A sut cafodd e'r llun beth bynnag? Doedd dim posib fod Hywel yn gwybod ymlaen llaw am ein cyfarfod yn y Meridian. Triais weithio'r peth mas. Roedd yna rai o'n hoed ni yn y Brunswick, y criw o ffug fohemiaid. Oedd un ohonyn nhw yn nabod Hywel, ac wedi rhoi gwybod iddo? Ond wedyn, doedd dim posib y byddai'n gwybod y bydden ni'n ciniawa yn y Meridian, ac yn mynd wedyn am dro i'r Marina. Neu ai ei ffrind newydd, Jimmy, oedd yn gyfrifol, yr un oedd mor ganmolus i system CCTV y Marina? A allai e fod wedi chwilio'r system wedyn? Oedd y Marina – fel roedd y ddinas i fod – yn cadw eu recordiadau am gyfnod?

Ond amseriad y neges oedd y peth odiaf. Pam nawr? Oedd e, wedi'r cyfan, yng Nghaerdydd y noson yr aeth Elin a fi am y tro yna i Blackpill? A ddaeth e 'nôl yn annisgwyl, a ffeindio rhyw dystiolaeth arall am ein cyfarfod? Oedd e hyd yn oed yn siecio ffôn ei wraig, i weld pwy roedd hi'n eu galw? Rhaid ei fod e'n fastard uffernol o feddiannol i wneud hynny.

Do'n i ddim am wybod. Llyncais weddill y chwisgi ar ei ben, heb deimlo'n ddim gwell. Dim ond un peth oedd yn berffaith siŵr: ym Marina Abertawe, mae CCTV yn gweithio i rai.

*   *   *

"Dwi wedi cael un o'r Nokias bach 'na!" meddai Elin yn frwd pan ffoniodd hi fi'r noson honno. "Dyna pam dwi ddim wedi dy ffonio di tan rŵan. Ges i un yn y farchnad ddoe am £9.99. Tipyn mwy handi na'r horwth o iPhone sy gin ti!"

"Sai'n amau," dywedais yn araf. "Ond mae unrhyw alwad i'r ffôn yma yn dal i gael ei chofnodi ar ryw gwmwl gwyn yn rhywle."

"Felly rhaid i chdi gael un hefyd! A dwi 'di gosod cyfri newydd i fyny yn Yahoo! 'Sgin ti bensal wrth law? Neu mi yrra i neges ata chdi, dyna fyddai ora!"

"Elin," dywedais. "Un peth ar y tro. Nawr 'te, ydi Hywel wedi siarad â ti?"

Wedi saib, dywedodd: "Do. Mi ddeudodd o ei fod o'n gwbod am y swper gawson ni yn y Meridian."

"Wedodd e sut oedd e'n gwbod?"

"Naddo."

"A wedes ti na thrafodon ni ddim ond gwleidyddiaeth drwy'r nos?"

"Wrthododd o gredu hynny, ond wrth gwrs, o edrach yn ôl, dylswn i fod wedi deud 'tho fo y noson honno, achos doedd gynnon ni ddim byd i'w guddio."

"Na, ddim ar y pryd…"

"Ond be sgynnon ni rŵan? Be 'dan ni wedi'i neud o'i le? Wir,

Rhys, do'n i ddim yn disgwl bod gin ti, o bawb, safona mor ysgol Sulaidd!"

"Gweld y peryglon ydw i. Mae dy ŵr yn gyfreithiwr profiadol iawn a galle fe dy flingo di."

"P'run bynnag, be'n union mae o'n gneud yng Nghaerdydd yr holl nosweithia 'na mae o i ffwr efo gwaith, medda fo?"

"Nid fel'na ma pethe'n gweithio, Elin, mewn ysgariade y dyddie hyn. Rwy wedi bod trwy gwpwl."

"Ond be ti'n rwdlan? Ti'n siarad fath â'n bod ni wedi cael deng mlynadd o affêr."

"Mae'r stwff 'ma'n beryg, Elin."

"Ond dyna be dwi'n licio! Y peryg, yr antur, yr holl syniad o wneud petha yn y dirgel."

"Wel, sai ddim."

Syrthiodd rhyw dawelwch rhyngom ni. "O'n i wedi disgwyl," dywedais, "y baset ti wedi holi beth ddigwyddodd rhwng Steff a fi."

"Ro'n i'n dŵad at hynny, wrth gwrs. Sut aeth hi?"

"Wel, cethon ni ddadl eitha cas am bethe milwrol ac roedd e'n fy nghyhuddo i o fod yn basiffist ac yn y bla'n. Doniol, mewn ffordd, achos dyw'r Blaid ddim i fod yn filitaraidd, ydi hi? Cethon ni sgwrs 'bach yn dawelach nes 'mla'n, ond roedd hi'n rhy hwyr, ac roedden ni'n dau yn rhy feddw."

"Biti mawr."

"Felly ble'n gwmws y'n ni'n sefyll ar Jenny Ward?"

"Wel, mi wnaeth hi ffonio'n ôl, ond ro'dd hi'n teimlo ma rhwbath i'r Cynulliad ydi hwn, gan mai'r Cynulliad sy wedi rhoi arian i'r *drone zone* yn y lle cynta."

"Ond diawch, onid hi oedd gobaith mawr y ganrif? Un o'r ychydig leisiau radical yn y Senedd?"

"Paid cam-ddallt, roedd hi'n barod i ofyn unrhyw beth, ond fasa'r Weinyddiaeth Amddiffyn ddim yn datgelu dim ymlaen llaw, medda hi. Does dim rhaid iddyn nhw."

"Felly beth fydd yn digwydd? Yr un hen stori? Protestio'n rhy hwyr, codi pais ar ôl piso? Dyfynnu o Bonhoeffer a Martin Luther King?"

"Hi ddeudodd ma'r unig bobol alla wneud dim ynglŷn ag unrhyw ddatblygiad oedd y bobol sy'n rhoi'r tir a'r arian iddo fo o'r pwrs cyhoeddus. Mae o'n fwy o fatar i Steff nag iddi hi."

"Felly mae hi'n gneud dim, a gyda Steff yn gneud dim, ry'n ni 'nôl i sgwâr un? Ni wedi cyflawni diawl o ddim, a'r cyfan yn wast llwyr o amser?"

"Faswn i ddim yn deud hynny o gwbl. Rhaid i ni gwarfod, Rhys!"

"I drafod beth?"

Wedi saib, dywedodd: "Mae gynnon ni gymint i drafod, Rhys."

"Ond beth yw'r agenda?"

"Does dim angan i ni gael agenda, ni'n dau. 'Dan ni'n dallt ein gilydd."

"Ond ti'n sôn am bethe personol nawr, nid pethe gwleidyddol."

"Pob math o betha…"

"Ond beth am yr Americans? Beth am herio'r ymerodraeth? Beth am wneud y pethau bychain, fel wedest ti?"

"Mae'r petha yna mor bwysig ag erioed, ond neith dim byd ddigwydd os na fydd pobol yn dod at 'i gilydd…"

Oedais. "Elin, rwy'n lico ti. Yn fawr. Ac rwy'n cael yr argraff bo ti'n anlwcus yn dy ŵr. Maddau fi'n dweud 'ny achos dyw dod rhwng gŵr a gwraig byth yn syniad da – a dyna pam sai am fynd â hyn ymhellach."

"Ond Rhys! Felly'r tro yna yn y ffair, dyna'r unig hwyl gawn ni byth?"

"Mae'n dishgwl fel'ny."

"Rhys, ti'n greulon, greulon."

Yna clywais hi'n dal ei dagrau'n ôl yn ei Nokia bach £9.99.

Diffoddais yr alwad, gan gasáu beth ro'n i'n neud. Fyddai dim angen iddi ddefnyddio'r ffôn yna eto: gwneud un alwad oedd ei dynged.

*   *   *

Yn anffodus, gan mai cwmni cyfyngedig oedd Secret Garden (Swansea) Ltd, allwn i ddim peidio masnachu a'i gadael hi ar hynny. Roedd yn rhaid dirwyn y cwmni i ben yn Nhŷ'r Cwmnïau ac roedd y dogfennau i gyd gan Hywel Ashley. Doedd dim modd osgoi ymweld ag e ond fe ohiriais yr apwyntiad am rai wythnosau. Bues i, yn y cyfamser, yn rihyrsio gwahanol linellau petai pwnc Elin yn codi, ond roedd hyn, meddyliais, yn chwerthinllyd. Fe gawn i'r wybodaeth gyfreithiol ganddo a'i hysbysu wedyn – mewn llythyr byr – 'mod i'n symud at gyfreithiwr arall.

Roedd hi'n fore Iau yn ystod wythnos olaf Medi – ddiwrnod yn unig cyn cau'r bwyty – erbyn i fi, o'r diwedd, fagu'r plwc i weld Hywel. Roedd yr apwyntiad ar gyfer hanner dydd. Cerddais, gyda'm hoff gas Samsonite, o'r fflat draw at y bont grog ac i ochr arall afon Tawe. Roedd swyddfa newydd Hywel mewn bloc yn SA1 o'r enw Llys Tawe, ar Ffordd y Brenin, ychydig y tu draw i far La Parrilla. Roedd ei hen swyddfeydd yn Walter Road yn dal ar werth, fel sawl swyddfa arall ar y stryd.

Doedd dim modd croesi'r bont grog heb feddwl, eto, am Kylie Marshall. Roedd y torchau a'r negeseuon yn dal yno yn fwndel anniben ar ganol y bont. Ond gwelais yn glir nawr nad oedd dim y gallen i fod wedi'i wneud i'w helpu hi, na John Harries, nac i wneud iawn am eu marwolaethau trychinebus. Buodd y ddau braidd yn ffôl, ac ar yr un pryd yn anlwcus iawn o fod wedi taro ar gwmni hynod o wael.

Ychydig yn nerfus, troais i'r dde a cherdded i lawr yr heol heibio i far La Parrilla. Pwy a ŵyr, efallai y byddwn i angen shortyn fan'na wedi'r cyfarfod â Hywel. Ond byddai'n gyfarfod byr: ro'n i'n benderfynol o hynny. Cerddais lan y grisiau llydan a thrwy ddrysau gwydrog Llys Tawe, ac at y ddesg wythonglog yn y dderbynfa. Ces fy nghyfeirio'n gwrtais at y lifft a fyddai'n arwain at swyddfeydd Ashley & Lewis. Wedi aros am ychydig yn swyddfa dderbyn y cwmni ei hun, daeth Hywel ataf i'm cyfarch.

"Dere miwn, Rhys. Coffi?"

"Na, rwy'n iawn, diolch," dywedais cyn eistedd gyferbyn â desg sylweddol Hywel, oedd yn wynebu golygfa arbennig o braf o'r Marina, y tŵr, y fflatiau a dinas Abertawe. Roedd 'na blanhigion gwyrdd hwnt ac yma, a pheiriant mawr i oeri dŵr yfed yn y gornel, ond sylwais fod gan y swyddfa un peth yn gyffredin â swyddfa Bryn: roedd 'na lun mawr olew gan arlunydd Cymreig ar y wal. Yn amlwg, dyma'r ffordd i wario arian sbâr.

"Swyddfa braf, Hywel. Symudiad da, alla i weld."

"Diolch, ond ga i weud 'tho ti'n syth, Rhys: ga i roi fy nghydymdeimlad i ti ar hyn, sef be ti wedi'i benderfynu ynglŷn â'r Secret Garden. Mae claddu busnes yn debyg, mewn rhai ffyrdd, i gladdu person, ac mae'n arbennig o boenus os yw'r busnes yn ifanc ac addawol."

"Roedd e'n anochel, o edrych 'nôl. Fe gymres i gofled rhy fawr. Falle taw effaith Berlin o'dd e. Mae Berlin, fel Efrog Newydd, y math o ddinas lle ti'n teimlo fod popeth yn bosib."

"Wel, ti'n iawn os ti'n gweud nag yw Abertawe yn codi'r un gobeithion."

"Ro'n i'n rhy ifanc i ymddeol yn iawn, ond rwy'n gweld nawr mai dyna ddylen i fod wedi'i neud."

"Does dim cywilydd mewn mentro, yn arbennig os ti'n gallu clirio dy ddyledion. Rwy'n cymryd mai *voluntary liquidation* sy 'da ti mewn golwg?"

"Ie. Ro'n i jyst isie cyngor ar y camau cyfreithiol ddylen i gymryd. Rwy am gau'r bwyty fwy neu lai yn syth…"

Buom yn trafod manylion technegol am ychydig, yr angen i Bryn anfon cyfrifon i Dŷ'r Cwmnïau, ac yn y blaen. Ar yr un pryd, ro'n i'n cymryd ambell gip trwy'r ffenest eang. Â'r swyddfa ar y llawr cyntaf, gallwn i hyd yn oed weld y badau oedd wedi'u hangori ar lan bellaf afon Tawe, gan gynnwys y *Faatima*, oedd yn dal yno yn ei holl ogoniant. Meddyliais am hynny ac am André'n dweud wrthyf ei fod yn bwriadu aros yn Abertawe i chwilio am swydd arall, oedd yn cadarnhau ei wir resymau dros ddod i'r ardal.

Fel roedden ni'n sgwrsio, penderfynais mai setlo ar gyfreithiwr yn gyntaf wnawn i, a gadael i hwnnw gysylltu â Hywel yn nes ymlaen. Ond cyn gorffen y cyfweliad, methais ymatal rhag gofyn: "Elin yn iawn?"

"Ydi, am wn i."

"Fel falle ti'n gwybod, buodd hi'n fy helpu ychydig – yn answyddogol – i chwilio i mewn i gwpwl o farwolaethau amheus ddigwyddodd yn y Marina. Yn ffôl braidd ar y pryd, ro'n i'n ffansïo fy hunan fel rhyw fath o dditectif amatur iawn, ond llosgi 'mysedd wnes i."

"Do, fe wedodd hi, ac o'n i ddim yn dyall hynny'n hollol, rhaid i fi weud. Gwaith cyfieithu ma hi'n neud fwya."

"Ond mae 'da hi feddwl chwim."

"Rwy'n gwbod hynny'n dda. Dyna pam briodes i hi."

Nawr ro'n i'n gweld olion eiddigedd, os nad casineb, yn mudlosgi yn ei lygaid ac ro'n i'n deall sut roedd e'n edrych arna i: rhyw *playboy* wedi dod 'nôl o'r cyfandir â chwpwl o briodasau wedi'u chwalu, wedi gweithio i Big Pharma ac felly ag arian i daflu, y bachan lleol wnaeth yn dda, ond ddim mor dda â fe... Codais i adael. Ro'n i wedi cael fy nghyfarfod olaf gyda Hywel, ac efallai gyda'i wraig.

"Rwy'n mynd," dywedais. "Rwy'n gorffen masnachu fory."

"Mae hynny'n drist," dywedodd Hywel gan godi a siglo fy llaw.

"Bydd e'n ddydd hapus i fi."

"Gobeithio y bydd y penderfyniad yn agor dryse newydd i ti…"

"Falle, ond rwy angen toriad gynta. Rwy'n ystyried Berlin."

"Wel, ti'n nabod y llefydd i gyd, 'wy'n siŵr."

"Ydw, ac rwy'n edrych 'mla'n at gael eistedd yr ochr arall i'r cownter, am newid."

Yn falch o gael hynna drosodd, ro'n i'n edrych ymlaen at lasied o San Miguel yn y La Parrilla. Cerddais ar frys i lawr y grisiau llydan tu fas i'r adeilad, ond pwy ddaeth i fyny tuag ata i ond Elin. Roedd hi'n edrych yn dda, mewn siwt lwyd olau a sgarff las, ei gwallt wedi'i dorri'n berffaith, ac yn cydio mewn porffolio lledr.

"Wel, pwy 'se'n meddwl? O'n i'n meddwl bo ti'n gweithio yn Walter Road, Elin?"

"Na, dwi wedi symud lawr yma rŵan. Ffor'ma mae popeth yn digwydd yn Abertawe y dyddia hyn. 'Da ni'n mynd am dapas i'r La Parrilla amser cinio."

"Cyfleus iawn."

"Rhaid i ti fy esgusodi fi, Rhys, dwi ychydig bach yn hwyr ar gyfer Hywal." Yna safodd am eiliad. "Doedd o ddim i fod i ddigwydd, Rhys. Roeddat ti'n iawn. Ges i eiliad wallgo."

"O wel, fel'na mae."

"Ia, dwi'n ofni…" Edrychodd i'm llygaid am eiliad cyn sgipio i fyny'r grisiau concrit at fynedfa Llys Tawe.

Cerddais yn araf i lawr yr hewl. Doedd dim pwynt i fi fynd i La Parrilla, ond roedd 'na bosibilrwydd arall, ymhellach i lawr y ffordd: yr Ice House.

*   *   *

Wrth gerdded i mewn i'r Ice House, sylwais ar beth hynod. Roedd 'na fwyty o'r enw Thai Elephant drws nesaf iddo, o dan yr un to. Doedd e ddim yn beth fasech chi'n sylwi'n syth arno, oni bai eich bod chi'n dod at yr Ice House o Ffordd y Brenin. Rhyfedd na welais i'r lle o'r blaen, na chlywed amdano. Roedd y diwyg yn wyn i gyd, gyda cherfluniau o eliffantod a duwiau Thai yn edrych i lawr o'r waliau. Hongiai lampau papur chwaethus ar raffau o'r to uchel. Yna sylwais ar wynebau'r staff, oedd yno'n rhes unffurf yn disgwyl am gwsmeriaid: wynebau Thai i gyd. Roedd y lle'n curo'r Secret Garden yn rhacs.

Archebais bryd ysgafn i'w fwynhau wrth un o'r byrddau tu fas i'r Ice House. Roedd pobl eraill hefyd yn manteisio ar y tywydd ansicr ond gobeithiol i fwynhau awr ginio *al fresco*. Pan ddaeth y bwyd, triais dreulio'r newyddion diweddaraf. Yn amlwg, o ran y bwyty, do'n i ddim wedi symud yn rhy fuan. Ynglŷn ag Elin a Hywel, roedd eu hundod newydd yn anochel, wrth gwrs. Ac roedd e hefyd yn anochel bod e-bost cas Hywel wedi gweithio'n berffaith, fel y gweithiodd popeth arall yn ei fywyd erioed. Pam, felly, o'n i'n teimlo mor uffernol?

Fi laddodd y garwriaeth amhosib, mewn gwaed oer, a wnaeth Elin ddim ond dilyn fy nghyngor i i'r llythyren. Eto, roedd yn teimlo bron fel erthyliad. Buasai'n garwriaeth gyffrous, beryglus, ffôl – fel y dylai carwriaeth dda fod – yn *roller coaster* fel un o'r rheini yn ffair y Rec. Wrth gwrs, buasai wedi crasho'n yfflon yn y diwedd. Ond onid yw popeth yn crasho yn hwyr neu'n hwyrach?

Yna'n reddfol, tynnais yr iPhone o'i waled. Pa newyddion oedd 'da fe i fi nawr? Yn ddiog, gwasgais *Mail*, wedyn *Inbox*. Roedd yna neges newydd oedd yn fwy annisgwyl hyd yn oed na neges uffernol Hywel Ashley. Oddi wrth Lucy Carter roedd hi. Roedd yn fyr ac i'r pwynt: *May I book a table for one for next week, Wednesday, 8 o'clock? Thanks, Lucy.*

Darllenais y neges ddwywaith a thair. Sut oedd e'n bosib, ar ôl y noson honno yn Nhrefdraeth? Ro'n i wedi dechrau dygymod â'r llanast. O'n i eisiau ailagor hen glwyfau? Fyddai'r pryd ddim yn bosib, ta beth. Byddai'n fis Hydref, byddai'r bwyty wedi cau. Ond, meddyliais yn sydyn, oedd raid i hynny fod yn rhwystr?

Edrychais tua'r Thai Elephant, a dechreuodd cynllun gwallgo danio yn fy mhen.

Gafaelais yn y ffôn, ac anfon ateb at Lucy: *That's OK, but you'll have to take the table d'hôte menu. Rhys.*

30: Bwrdd i Ddau

ROEDD YN RHAID i'r amseru fod yn berffaith. Fyddai 'na ddim traffig trwm o gwmpas y Bae am wyth o'r gloch ar nos Fercher. Trefnais y buasen i'n galw yn y Thai Elephant am hanner awr wedi saith i gasglu'r dysglau a'r blychau bwyd. Treuliais dipyn o'r pnawn yn tacluso'r bwyty ar gyfer Lucy, gan adfer y Bwda i'w hen urddas, glanhau'r lle mas a sgubo'r llwch oddi ar y llun o fynydd Doi Chiang Dao, oedd, wrth gwrs, yn bathetig o dwristaidd o'i gymharu ag eiconau gwreiddiol, crefyddol y Thai Elephant.

Wrth gwrs, roedd 'na arwydd newydd glas a choch wedi'i hoelio ar y tu fas: *To Let. Exciting Business Opportunity.* Nid twyllo Lucy oedd y bwriad, ond rhoi syrpréis iddi, a phrofiad gwallgo i ni'n dau. Beth bynnag oedd ei rheswm dros anfon y neges, un peth oedd yn siŵr: doedd e ddim er mwyn ehangu ei phrofiad gastronomaidd o fwyd Thai.

Aeth dechrau'r wythnos heibio'n gyflym. Mae 'na dipyn i'w wneud pan mae busnes yn cau, a phobl i gysylltu â nhw, gan gynnwys cyflenwyr cyson. E-bostiais fy nghwsmeriaid ffyddlon: rhestr hirach nag o'n i'n feddwl. Ces bleser arbennig o roi gwybod i'r Cyngor na fyddai angen iddyn nhw alw eto. Diolchais na fasen i byth eto'n gorfod siecio tymheredd y ffridjys, gwneud yn siŵr bod y ffaniau'n tynnu, y drysau tân yn cau a bod digon o fenig rwber ar gael mewn gwahanol lefydd. A bod y rhybuddion yn eu lle, y rhai roedd pawb yn eu hanwybyddu.

Erbyn rhai munudau i wyth nos Fercher, ro'n i'n barod. Doedd 'na ddim llefydd parcio ar yr hewl fawr, ac wedi gadael y bwyd yn y gegin roedd yn rhaid i fi barcio'r Audi ar frys ar un o'r strydoedd culion ar y rhiw y tu ôl i'r bwyty. Gorfu i fi redeg i lawr wedyn er mwyn bod yno mewn pryd ar gyfer Lucy. Ychydig wedyn, gwelais hi'n cerdded lan y stryd o gyfeiriad yr arhosfan bysys. Safais tu fas i'r drws, yn ei disgwyl.

Pan ddaeth hi lan ata i, edrychon ni'n ansicr ar ein gilydd. Ond gwelwn fod 'na rywbeth direidus yn ei llygaid. Roedd hi wedi newid – ond wyddwn i ddim sut. Wrth ei thywys at y drws blaen, dywedais yn syml: "Croeso i'r Secret Garden, Lucy. Gwell hwyr na hwyrach."

"Chi'n iawn," meddai, "mae misoedd wedi mynd heibio oddi ar i chi addo pryd i mi – ond fi sy'n talu am hwn."

"Cawn drafod hynny eto."

Ond yna sylwodd Lucy fod y bwyty'n wag, a bod arwydd *I'w Osod* i fyny ar y wal.

"Ond Rhys," meddai, wedi cael sioc, "doedd gen i ddim syniad! *I really am sorry…*"

"Wel, do'n i ddim eisiau esgus i ti beidio dod draw!"

"Ond beth am y bwyd?"

"Bydd y bwyd yn wych – rwy'n addo hynny – ac mae e i gyd yn barod."

"Ond beth am André?"

"Diolch i Dduw, mae e wedi mynd, a'r staff eraill i gyd, hefyd – yn anffodus. Yn od iawn, rwy'n eu colli nhw. Ond dere mewn, a rho dy got i fi."

Rhoddais ei chot ysgafn ar y stand bambŵ, a dangos iddi'r bwrdd wrth y ffenest, yr un lle bu Steff a fi'n malu awyr dros fis yn ôl erbyn hyn. Ro'n i eisoes wedi gosod y dysglau a'r gwydrau a'r cyllyll a'r ffyrc ar y lliain bwrdd coch, a channwyll yn y canol.

"Dwi'n licio'r awyrgylch," meddai Lucy gan edrych o gwmpas, "a dwi'n dwlu ar y Bwda bach yna. Lle cawsoch chi e?"

"Yn Berlin ar y Bergmannstrasse, stryd hipïaidd yn yr hen Ddwyrain. Dyma'i noson ola yn y bwyty. Rwy'n mynd ag e 'da fi i'r fflat fory."

"Chi ddim yn Fwdydd, Rhys?"

"Na'dw. Y cyfan rwy'n gwybod yw bod e'n fachan callach na fi, ac am y rheswm yna rwy am ei gadw o gwmpas. Nawr 'te, Lucy, wyt ti'n barod am y cwrs cyntaf? Does dim dewis heno, fel ti'n gwybod. *Table d'hôte* yw hi. Y gwesteiwr yw'r bòs."

"Hynny'n fy siwtio'n ardderchog."

"Ond mae'r gwestai'n gwybod mwy am win. Ga i ddim ond dweud bod y gwin Ffrengig yn fwy dibynadwy na'r gwin Thai, ond mae croeso i ti ei brofi e."

"Na, mae unrhyw beth dibynadwy yn fy siwtio i'n well y dyddiau hyn."

"Wrth gwrs, bydda i'n trosglwyddo gweddill y gwinoedd i gyd i'r fflat fory, hefyd. Heno yw'r noson ola."

"Mae hyn yn fraint, felly."

"Ac yn bleser annisgwyl i fi, Lucy."

Es i i'r gegin a nôl y cwrs cyntaf i ni'n dau, a rhoi'r dysglau ar y bwrdd.

"Iawn i fi ymuno â ti?"

"Ond wrth gwrs!"

"Mae hwn yn gawl madarch llysieuol Tom Yam. Mae'n cynnwys dail leim, galangal, gwair lemwn a choriander – ac mae e dwtsh yn boeth…"

Profodd Lucy'r cawl yn araf, a dweud: "Ond mae hyn yn nefolaidd, Rhys! Ydi'r bwyd yma ar eich bwydlen arferol?"

"Na'di."

"O, wel, cadwch y risêt i fi."

"Sai'n gwybod e fy hun."

Blasais y cawl ac edrych draw at Lucy. Roedd hi, fel bob amser, mewn rigowt chwaethus, anffurfiol ac wedi coluro'i hun yn ofalus, ond roedd rhywbeth amdani nad oedd mor raenus neu mor hyderus ag arfer. Ro'n i'n siŵr bod ganddi stori i'w dweud.

"Iechyd da," dywedais. "Ac i arhosiad hir yng Nghymru!"

"*Yeah*, cawn weld…"

"Pam, ydi popeth ddim *on track*?"

"Dwi ar yr un trac, ond yn symud yn arafach."

"Rhaid i ti esbonio, Lucy."

"Wel, ble ca i ddechre?"

"Eglura gynta pam ddest ti'n ôl, ar ôl y rhyw yna. Gest ti lai o bleser erioed? O'n i'n dwmffat llwyr. Sai'n gwybod be ddaeth drosta i."

"A dweud y gwir, nid achos hynny ddes i ddim 'nôl atoch."

"Be ti'n feddwl?"

"Wel, *sex is sex…*"

"Ie, dyna i gyd ti'n gallu dweud amdano fe…"

"Ond chi oedd yn iawn. Do'n i ddim yn ddigon clyfar i chware'r gêm yna. Ro'n i'n gofyn am drafferthion."

"Felly pam wnest ti ailgysylltu?"

Cymerodd lwyaid o'r cawl, a dweud: "Mae lot o bethau wedi newid i mi yn ystod y ddau fis dwetha. I ddechrau, dwi ddim yn byw yn Eaton Crescent mwyach. Dwi'n rhannu digs â phedwar arall yn ardal Brynmill – yr unig stafell o'n i'n gallu'i fforddio. Mae'n dymp, mae'n damp a ddim yn breifat iawn."

"Mae'n ddrwg iawn 'da fi glywed."

"Gwmpes i mas 'da Rory a Brian. O'n i'n methu godde'r sefyllfa, ond fy newis i oedd e, rwy'n cyfadde. Wnes i feddwl yn y dechrau y gallai fod yn hwyl ond roedden nhw'n disgwyl i fi fwydo gwybodaeth iddyn nhw a helpu i gadw hanes y milwyr allan o'r wasg."

"Ond sut ces ti dy hunan yn y sefyllfa yna i ddechrau?"

"*Funding*, Rhys. Trwyddyn nhw ges i'r arian."

"Ond rhaid dy fod ti wedi cael rhywbeth cyn dod yma?"

"Do, o'r Albright Foundation, ond doedd e ddim yn llawer. Mae 'na sefydliadau eraill, mwy cefnog a dylanwadol, yn dod draw i'r Marriott bob hyn a hyn."

"Rwy'n gweld…"

"Maen nhw'n cynnal derbyniadau i fyfyrwyr o America. Mae'r arian yn dod o'r llywodraeth yn y pen draw, yr FBI falle. Mae 'na amodau, ond mae'r arian wedyn yn dda iawn, iawn. Maen nhw'n targedu myfyrwyr sy'n gwneud graddau uwch. Beth bynnag, ar ôl y noson yna yn Nhrefdraeth, penderfynais na allen i gario 'mlaen, a rhoddais i weddill yr arian 'nôl. Rwy'n gorfod benthyg nawr i orffen y cwrs, ond rwy'n credu y galla i bara tan yr haf…"

A'r darlun nawr yn dod yn gliriach, cadwais y dysglau cawl a pharatoi i gyflwyno uchafbwynt gastronomig y noson: pinafal cyfan ar ffurf llong yn llawn reis wedi'i ffrio, wedi'i stwffio â chorgimwch a darnau o gyw iâr a rhesinau a chnau *cashew*. Gosodais y ddwy long ar blatiau a'u rhoi ar hambwrdd dwyreiniol.

"Pitsha mewn," dywedais.

Yn ofnus, rhoddodd ei llwy yng nghanol y llong, a dweud: "Dwi ddim am dorri'r llong. Buasai braidd fel chwalu'r *Afallon*. Ydi'r cwch yn dal 'da chi?"

"Wrth gwrs. Bydd 'da fi fwy o amser nawr i fynd â hi mas."

"Oes 'da chi gynlluniau o gwbl?"

"Na, dim byd arbennig. Mae 'na bethau i'w setlo ynglŷn â 'Nhad a bydda i angen toriad wedyn. Rwy'n ystyried mynd dramor i ddala lan â hen ffrind."

"Chi ddim yn meddwl mynd 'nôl i Berlin?" meddai Lucy, yn siomedig.

"Am wythnos neu ddwy, o leia. Rwy'n hollol rydd eto nawr, a'r busnes wedi cwpla, a 'Nhad, wrth gwrs, wedi marw. Mae'n deimlad od. Does dim byd penodol i 'nghadw i yn Abertawe nawr."

"Ond wyddwn i ddim. Mae'n wir ddrwg gen i glywed am eich tad. Rhaid bod hynny wedi bod yn anodd iawn ar ben popeth…"

"Roedd e'n hen, cofia, a'i feddwl yn dechre mynd. A doedden ni ddim yn dod 'mlaen yn wych, ond eto…"

"Dwi'n deall nawr, eich bod chi am gefnu ar hynna i gyd. Y'ch chi'n ystyried symud o'ma?"

"Dim ond o'r Marina, falle – wnes i erioed setlo'n iawn yn y lle… a beth amdanat ti?"

"Dwi am orffen fy ngradd. Gas gen i adael rhywbeth ar ei hanner. Un fel'na ydw i."

"Beth wedyn?"

"Cawn weld, yntê?"

"Gradd arall?"

"Os ca i'r *funding*."

"Ond os cei di radd dda?"

"Byddai hynny o help, yn bendant."

"Felly mae'r cyfan yn eitha ansicr?"

"Ddes i ddim draw i Gymru i gael sicrwydd," meddai gan edrych tuag ata i.

Palodd Lucy i mewn i'r bwyd gan gymysgu'r pinafal a'r corgimwch ar ben ei fforc. Ro'n i hefyd wedi gosod craceri a saws iogwrt a mint ar y bwrdd, tric yr oedd André wedi'i ddysgu i fi. Ond dim ond pan ddes i â'r ddau *sorbet* i'r bwrdd yr o'n i o'r diwedd yn gallu anghofio fy rôl weini. Buom yn bwyta mewn tawelwch am ychydig, gan edrych mas i'r Bae weithiau.

"Oedd y bwyty'n aml yn wag?" gofynnodd Lucy.

"Mae'n dibynnu. Roedd yn gallu bod yn wael mas o dymor. Â'r economi fel mae, mae pobl nawr yn dod mas ar y penwythnos."

"Roedd hi'n anodd felly?"

"Roedd yn sialens."

"Chi'n difaru, Rhys? Chi'n drist na ffeindioch chi Afallon yn hyn?"

"Wnes i ddim meddwl amdano fe ffor'na. Fe wedest ti rywbeth ar y traeth, on'd do, ynglŷn â pheidio chwilio'n rhy galed."

"Ie, rhaid i chi adael i Afallon ddod atoch chi."

"Ond beth os ddaw e ddim?"

"Peidio disgwyl yw'r polisi gorau."

"Wel, dyna rwy'n neud nawr, yn bendant!"

Roedd ambell bâr yn pasio heibio'r ffenest tra oedd eraill yn cerddedian ar y prom yr ochr draw. Y tu ôl i lampau'r stryd roedd goleuadau'r Bae yn gilgant perlog. Yn uchel uwchben y cyfan roedd lleuad lachar, lawn.

Roedd yr olygfa'n brydferthach nag erioed, ond heno, do'n i ddim yn rhy siŵr ohoni. Roedd pethau llai na pherffaith wedi digwydd o dan yr un lleuad: boddi John Harries, sgyrsiau diniwed, dymunol ond diobaith Elin a fi, yr aduniad afreal â Steff wrth gwrs. Penderfynais gadw'r sgwrs yn ysgafn. Wrth i ni brocio'n gilydd ynglŷn â'n cynlluniau, roedd yn glir bod gan Lucy benderfyniadau mwy o'i blaen na fi. Ond i gael syniad sut roedd y gwynt yn chwythu, mentrais ofyn: "Felly beth am y Gymraeg? Ti'n dal ati?"

Aeth Lucy i'w bag a thynnu mas y *Welsh Learners' Dictionary*, yna'i roi e 'nôl â gwên.

Wnes i mo'i gwthio ymhellach ar hynny, a chyhoeddais fod uchafbwynt y pryd eto i ddod: *Oliang*, coffi iâ o Wlad Thai. Roedd hyn yn un peth na ches i o'r Thai Elephant ac fe'i creais e fy hun, o risêt ffeindiais i ar y we. Yfodd Lucy e'n werthfawrogol ac yna, a'r amser wedi hedfan, daethon ni'n dau yn ymwybodol fod yr amser i wahanu ar fin dod.

"Lifft 'nôl?" gofynnais, heb fod yn rhy obeithiol.

"Diolch yn fawr, Rhys," meddai. "Dwi'n derbyn y cynnig. Does 'na ddim bysys hwylus i ardal Brynmill."

"Mae'r car wedi'i barcio ar y rhiw y tu ôl. Dyw e ddim yn wyrdd iawn, rwy'n gwybod, ond os arhosi di fan hyn, fe ddo i ag e lawr mewn rhyw ddeg munud."

"Na, gwell 'da fi ddod 'da chi. Dwi'n achub ar bob cyfle i wneud ychydig o ymarfer corff."

Rhoddais ei chot yn ôl i Lucy, a diffodd y golau a'r trydan a rhoi'r larwm ymlaen, tasgau na fyddwn i'n eu gwneud eto.

Roedd 'na deimlad terfynol wrth i fi gau'r drws ar bryd olaf yr Ardd Ddirgel.

Cerddon ni ryw hanner canllath i lawr Heol y Mwmbwls tuag at Ystumllwynarth, wedyn troi lan y rhiw gul, serth i'r chwith. Ychydig yn swrth ar ôl y bwyd, fe gerddon ni ar wahân gan reoli ein teimladau. Yna, o'r diwedd, wedi troi i'r chwith eto, daethon ni at yr Audi.

Oedd, roedd yr Audi yn dal yno – ond heb yr un teiar, a heb system sain, a chyda cythraul o dwll yn ffenest ochr y gyrrwr. Rhaid eu bod nhw wedi defnyddio bricsen. Doedd hi ddim yn olygfa bert. Safais yno mewn sioc: roedd Abertawe, o'r diwedd, wedi 'nghael i 'nôl.

Edrychodd Lucy arna i, a fi ar Lucy, yn ddifrifol i ddechrau – yna torron ni'n dau mas i chwerthin.

"Looks like we'll have to hire a taxi!" meddai Lucy.

"Ie – i'r fflat?"

"Ydi hynna'n… wahoddiad?"

"Wrth gwrs."

"Ond does gen i ddim gyda mi."

"Fyddi di ddim angen dim."

Ffoniais yr heddlu o lle roedden ni: do'n i ddim am golli arian yswiriant. Yna cerddon ni lawr y rhiw fraich ym mraich, yn dynn yn ein gilydd, ac yn dal i gael pyliau o chwerthin, wrth lusgo'n hunain ar hyd y ffordd gul. Gallem weld y Bae odanom, yn y bwlch rhwng y tai, ac roedd y lleuad yno hefyd, yn llawn uwchben y toeon.

"Chi'n cofio'r pennill yna, on'd y'ch chi," meddai Lucy, "un Bob Dylan?"

"Wrth gwrs 'mod i."

"*Forget your perfect offering, There is a crack in everything, that's how the light gets in…*"

"Ie, rwy'n gwybod – ond oedd raid iddyn nhw wneud crac mor fawr yn ffenest yr Audi?"

Epilog: Berlin

MAE 'NA SAWL cân enwog am hydref yn Efrog Newydd, a dylai fod 'na rai am Berlin achos dyma'r tymor perffaith i fwynhau'r ddinas. Mae'r coed pisgwydd yn troi'n aur yn y strydoedd ac mae'r parciau'n wledd o liwiau oren a brown a'r dail yn garped meddal dan draed. Mae pobl mas yn cerdded yn hamddenol ac yn diogi wrth y byrddau palmant, yn cymryd mwy o amser nag arfer dros sgwrs a phapur a choffi a mwgyn, gan ymlacio'n ddyfnach nag sy'n bosib yn y gwanwyn. Os oedd Rocco 'nôl yn Berlin, ac os oedd hi'n hydref, yna roedd yn rhaid i fi fod yno.

Gwyddwn fod Rocco'n hoff o ardal y Nollendorfplatz, yr ardal hoyw lle buodd Christopher Isherwood yn byw ac yn sgrifennu'r llyfrau a roddodd fod i'r sioe *Cabaret*. Mae'r ardal wedi parchuso ers y dyddiau hynny, a does dim cabaret yn theatr y Goya, ond mae'n dal yn fywiog ac fe welwch chi barau hoyw, yn eu du i gyd, yn cusanu ar gornel y stryd ac allan yn y gerddi yfed. Yn un o'r rheini yr awgrymais wrth Rocco ein bod ni'n cwrdd, lle cyfleus gyferbyn â'r orsaf *U-Bahn*: yr American Bar.

Roedd Rocco'n edrych yn well nag erioed wedi'r misoedd yn hwylio dan haul Mykonos. Roedd ganddo het wellt banama am ei ben, crys polo du, *chinos* cotwm golau a chopi o'r *Frankfurter Allgemeine Zeitung* dan ei fraich. Edrychai'n Seisnig rywsut, a braidd yn ddiemosiwn oedd ei ymddygiad pan gwrddon ni – o ystyried nad oedden ni wedi gweld ein gilydd ers dros bedair blynedd – ond ro'n i'n nabod y diawl yn ddigon da i wybod mai dyna'i steil e.

Buom yn siarad am hyn a'r llall fel petai'r blynyddoedd yna

heb basio. Doedd dim pwynt ailagor hen glwyfau. Roedd dau ddyn yn cydio yn nwylo'i gilydd wrth y bwrdd nesaf a phobl ifanc yn dadlau a chwerthin dan y coed yn y bar drws nesaf. Roedd merched mini-sgertiog mas o glawr *Vogue* yn pasio ar gefn hen feiciau rhydlyd ar hyd y ffordd fawr. Roedd rhai ohonyn nhw'n taflu cip sydyn ar Rocco. Mae'r ardal hon, wrth gwrs, yn wahanol – ond eto dyw hi ddim, chwaith. Ro'n i 'nôl yn Berlin.

Do'n i ddim mor siŵr am yr American Bar â'i arwydd neon mawr Corona Lite, ei hysbysebion cras, coch a melyn a'i fwydlen o *Gold Rush chicken fingers* a *butter-fried onion rings*. Ond roedd 'na gwrw o'r *Fass*, a bwrdd ar gyfer gwylio'r byd yn pasio heibio. Rhaid 'mod i wedi yfed lityr neu ddau o'r cwrw yna neu fasen i ddim wedi gofyn i Rocco, ar ryw bwynt yn ystod y pnawn: "Rocco, ti'n fiocemegydd. Ti'n gwbod am PTSD?"

"Pam ti'n gofyn?"

"Ti'n cofio fi'n sôn am ryw filwyr yn mynd ar chwâl yn Abertawe?"

"Ydw, ac rwy'n gobeithio i ti dderbyn fy nghyngor i a gadael y cyfan i fod?"

"Wnes i ddim ar y pryd, rwy'n cyfadde."

"Ond rwy'n gwybod am *post-traumatic stress disorder*. Buodd Tante Gertrud yn fy holi hefyd. Mae e 'bach yn fwy difrifol na mae pobol yn sylweddoli, os ti'n cael y dos llawn."

"Fe wedodd hi ei fod e'n gallu cael ei drosglwyddo'n enynnol. Anghredadwy."

"Pam hynny?"

"Wel, diawch, mae e fel y pechod gwreiddiol – y syniad o bechod yn cael ei basio o genhedlaeth i genhedlaeth."

Gwthiodd Rocco ei sbectol dywyll i lawr i flaen ei drwyn, a dweud wrtha i â gwên dosturiol: "Ti ddim yn deall? Dyna yw esblygiad: *mutations* yn y DNA. Pam fod gan jiraff wddw hir? Achos bod ymddygiad yn effeithio ar enynnau. Meddylia amdano fe am funud bach…"

"Beth am HIV?" gofynnais gan feddwl am Kylie Marshall a'i phlentyn.

"*Virus* yw HIV, ond mae'r un peth yn wir."

Gadewais y pwnc i fod. Ro'n i ar wyliau, ac roedd 'na gwrw i'w yfed a phnawniau i'w gwastraffu. Gadewais i Rocco ddarllen ei bapur ac fe droais at fy mhapur i, y *Berliner Morgenpost*, gyda'i newyddion am y ddinas. Ond yn fuan wedyn, dyma Rocco'n edrych ataf dros ei bapur, a dweud: "Mae 'na eitem fach od iawn yma, yn ymwneud â Chymru, o dan Pytiau Tramor."

"Ie, beth yw e?"

"Mae'r Cynulliad Cymreig wedi dynodi Bae Ceredigion fel *drone zone* mwyaf Ewrop. Croesawyd y cyhoeddiad gan Ehud Barak, Gweinidog Amddiffyn Israel, a ddywedodd fod y Cymry i'w llongyfarch ar eu cyfraniad i achos cyfiawnder a heddwch rhyngwladol."

"Alla i ddim credu be rwy'n clywed," dywedais, gan roi fy mhapur i lawr.

"Rhaid i ti fynd 'nôl 'na," meddai Rocco, "i'w sortio nhw mas!"

"Rwy wedi trio'n barod, a methu'n drychinebus."

"Pam maen nhw'n cymryd y *Scheiss* yma? Yn amlwg, yr unig reswm mae'r peth yn mynd i Gymru yw nad oes yr un wlad arall yn Ewrop yn barod i'w gymryd e."

"Fe gymrith y Cymry unrhyw *Scheiss* chi'n taflu atyn nhw: milwrol, niwclear, diwylliannol hefyd."

"*Mein Gott!*" meddai Rocco gan droi'n ôl at ei bapur, ac ychwanegu: "Ddylet ti fod wedi aros yn Berlin, fel y cynghorais i. Dim *drones*, dim *nukes*, merched pert ym mhobman – drycha ar honna."

"Mae rhai o'r rheini yng Nghymru, hefyd."

"Be, ti wedi ffeindio un?"

"Sai'n siŵr. Americanes yw hi."

"Nid yr un un ag oeddet ti'n ymddiddori ynddi o'r blaen?"

"Ie."

"Hy," meddai Rocco, yn edrych arna i dros ei bapur, "mae'n amlwg na wnest ti ddim gwrando ar yr un gair ddywedais i!"

"Mae hi wedi symud ata i i fyw nawr, ond be sy'n od yw, sai'n siŵr ai dyna rwy moyn. Sai angen yr ymrwymiad. Ac rwy'n meddwl weithiau ei bod hi wedi cwmpo mewn cariad â Chymru yn fwy na fi."

"Mae'n swnio'n fenyw o ryw sylwedd, felly."

"Diolch yn fawr iawn…"

Rhoddodd ei bapur i lawr ac edrych arna i. "Mae'n gêm, yn tydi? Dwi'n dechrau blino arno, y meri-go-rownd rhywiol. Rwy'n meddwl weithiau y dylen i fynd i Venezuela wedi'r cyfan. Anghofio am hapusrwydd. Rhoi blwyddyn neu ddwy i'w helpu nhw i gynhyrchu cyffuriau generig rhad. Gofyn am ddim ond costau llety a bwyd. Gwneud rhywbeth da, helpu pobol. Nid be wnest ti yng Ngwlad Pwyl, Rhys. I'r gwrthwyneb, rhoi'r pŵer i'r bobol."

"Paid beio fi am hwnna i gyd."

"Dydw i ddim. Roeddet ti, fel fi, yn gaeth i'r cyfalafwyr."

Ond ro'n i'n dal i feddwl am y newyddion o Gymru oedd wedi cyrraedd mor bell â'r *Frankfurter Allgemeine Zeitung*, ac am Israeliaid yn defnyddio Cymru er mwyn lladd y Palestiniaid yn fwy effeithiol, a'r Americans er mwyn lladd pawb. Mor ofer fu sgyrsiau Elin a fi, fel ein carwriaeth.

"Pam ti mor dawel, Rhys? Ti ddim yn cytuno â'r syniad?"

"Pa syniad nawr?"

"Venezuela."

"Mae'r syniad yn ddiddorol, Rocco, a byddai'n brofiad bythgofiadwy i ti. Ond cyfra fi mas – a ta beth, be fase Tante Gertrud yn ddweud?"

"Mae hi wedi dweud wrtha i am fynd. Ro'n i'n synnu, ond mae hi'n radical go iawn, nid fel y rhai ifanc."

"Felly rwyt ti wedi ystyried y peth o ddifri?"

"Wel, ddim yn hollol o ddifri. Mae 'na beryg mewn trafod unrhyw beth o ddifri. Y peth sydd ar flaen fy meddwl i yw ffeindio gwlad heb dwristiaid."

Wrth orffen fy *Stein*, dywedais: "Bydd yn rhaid i fi ei ffonio hi, Tante Gertrud. Neu gwell fyth, wyt ti'n meddwl mynd draw i'w gweld hi yn yr wythnos nesa 'ma?"

"Fe drefnwn ni hynny, Rhys."

"Felly ti 'nôl yn dy fflat yn Prenz'berg? Y lluniau 'nôl ar y llawr?"

"Ydyn, ond mewn llefydd gwahanol. Dwi ddim yn hoffi ailadrodd fy hun."

"Venezuela amdani, felly?"

"Awn ni i'r Green Door gynta," meddai Rocco gan wagio'i wydryn. "Ti'n gwbod am y lle? Bar bach *gemütlich* ar y Winterfeldtstrasse, ychydig i fyny'r hewl."

"Gwell i ni fyta gynta, ti'n meddwl?"

"Na, pump o'r gloch yw hi. Gynnon ni trwy'r nos."

Ro'n i wedi bod yn y lle o'r blaen. Doedd e mo fy hoff fath o far. Mae'n un o'r rheini sy'n denu *poseurs* a lle mae pob diod yn ddeg ewro. Gwell 'da fi'r *Kneipe* bach hen ffasiwn, cornel stryd, ond do'n i ddim yn poeni. Talais y gweinydd; câi Rocco dalu'r tro nesaf. Roedd e'n gwmni da, a byddai un profiad yn dilyn y llall, a byddai e'n ffeindio cwmni, ac efallai y byddwn i hefyd, ac os na fyddwn i, doedd dim ots ta beth: roedd hi'n hydref yn Berlin.

Hefyd gan Robat Gruffudd

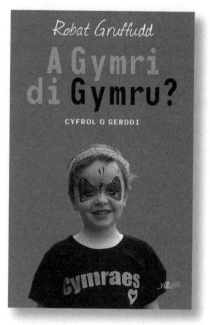

Dros drigain o gerddi syml a swynol, dwys a doniol
am Gymru ac am fyw.

978–1–84771–118–2

£5.95

Am restr gyflawn o lyfrau'r Lolfa, mynnwch
gopi am ddim o'n catalog
neu hwyliwch i mewn i'n gwefan

www.ylolfa.com

lle gallwch ddewis ac archebu llyfrau ar-lein.

TALYBONT CEREDIGION CYMRU SY24 5HE
ebost ylolfa@ylolfa.com
gwefan www.ylolfa.com
ffôn 01970 832 304
ffacs 832 782